D0379015

YASMINA KHADRA

LES ANGES MEURENT DE NOS BLESSURES

roman

Julliard
24, avenue Marceau
75008 Paris

ISBN 978-2-260-02096-7

LES ANGES MEURENT DE NOS BLESSURES

DU MÊME AUTEUR

Aux éditions Julliard

Les Agneaux du Seigneur, roman, 1998 (Pocket, 1999)
À quoi rêvent les loups, roman, 1999 (Pocket, 2000)
L'Écrivain, roman, 2001 (Pocket, 2003)
L'Imposture des mots, roman, 2002 (Pocket, 2004)
Les Hirondelles de Kaboul, roman, 2002 (Pocket, 2004)
Cousine K., roman, 2003 (Pocket, 2005)
La Part du mort, roman, 2004
L'Attentat, roman, 2005 (Pocket, 2006)
Les Sirènes de Bagdad, roman, 2006 (Pocket, 2007)
Ce que le jour doit à la nuit, roman, 2008 (Pocket, 2009)
L'Olympe des Infortunes, roman, 2010 (Pocket, 2011)
L'Équation africaine, roman, 2011 (Pocket, 2012)

Chez Folio

La Part du mort
Morituri
Double Blanc
L'Automne des chimères

Chez Après La Lune

La Rose de Blida

Je m'appelle Turambo et, à l'aube, on viendra me chercher.

« Tu ne sentiras rien », m'a rassuré Chef Borselli.

Qu'en sait-il, lui, dont la jugeote tiendrait à peine dans un dé à coudre ?

J'ai envie de lui hurler de la fermer, qu'il m'oublie pour une fois, mais je suis laminé. Sa voix nasillarde m'effraie autant que les minutes qui appauvrissent mes restes d'existence.

Chef Borselli est embêté. Il ne sait pas trouver les mots qui apaisent. Toute sa rhétorique se réduit à quelques formules ordurières qu'il ponctue de coups de matraque. *Je vais te briser la gueule comme un miroir,* plastronnait-il. *Comme ça, chaque fois que tu te materas dans une glace, ça te fera sept ans de malheur...* Manque de pot, il n'y a pas de glace dans ma cellule, et dans le couloir de la mort le sursis ne se calcule pas en nombre d'années.

Ce soir, Chef Borselli est forcé de ravaler sa bave et ses jurons, et ça le déstabilise. Son affabilité improvisée ne sied guère à sa fonction de brute ; je dirais même qu'elle le dénature. Je le trouve pathétique, décevant, aussi chiant que la crève. Il n'est pas dans ses habitudes d'être aux petits soins pour un taulard qu'il tabasse juste pour ne pas perdre la main. Pas plus tard qu'il y a deux jours, il m'a mis face au mur et m'a défoncé la figure contre la pierre

– j'en porte encore la trace sur le front. *Je m'en vais t'arracher les châsses et te les foutre au cul,* a-t-il tonitrué pour que le monde entier l'entende. *De cette façon, ça te fera quatre burnes et alors seulement tu pourras me regarder en face sans me froisser*... Un cave muni d'un gourdin avec la permission de s'en servir à sa guise. Un coq en pâte à modeler. Il se dresserait sur ses plus hauts ergots qu'il ne m'arriverait pas à la ceinture, mais je suppose qu'on n'a pas besoin de s'encombrer d'un escabeau lorsqu'une vulgaire trique met les colosses à genoux.

Depuis que Chef Borselli a installé sa chaise en face de ma cellule, il n'est pas bien. Il n'arrête pas de s'éponger dans un bout de mouchoir et de ressasser des théories qui le dépassent. Sûr qu'il aimerait être ailleurs, dans les bras d'une gourgandine soûle comme une vache, ou bien au beau milieu d'un stade en liesse parmi une foule d'énergumènes braillant à casser la baraque pour tenir à distance les soucis du monde, enfin n'importe où pourvu que ça soit à mille lieues de ce couloir qui pue face à un pauvre type qui ne sait où donner de la tête en attendant de la restituer à qui de droit.

Je crois que je lui fais de la peine. Après tout, qu'est-ce qu'un maton sinon le bougre de l'autre côté de la grille, un remords en jachère. Chef Borselli doit certainement regretter ses excès de zèle maintenant que, dans le silence sépulcral de la cour, l'échafaud s'érige en stèle.

Je ne pense pas l'avoir détesté outre mesure. Le pauvre diable ne fait que s'acquitter du rôle minable qui lui échoit. Sans son uniforme, qui lui prête un soupçon de relief, il se ferait bouffer cru plus vite qu'un macaque tombé dans un marigot rempli de piranhas. Mais en prison, c'est comme au cirque : d'un côté il y a les fauves en cage, de l'autre les dompteurs armés de cravache. Les lignes de démarcation sont claires ; celui qui les ignore ne doit s'en prendre qu'à lui-même.

Lorsque j'eus fini de manger, je me suis allongé sur mon grabat. J'ai interrogé le plafond, les murs scarifiés de dessins obscènes, les lumières du couchant qui s'amenuisaient sur les barreaux, et je n'ai pas obtenu de réponses. Quelles réponses ? Pour quelles questions ? Les débats ont été tranchés le jour où le juge m'a lu, d'une voix caverneuse, le sort qui m'est réservé. Je me souviens, les mouches avaient suspendu leur ballet dans la salle obscure tandis que l'ensemble des regards se tournait vers moi comme autant de pelletées de terre sur un macchabée.

Je n'ai plus qu'à attendre que la volonté des hommes s'accomplisse.

J'essaye de convoquer mon passé et ne perçois que mon cœur battant la cadence inexorable des instants sans échos qui me livrent déjà, cran par cran, à mon bourreau.

J'ai demandé une cigarette. Chef Borselli s'est exécuté avec fébrilité. Il m'aurait offert la lune sur un plateau. L'être humain ne serait-il qu'une mise en scène de circonstance où le loup et l'agneau alternent pour assurer l'équilibre des choses ?

J'ai fumé à me brûler les doigts, puis j'ai regardé le mégot conjurer ses ultimes démons dans d'infimes volutes grisâtres. Pareil à ma vie. Bientôt, le soir s'installera dans ma tête, sauf que je ne pense pas trouver le sommeil. Je m'accrocherai à chaque seconde avec l'entêtement d'un naufragé agrippé à son épave.

Je n'arrête pas de me dire qu'un coup de théâtre va me sortir de là – et puis quoi encore ? Les dés sont bel et bien jetés, il n'y a plus grand-chose à espérer. L'espoir ? Quelle arnaque ! Il y a deux genres d'espoir. L'espoir qui relève de l'ambition, et l'espoir qui se réclame du miracle. Le premier peut toujours courir, le second peut toujours attendre ; ni l'un ni l'autre ne sont une fin en soi puisque seule la mort en est une.

Et Chef Borselli qui continue de dérailler ! Qu'espèret-il, lui ? Que je lui donne l'absolution ? Je n'en veux à personne. Alors, pour l'amour du ciel, boucle-la, Chef Borselli, et laisse-moi à mes silences. Je ne suis qu'une coulée de plomb, mon esprit est sous vide.

Je feins de m'intéresser aux bestioles qui se poursuivent çà et là, aux écorchures sur le sol rêche, enfin à n'importe quel centre d'intérêt susceptible de me soustraire au délire du gardien. Rien à faire.

Ce matin, en me réveillant, j'ai surpris un cancrelat albinos sous ma chemise. C'était la première fois que j'en voyais un, lisse et étincelant comme un joyau, et je m'étais dit qu'il s'agissait probablement d'un bon présage. L'après-midi, j'ai entendu *le* camion se ranger dans la cour en se gargarisant, et Chef Borselli, qui *savait*, a eu un regard fuyant pour moi. Je suis monté sur mon lit et me suis hissé jusqu'à la lucarne ; je n'ai réussi à entrevoir qu'une aile désaffectée où deux gardiens se morfondaient. Jamais le silence n'aura été aussi assourdissant. D'habitude, les taulards gueulaient, cognaient avec leurs gamelles sur les barreaux quand ils ne se faisaient pas démonter par les prévôts. Cet après-midi, pas un bruit n'a troublé mes angoisses. Les gardiens ont disparu. On n'entend ni leurs grognements ni leurs pas dans les couloirs. On dirait que le pénitencier a été expurgé de son âme. Je suis seul face à mon fantôme et j'ai du mal à déterminer qui de nous deux est de chair et qui est de fumée.

Dans la cour, on a essayé le couperet. À trois reprises. *Clac !... Clac !... Clac !...* À chaque coup, mon cœur bondissait dans ma poitrine telle une gerboise effarouchée.

Mes doigts s'attardent sur la contusion violacée ornant mon front. Chef Borselli remue sur sa chaise. *J'suis pas vache dans le civil,* dit-il en faisant allusion à ma bosse. *C'est le gagne-pain qui veut ça. J'ai des gosses, tu piges ?* Il ne m'apprend rien. *J'aime pas voir les gens mourir,* ajoute-t-il. *Ça me dégoûte de la vie. J'vais être malade toute la semaine et les semaines d'après...* Il devrait se taire. Ses propos sont plus vilains que ses coups de matraque.

Je tente de penser à quelque chose. Ma tête est un désert. Je n'ai que vingt-sept ans, et en ce mois de juin 1937, tandis que la canicule m'initie à l'enfer qui m'attend, je me sens aussi vieux qu'une ruine. J'aimerais avoir peur, trembler comme une feuille, redouter les minutes qui s'égouttent dans l'abîme, bref me prouver que je ne suis pas encore bon pour le fossoyeur – pas une zébrure d'émotion ! Mon corps est de bois, mon souffle est une diversion. De toutes mes forces, je presse ma mémoire dans l'espoir d'en faire jaillir une silhouette, un visage ou une voix qui me tiendrait compagnie. Peine perdue. Mon passé s'est rétracté, mon parcours me largue, mon histoire me renie.

Chef Borselli s'est tu.

Le silence tient la prison en haleine. Je sais que personne ne dort dans les cellules, que les matons ne sont pas loin, que *mon heure* trépigne au bout du couloir...

Soudain, une grille geint dans le recueillement des pierres, et des pas feutrés se déversent sur le sol.

Chef Borselli manque de renverser son siège en se mettant au garde-à-vous. Dans la lumière anémique du corridor, des ombres suintent sur le sol, semblables à des traînées d'encre.

Loin, très loin, émanant d'un rêve confus, retentit l'appel du muezzin.

— *Rabbi m'âak*, crie un détenu.

Mes tripes s'entremêlent, rappelant une colonie de serpents coincée au fond d'une jarre. Quelque chose d'insondable prend possession de mon être. C'est *l'heure*. Nul n'échappe à son destin. Destin ? Seuls les êtres d'exception en ont un. Pour les gens ordinaires, la fatalité suffit... L'appel du muezzin s'engouffre en moi en coup de vent, pulvérise mes sens dans un tourbillon de panique. L'espace d'un effroi poussé à son paroxysme, je songe à traverser le mur et à courir à l'air libre sans me retourner. Pour échapper à quoi ? Pour aller où ? Je suis fait comme un rat. Quand bien même mes jambes refuseraient de me porter, les gardiens se chargeront de me livrer en bonne et due forme au bourreau.

Une multitude de contractions anales menace mon fond de culotte. Ma bouche se remplit d'un relent de terre ; j'y décèle l'avant-goût de la tombe qui s'apprête à me digérer jusqu'à ce que je devienne poussière… C'est bête de finir de cette manière. À vingt-sept ans. Ai-je eu le temps de vivre ? Et quelle vie ?… *Tu vas encore merder, et je ne tiens plus à tirer la chasse après toi,* me mettait en garde Gino… Ce qui est fait est fait ; aucun remords n'amortit la chute. La chance, c'est comme la jeunesse. Chacun y a sa part. Certains la saisissent au vol, d'autres la laissent filer entre leurs doigts, et d'autres l'attendent encore alors qu'elle est loin derrière eux… Qu'ai-je fait de la mienne ?

Je suis né avec la foudre. Une nuit d'orage et de vent. Avec des poings pour cogner et une bouche pour mordre. J'ai effectué mes premiers pas dans la fiente et je me suis accroché aux épines pour me relever.

Seul.

J'ai grandi dans un bidonville dantesque aux portes de Sidi Bel Abbes. Dans un patio où les souris avaient la taille des chiots. La faim et les guenilles étaient mon âme et mon corps. Debout avant les aurores, à un âge où les choses sérieuses ne devraient pas commencer, je galérais déjà. Qu'il pleuve ou qu'il gèle, il me fallait dégotter un grain de maïs à me mettre sous la dent afin de pouvoir galérer le lendemain sans tomber dans les pommes. Je trimais sans trêve et sans répit, souvent pour des prunes, et je rentrais le soir sur les rotules. Je ne me plaignais pas. C'était ainsi, et c'est tout. Hormis les marmots dénudés qui se chamaillaient dans la poussière et les clodos aux veines ravagées de vinasse que l'on découvrait pourrissant sous les ponts, tout individu de sept à soixante-dix-sept ans capable de tenir sur ses jambes se tuait à la tâche.

Je turbinais dans une boutique au cœur d'un coupe-gorge où croupissaient des légions de crotaleux en déroute et de malfrats en rupture de ban. Ce n'était pas vraiment une boutique, plutôt une cagna désaffectée toute vermoulue que squattait Zane, une crapule de la pire espèce. Mon boulot n'était pas compliqué : je rangeais les étagères, balayais le plancher, livrais à domicile des couffins qui pesaient le double de mon poids ou bien je faisais le guet lorsqu'une veuve criblée de dettes consentait à retrousser sa robe dans l'arrière-boutique en échange d'un morceau de sucre.

C'était une drôle d'époque.

J'ai vu des prophètes marcher sur l'eau, des vivants plus éteints que les dépouilles, et des canailles plonger si profond dans l'infamie que ni les démons ni l'Ange de la mort n'osaient y aller les chercher.

Bien qu'il engrangeât du fric à la pelle, Zane n'arrêtait pas de râler pour se préserver du mauvais œil, prétextant que les affaires ne marchaient pas, que les gens étaient trop fauchés pour s'offrir une corde et se pendre, que ses créanciers l'essoraient sans vergogne, et moi, prenant pour paroles saintes ses jérémiades, je compatissais. Bien sûr, pour sauver la face, il lui arrivait une fois par hasard ou par mégarde de me glisser une pièce dans la main, mais le jour où, excédé, j'avais réclamé mes arriérés, il m'avait fichu sa godasse au cul et m'avait renvoyé chez ma mère sans autres indemnités que la promesse de m'emmancher sec s'il me prenait à rôder dans les parages.

Avant d'atteindre la puberté, je croyais avoir bouclé la boucle, convaincu d'avoir tout vu, tout connu, tout subi.

J'étais vacciné, comme on dit.

J'avais onze ans et, pour moi, cela équivalait à onze fois perpète. Une damnation figée dans sa nullité, anonyme comme une ténèbre, tournant sur elle-même telle une vis sans fin. Si je ne voyais pas le bout du tunnel, c'était parce qu'il n'y en avait pas ; je ne faisais que parcourir une nuit qui n'en finissait pas de se réinventer…

Chef Borselli tripatouille la serrure de ma cellule, retire le loquet, ouvre la porte dans un grincement épouvantable et s'écarte pour laisser passer le *comité*. Le directeur de prison, mon avocat, deux officiels en costume cravate, un barbier livide flanqué d'une sacoche et l'imam avancent sur moi, encadrés par deux matons taillés dans un bloc de granit.

Leur solennité me glace le sang.

Chef Borselli pousse sa chaise jusqu'à moi et m'invite à m'asseoir dessus. Je ne bouge pas. Je ne peux pas bouger. On me dit quelque chose. Je n'entends pas. Je vois seulement des lèvres remuer. Deux geôliers m'aident à me lever et me fixent sur le siège. Dans le silence, les battements de mon cœur résonnent comme le roulement de tambours funèbres.

Le barbier glisse derrière mon dos. Ses doigts de rongeur appuient sur ma nuque pour la dégager du col de ma chemise. Mes yeux se concentrent sur les souliers cirés de frais qui miroitent autour de moi. La peur, maintenant, s'est substituée à mon être. La *fin* a commencé ! *C'était écrit*, et je suis analphabète.

Si je m'étais douté une seule seconde d'une tombée de rideau pareille, je n'aurais pas attendu le dernier acte ; j'aurais filé droit devant, aussi vite qu'une météorite, et j'aurais fait corps avec le néant pour semer Dieu Lui-même. Hélas, aucun « si » n'a d'issue ; pour preuve, il arrive toujours trop tard. Chaque mortel a son moment de vérité, un moment conçu pour le prendre au dépourvu, telle est la règle. Le mien m'a pris de court. Il me paraît comme une distorsion de mes prières, une aberration non négociable, un déni total ; il peut prendre l'apparence qu'il veut, il n'en reste pas moins que le dernier mot lui revient et qu'il est sans appel.

Le barbier se met à découper le col de ma chemise. Chaque morsure des ciseaux taille un vide dans ma chair.

Par éclairs d'une extraordinaire précision, des souvenirs me reviennent. Je me revois enfant, un sac de jute en guise de gandoura, courant pieds nus sur les sentiers poussiéreux. *De toute façon,* décrétait ma mère, *lorsque la nature, dans sa bonté infinie, nous gratifie d'une solide couche de crasse sur les pattes, on peut aisément se passer de sandales.* Elle n'avait pas tort, ma mère. Ni les orties ni les ronces ne ralentissaient mes courses éperdues. Au fait, je courais après quoi ?... Dans mes tempes résonnent les diatribes de Chawala, une espèce de dingo enturbanné qui portait hiver comme été une houppelande pouilleuse et des bottes de videur de caniveau. Grand, la barbe en pétard et les yeux jaunes soulignés au khôl, il aimait se dresser sur la place et braquer les gens avec son doigt en leur prédisant des lendemains atroces. Je passais des heures à le suivre d'une tribune à l'autre, extasié, si ébloui que je le prenais pour un prophète... Je revois Gino, mon ami Gino, mon très cher ami Gino écarquillant ses yeux incrédules dans le noir de cette maudite cage d'escalier tandis que la voix de sa mère couvre les coups de gueule du tonnerre : *Promets-moi de veiller sur lui, Turambo. Promets-le-moi, je voudrais m'en aller en paix...* Et Nora, purée ! Nora. Je la croyais à moi, alors que rien ne m'appartenait. C'est fou comme un simple coup de pouce aurait pu dévier le cours de l'histoire. Je ne demandais pas la lune ; je réclamais ma part de chance, sinon comment croire dans une quelconque justice en ce monde ?... Les images s'embrouillent dans ma tête avant de céder aux crissements des ciseaux qui, dans la surdité cosmique du pénitencier, semblent résorber l'air et le temps.

Le barbier range son attirail dans la sacoche et se dépêche de se débiner, trop content de n'être pas obligé d'assister au clou du spectacle.

L'imam pose une main auguste sur mon épaule. La chute d'un mur ne m'aurait pas écrasé de la sorte. Il me demande s'il y a une *sourate* que j'aimerais entendre. La gorge nouée, je lui dis que je n'ai pas de préférence. Il choisit pour moi *Sourate Ar-Rahman.* Sa voix se fraie un chemin au plus profond de mon être et, par je ne sais quelle alchimie, je trouve la force de me lever.

Les deux gardiens m'invitent à les suivre.

Nous sortons dans le corridor, talonnés par le comité. Le crissement de mes chaînes raclant le parterre fait de mes frissons des coups de rasoir. L'imam poursuit sa psalmodie. Sa voix empreinte de douceur me fait du bien. Je ne crains plus de marcher dans le noir, le Seigneur est près de moi. *Mout waguef!* me lance un détenu dans un accent kabyle. *Ilik dh'arguez !* « *Au revoir, Turambo,* s'écrie Gégé la Guigne à peine sorti du mitard. *Tiens bon, mon frère. On arrive...* » D'autres voix s'élèvent, m'accompagnent au martyre. Mes pas trébuchent ; je ne tombe pas. Encore cinquante, encore trente mètres... Il me faut tenir jusqu'au bout. Pas seulement pour moi, mais pour les autres. À mon corps défendant, je dois donner l'exemple. Seule la façon de mourir pourrait réhabiliter une vie ratée. Je voudrais que mes survivants m'évoquent avec respect, qu'ils disent que je suis parti la tête haute.

La tête haute ?

Au fond d'un panier !

Il n'y a de mort digne que pour ceux qui ont baisé comme des lapins, bouffé comme des ogres et claqué leur fric comme on claque un fouet, me disait Sid Roho. –

Et pour celui qui est fauché ? – Celui-là ne meurt pas, il ne fait que disparaître.

Les deux gardiens marchent devant moi, impassibles. L'imam n'en finit pas de réciter sa *sourate*. Mes chaînes pèsent des tonnes. Le corridor m'étreint de part et d'autre, ajuste ma trajectoire.

On ouvre la porte extérieure.

La fraîcheur du dehors me brûle les poumons. Comme la première bouffée d'air ceux d'un nouveau-né…

Et elle est là !

Dans un angle de la cour.

Sanglée de froidure et d'effroi.

Semblable à une mante religieuse attendant son festin.

Je la vois enfin, Dame Guillotine. Roide dans son costume de fer et de bois. Le rictus en diagonale. Aussi repoussante que fascinante. Elle est bien là, le soupirail du bout du monde, le gué du non-retour, la souricière aux âmes en peine. Sophistiquée et rudimentaire à la fois. Tour à tour maîtresse de cérémonie et putain faisant le pied de grue. Absolument souveraine dans sa vocation de faire perdre la tête.

D'un coup, tout s'évanouit autour de moi. Les remparts de la prison s'effacent, les hommes et leurs ombres, l'air se fige, le ciel s'estompe ; il ne reste que mon cœur battant la breloque et la Dame au couperet, seuls face à face sur un bout de cour suspendu dans le vide.

Je me sens défaillir, me désintégrer, me disperser, poignée de sable dans la brise. Des mains fermes me rattrapent, me rassemblent. Je reviens à moi, fibre par fibre, frisson par frisson. Des flashes fulminent dans ma tête. Je revois mon village natal, laid à repousser et les mauvais génies et la manne céleste, un vaste enclos hanté de gueux au regard vitreux et aux lèvres troublantes comme des balafres. Turambo ! Un trouduc livré aux chèvres et aux mioches déféquant en plein air, amusés par les salves claironnantes de leur croupion émacié… Je revois Oran, splendide nénuphar surplombant la mer, les tramways en liesse, les souks et les fêtes foraines, les enseignes au néon sur le fronton des cabarets, les jeunes filles aussi belles et improbables que les promesses, les bars à putes infestés de matelots ivres comme leurs bateaux… Je revois Irène sur son cheval galopant sur les crêtes, Gino pissant son sang sur les marches de l'escalier, deux boxeurs en train de se déboulonner sur un ring croulant sous les clameurs, le Village nègre et ses bateleurs inspirés, les cireurs de Sidi Bel Abbes, mes amis d'enfance Ramdane, Gomri, LeBouc… Je revois un mioche courant pieds nus sur les ronces, ma mère rabattant ses mains sur ses cuisses en signe de désespoir… Des voix dissonantes affolent le film en noir et blanc, s'entremêlent dans un vacarme, remplissent ma tête de grêle ardente…

On me pousse vers la bascule à Charlot.

Je cherche à résister ; aucun muscle ne m'obéit.

J'avance sur la guillotine dans une sorte de lévitation. Je ne sens pas le sol sous mes pieds. Je ne sens rien. Je crois que je suis déjà mort. Une lumière blanche et tranchante vient de me happer et de me catapulter loin, très loin dans le temps.

I. Nora

1.

Je dois mon surnom au boutiquier de Graba.

En me voyant débarquer pour la première fois dans sa tanière, il m'avait jaugé de la tête aux pieds, choqué par mon état de délabrement et l'horrible odeur que je dégageais, et m'avait demandé si je sortais de terre ou de la nuit. J'étais mal en point, à moitié mort de colique et d'épuisement suite à une longue marche forcée à travers les maquis.

— Je viens de Turambo, monsieur.

Le boutiquier avait claqué des lèvres qu'il avait grosses comme celles d'un crapaud-buffle. Le nom de mon village natal ne lui disait rien.

— Turambo ? C'est de quel côté de l'enfer ?

— Je ne sais pas, monsieur. Je veux un demi-douro de levure, et je suis pressé.

Le boutiquier s'était tourné vers ses étagères édentées en répétant, le menton entre le pouce et l'index : « Turambo ? Turambo ? Jamais entendu parler. »

Depuis ce jour, chaque fois que je passais à proximité de son échoppe, le boutiquier me criait : « Hey ! Turambo. C'est de quel côté de l'enfer, ton bled ? » Sa voix portait si loin que, petit à petit, tout le monde s'était mis à m'appeler Turambo.

Mon village venait d'être rayé de la carte suite à un glissement de terrain, une semaine plus tôt. On eût dit la fin du monde. Des éclairs forcenés zébraient les ténèbres, et le tonnerre semblait vouloir réduire en pièces les montagnes. On ne distinguait plus les hommes des bêtes qui couraient dans tous les sens en hurlant comme des possédés. En quelques heures, les trombes d'eau avaient emporté nos taudis, nos chèvres et nos ânes, nos cris et nos prières, et l'ensemble de nos repères.

Au matin, hormis les rescapés grelottant sur les rochers enlisés jusqu'au cou dans la bourbe, il ne restait plus rien du hameau. Mon père s'était volatilisé. Nous avions réussi à désenvaser quelques corps, mais aucune trace de la gueule cassée qui avait pourtant survécu aux déluges de flammes et d'acier de la Grande Guerre. Nous avions suivi les ravages du torrent jusqu'à la plaine, cherché dans les buissons et les crevasses, soulevé les troncs d'arbres déracinés par la crue, en vain.

Un vieillard avait prié pour le repos des victimes, ma mère avait versé une larme à la mémoire de son époux, et c'est tout.

Nous avions songé à remettre à l'endroit ce que la tempête avait dispersé, mais nous n'avions ni les moyens ni la force d'y croire. Nos bêtes étaient mortes, nos maigres récoltes fichues, nos abris en zinc et nos zéribas irrécupérables. À la place du village, il ne restait qu'une coulée de boue sur le flanc de la montagne, pareille à une vomissure gargantuesque.

Après avoir évalué les dégâts, ma mère nous dit : « Le mortel n'a qu'un seul domicile fixe : la tombe. Vivant, rien n'est jamais acquis pour lui, ni maison ni patrie. »

Nous avions balluchonné les rares affaires que la catastrophe avait daigné nous concéder et nous avions levé le camp droit sur Graba, un ghetto de Sidi Bel Abbes où s'entassaient par contingents des crevards chassés de leurs terres par le typhus ou par la cupidité des puissants…

Mon père disparu, mon jeune oncle Mekki, fraîchement

adolescent, s'autoproclama chef de famille. C'était légitime. Il était le mâle aîné.

Nous étions cinq à occuper un gourbi coincé entre un dépotoir militaire et un verger rachitique. Il y avait ma mère, une robuste Berbère au front tatoué, pas très belle mais vaillante ; ma tante Rokaya dont le mari, colporteur, n'avait plus donné signe de vie depuis plus d'une décennie ; sa fille Nora qui avait à peu près mon âge ; mon oncle Mekki âgé de quinze ans et moi de quatre ans son cadet.

Ne connaissant personne, nous ne devions compter que sur nous-mêmes.

Mon père me manquait.

C'était étrange, je ne me souviens pas de l'avoir vu de près. Depuis son retour de la guerre, la figure fracassée par un éclat d'obus, il se tenait à l'écart, assis à longueur de journée à l'ombre d'un arbre solitaire. Lorsque ma cousine Nora lui portait son repas, elle l'approchait sur la pointe des pieds comme si elle donnait à manger à un fauve. J'avais attendu qu'il revienne sur terre ; mon père refusait de descendre de son nuage cafardeux. À la longue, je finis par le confondre avec un vague déjà-vu puis par l'ignorer complètement. Sa disparition ne fit que confirmer son *absence*.

Pourtant, à Graba, je ne pouvais m'empêcher de penser à lui tous les jours.

Mekki nous promit que notre escale au bidonville ne serait pas longue si nous travaillions dur pour gagner les sous qui nous permettraient de nous reconstruire ailleurs. Ma mère et ma tante entreprirent de préparer des galettes que mon oncle se chargeait d'écouler auprès des gargotiers. Je voulais mettre la main à la pâte, moi aussi. Des gosses plus frêles que moi étaient portefaix, montreurs d'ânes, marchands de soupe et avaient l'air de tirer leur épingle du jeu. Mon oncle refusa de m'engager. J'étais dégourdi, admettait-il, mais pas assez déluré pour traiter avec des filous capables d'encenser le diable avec sa barbe. Il craignait surtout que je me fasse étriper par le premier avorton croisé sur mon chemin.

Ce fut ainsi que je m'étais retrouvé livré à moi-même.

À Turambo, ma mère me racontait des cantons brumeux peuplés de créatures monstrueuses qui m'épouvantaient jusque dans mon sommeil, mais à aucun moment je n'avais imaginé y échouer un jour. Désormais, j'y étais, en plein dedans, et ce n'étaient pas des histoires. Graba était un délire à ciel ouvert. On aurait dit qu'un raz de marée, après avoir déferlé sur l'arrière-pays, avait jeté pêle-mêle, dans un chaos total, des tonnes d'épaves et de débris humains à cet endroit. Les bêtes de somme et les hommes de peine se marchaient dessus. Le crissement des charrettes et le jappement des chiens s'invectivaient dans un charivari qui donnait le tournis. Le cloaque foisonnait de blédards éclopés et de forçats en quête de galère, quant aux mendiants, ils pouvaient râler jusqu'à extinction de leur voix, ils n'auraient pas un grain de maïs à se mettre sous la dent. Les gens n'avaient que la poisse à se partager.

Partout, au milieu des baraques brinquebalantes où chaque venelle était un chemin de croix, des gosses au nez crotté se ratatinaient la poire dans d'insoutenables batailles rangées. À peine plus hauts qu'un poireau, et déjà il leur fallait se démerder seuls, les lendemains s'annonçant aussi vaches que les âges farouches. Le droit d'aînesse revenait d'office à celui qui cognait dur et la piété filiale cessait d'avoir cours dès lors qu'on faisait allégeance à un chef de bande.

Je n'avais pas peur des galopins, j'avais peur de leur ressembler. À Turambo, on ne jurait pas, on ne levait pas les yeux sur plus âgé que soi ; on se parlait du bout des lèvres et, quand un gamin s'excitait d'un cran, un simple raclement de la gorge le rappelait à l'ordre. Mais dans cet étuvoir empestant la pisse, chaque rire, chaque salamalec, chaque phrase s'enrobait d'obscénité.

C'est à Graba que j'ai entendu pour la première fois des adultes débiter des grossièretés.

Le boutiquier prenait l'air devant la porte de sa baraque, la bedaine répandue sur ses genoux. Un charretier lui a dit :

— Alors, ma grosse, à quand l'accouchement ?

— Dieu seul le sait.

— C'est un garçon ou une fille ?

— Un éléphanteau, a dit le boutiquier en portant la main à sa braguette. Tu veux que je te montre sa trompe ?

J'en fus choqué.

Il fallait attendre le couchant pour s'entendre respirer. Le ghetto se recroquevillait alors sur ses hantises et, bercé par l'écho de ses turpitudes, il se laissait dissoudre dans l'obscurité.

À Graba, la nuit n'arrivait pas, ne tombait pas, elle coulait comme d'un gigantesque chaudron de goudron frais, cascadait du ciel, élastique et épaisse, engloutissait les collines et les bois, et poussait sa noirceur jusque dans les esprits. Pendant quelques instants, pareils à des randonneurs surpris par l'avalanche, les gens se taisaient subitement. Plus un bruit, pas un crissement dans les fourrés. Puis, petit à petit, on entendait claquer une sangle, ferrailler une grille, vagir un bébé, se chamailler des mouflets. La vie reprenait lentement les choses en main et, semblables à des termites grignotant les ténèbres, les angoisses nocturnes remontaient à la surface. Et juste à l'heure où l'on soufflait sur la bougie pour dormir, les braillements des ivrognes explosaient dans une chorale terrifiante ; les traînards devaient se dépêcher de rentrer chez eux s'ils ne tenaient pas à ce que l'on retrouve, au petit matin, leurs corps baignant dans des mares de sang.

— Quand est-ce qu'on va retourner à Turambo ? demandais-je sans cesse à Mekki.

— Lorsque la mer restituera à la terre ce qu'elle lui a confisqué, me répondait-il dans un soupir.

Nous avions une voisine qui hantait un gourbi en face du nôtre. C'était une jeune veuve d'une trentaine d'années qui aurait pu être belle si elle s'était entretenue un petit peu. Fagotée dans une vieille robe, les cheveux emmêlés, elle venait parfois nous acheter du pain à crédit. Elle débarquait en trombe, balbutiait des excuses, arrachait sa commande des mains de ma mère et retournait chez elle plus vite qu'elle avait déboulé.

Nous la trouvions bizarre ; ma tante était certaine que la pauvre femme était habitée par un djinn.

La veuve avait un garçonnet étrange, lui aussi. Le matin, elle le sortait à l'air libre, le sommait d'occuper le pied du mur et de ne s'éloigner sous aucun prétexte. L'enfant était obéissant. Il pouvait rester dans la fournaise des heures durant, à transpirer et à cligner des yeux, salivant sur un croûton, un vague sourire sur la figure. Le fait de le trouver au même endroit, à mordiller dans son bout de pain moisi, m'inspirait un malaise tel que je récitais un verset pour éloigner les mauvais esprits qui semblaient lui tenir compagnie. Et, d'un coup, il se mit à me suivre de loin. Je pouvais me rendre dans le maquis ou bien au dépotoir militaire, il me suffisait de me retourner pour le surprendre derrière moi, épouvantail ambulant, son quignon dans la bouche. J'avais beau le chasser à coups de menaces et de cailloux, il s'éclipsait quelques instants et, au détour d'un sentier, il réapparaissait derrière moi en se tenant à une distance prudente.

J'étais allé voir sa mère pour lui demander d'attacher son rejeton car j'en avais marre de l'avoir sur le dos. Après m'avoir écouté sans m'interrompre, la veuve me confia que son gosse était orphelin de père et qu'il avait besoin de compagnie. Je lui avouai que j'avais déjà du mal à supporter mon ombre. « C'est ton droit », soupira la veuve. Je m'attendais à ce qu'elle rue dans les brancards, comme réagissaient les femmes du voisinage dès qu'elles n'étaient pas d'accord ; la veuve retourna à ses corvées comme si de rien n'était. Sa résignation me peina. Je pris l'enfant sous mon aile. Il était plus âgé que moi mais, à en juger par la grimace ingénue qui lui virgulait la tronche, il devait disposer de moins de cervelle qu'une tête d'épingle. En plus, il ne parlait pas. Je l'emmenais dans les bois cueillir des jujubes, ou sur la colline contempler le chemin de fer scintillant parmi la pierraille. Au loin, on voyait des bergers au milieu de leurs biquettes efflanquées dont les sonnailles taquinaient le silence chargé de torpeur. En contrebas de la colline cantonnaient des gitans reconnaissables à leurs roulottes amochées.

La nuit, les bohémiens allumaient des bûchers et grattaient leurs guitares jusqu'au lever du jour. Bien qu'ils se tournassent les pouces pour la plupart, le couvercle de leurs marmites n'arrêtait pas de tintinnabuler. Je crois que leur Dieu était quelqu'un de bien. Certes, il ne les comblait pas de l'ensemble de ses bienfaits, mais il veillait au moins à ce qu'ils mangent à leur faim.

Nous rencontrâmes Pedro le Gitan dans le maquis. Il avait à peu près notre âge et connaissait par cœur les terriers où se réfugiait le gibier. Une fois sa bourriche garnie, il sortait un sandwich et le partageait avec nous. Nous devînmes amis. Un jour, il nous invita au camp. Ce fut ainsi que j'appris à regarder de près ces êtres intrigants dont la nourriture leur tombait du ciel.

Bien qu'irascible, la mère de Pedro avait bon fond. C'était une grosse dame à moustache, rousse et vive comme un feu de bois, avec des seins tellement énormes qu'on ne savait pas où ils s'arrêtaient. Ne portant rien sous sa robe, on pouvait voir sa toison pubienne lorsqu'elle s'asseyait par terre. Son mari était un septuagénaire déglingué qui usait d'un cornet acoustique pour entendre et passait son temps à téter un calumet vieux comme le monde. Il riait dès qu'on posait un œil sur lui, la bouche ouverte sur un chicot pourri qui conférait à ses gencives un aspect rebutant. Pourtant, le soir à l'heure où le soleil s'embusquait derrière la montagne, le vieillard calait son violon entre le menton et l'épaule et arrachait aux cordes de son instrument des plaintes aux couleurs du couchant qui nous remplissaient d'une douce mélancolie. Jamais je n'entendrais quelqu'un jouer du violon mieux que lui.

Pedro cumulait les talents. Il savait passer ses pieds par-dessus sa nuque et se tenir en équilibre sur ses mains, jongler avec des torches ; il ambitionnait de se produire dans un cirque. Il me décrivait un grand chapiteau avec des galeries et une piste circulaire où les gens vont ovationner des animaux sauvages étonnants de savoir-faire et des acrobates exécutant des voltiges périlleuses à dix mètres du sol. Pedro était en extase lorsqu'il me parlait de cette espèce d'arène où l'on exhibait aussi des monstres humains, des nains, des bêtes à deux têtes et des femmes au corps de rêve. « C'est comme nous, disait-il. Ils voyagent sans cesse sauf qu'ils trimballent avec eux des ours, des lions et des boas. »

Pour moi, il divaguait. J'imaginais mal un ours pédaler sur un vélo et des types peinturlurés chausser des savates de cinquante centimètres. Mais Pedro avait l'art de présenter les choses et, quand bien même le monde qu'il encensait dépassait l'entendement, je me prêtais volontiers à ses histoires opiacées. Et puis, au camp, chacun donnait libre cours à ses élucubrations. On se serait cru à l'académie des plus grands fabulateurs de la terre. Il y avait le vieux Gonsho, un bout d'homme tatoué des cuisses au cou, qui prétendait avoir été tué dans un traquenard.

— J'ai été mort pendant huit jours, racontait-il. Pas un ange n'est venu me bercer avec sa harpe, et pas un démon ne m'a foutu sa fourche au fion. Je ne faisais que planer de ciel en ciel. Et, figurez-vous, je n'ai vu ni jardin d'Éden ni géhenne.

— C'est normal, lui fit Pépé le doyen aussi ancien qu'une pièce de musée. Faudrait que tout le monde soit mort, d'abord. Ensuite, il y aura le Jugement dernier, et ce n'est qu'après que les uns seront mutés au paradis et les autres en enfer.

— Tu ne vas pas me dire que les types qui ont clamsé depuis des milliers d'années vont devoir attendre qu'il n'y ait plus personne debout sur terre pour passer en procès devant le Seigneur.

Et Pépé, condescendant :

— Je t'ai expliqué, El Gonsho. Après le quarantième jour de la mort, les gens accèdent à la réincarnation. Le Seigneur ne peut pas nous juger sur une seule vie. Alors, il nous ressuscite en riches, puis en pauvres, puis en souverains, puis en clodos, en dévots, en brigands, etc., pour voir comment on se conduit. Il n'a pas le droit de créer un gars dans la merde et de le condamner sans lui donner une chance de se racheter. Pour être équitable, il nous fait porter toutes sortes de chapeaux, ensuite il fait la synthèse de nos différentes vies pour se fixer sur notre sort.

— Si ce que tu dis est vrai, comment ça s'fait que je ressuscite avec la même gueule et dans le même corps ?

Et Pépé, avec infiniment de pédagogie :

— T'es mort que pendant huit jours. Il en faudrait quarante pour muer. Et puis, les Gitans sont les seuls à avoir le privilège de se réincarner en Gitans. Parce que nous avons une mission. Nous n'arrêtons pas de bourlinguer pour explorer les voies du destin. C'est à nous que revient la tâche de chercher la Vérité. Sinon, comment tu interprètes que, depuis la nuit des temps, on ne tient pas en place.

Avec le doigt qu'il fit tourner à hauteur de sa tempe, Pépé invita le Gonsho à méditer deux secondes sur ce qu'il lui révélait.

Le débat pouvait se prolonger indéfiniment sans qu'aucun ne se range à l'avis de son interlocuteur. Chez les Gitans, la chicane n'était pas dans la conviction, mais dans l'entêtement. Quand on avait une idée, on la gardait coûte que coûte car il n'était pire façon de perdre la face que d'y renoncer.

Les Gitans étaient des personnages hauts en couleur, passionnants et déjantés, et tous avaient un devoir religieux vis-à-vis de la famille. On pouvait ne pas être d'accord, s'engueuler et même en venir aux mains, la hiérarchie demeurait inébranlable puisque la Mama veillait au grain.

Ah ! la Mama. Elle m'avait donné sa bénédiction à l'instant où elle m'avait vu. C'était une espèce de douairière désargentée, vautrée sur ses coussins brodés au fond de sa loge encombrée de reliques et de présents ; la tribu la vénérait autant qu'une vache sacrée. J'aurais aimé me jeter dans ses bras jusqu'à fondre dans sa chair.

J'étais bien chez les Gitans. Mes journées étaient pleines de rigolades et d'imprévus. On me donnait à manger et on me laissait m'amuser à ma guise… Puis, un matin, plus de roulottes. Il ne restait du camp que les traces du bivouac, les ornières pareilles à des balafres, quelques savates trouées, un châle accroché à un buisson et les crottes des chiens. Jamais endroit ne m'avait paru aussi défiguré que cette aire abandonnée par les bohémiens et rendue à ses nullités. Pendant des semaines, j'y retournais convoquer les souvenirs dans l'espoir de recueillir un écho, un rire, une voix, et rien ne me répondait, pas même le son d'un violon qui aurait pu prêter excuse à mon chagrin. Les Gitans partis, je retrouvais l'insignifiance des horizons et le dégoût des jours sans relief qui tournaient en rond comme des fauves insolés.

Les jours se suivaient sans avancer, monotones, aveugles et bredouilles ; j'avais l'impression qu'ils me marchaient sur le corps.

À la maison, j'étais la corvée de trop. « Retourne dans la rue, que la terre t'engloutisse. Tu ne vois pas qu'on travaille. »

La rue m'effrayait.

Le dépotoir militaire n'était plus fréquentable depuis que les escouades de détritivores s'étaient multipliées, et malheur à celui qui oserait leur disputer une ordure.

Je me rabattis sur la voie ferrée et je passais mon temps à guetter le train en m'imaginant à son bord. Je finis par sauter dedans. Le tortillard était en panne, soudé aux rails, rappelant une chenille colossale en train de rendre l'âme. Deux mécaniciens s'affairaient autour de la locomotive. Je m'approchai du wagon de queue. Le portail était ouvert. Je hissai à bord mon compagnon d'infortune, pris place sur un sac vide et, le talon sur le genou, je contemplai le ciel à travers les interstices de la toiture. Je me voyais traverser des contrées verdoyantes, des ponts et des fermes, fuyant le ghetto où les jours n'apportaient rien de bon. Soudain, le wagon s'ébranla. L'orphelin chancela en s'agrippant à une paroi. Le sifflet de la locomotive me fit bondir sur mes pattes. Dehors, la campagne se mit à défiler lourdement. Je sautai le premier, manquai de me briser la cheville sur le ballast. L'orphelin, lui, resta plaqué contre la paroi. *Descends, n'aie pas peur, je te rattraperai*, lui criai-je. Il ne sauta pas, tétanisé. Plus le train prenait de la vitesse, plus je paniquais. *Saute, saute...* Je me mis à courir sur le ballast aux morsures de tessons. L'orphelin pleurait. Ses beuglements transperçaient le raffut des wagons à bestiaux. Je compris qu'il ne sauterait pas. C'était à moi d'aller le chercher. Comme toujours. Je courus, courus, la poitrine en feu, les pieds en sang. Ma main était à deux doigts d'attraper un support, à trois doigts, quatre, dix, trente… Ce n'était pas moi qui ralentissais ; le monstre ferré s'enhardissait au fur et à mesure que la locomotive redoublait le débit de sa fumée. Au bout d'une course débridée, je m'arrêtai, les jambes cisaillées. Je ne pouvais que regarder s'éloigner le train jusqu'à ce qu'il se diluât dans la poussière.

Je suivis les rails sur des kilomètres et des kilomètres, en claudiquant. Sous un soleil de plomb… Une silhouette en vue, et je me dépêchais de la rejoindre, pensant que c'était l'orphelin. Ce n'était pas lui.

Le soleil commençait à décliner. J'étais déjà très loin de Graba. Il me fallait rentrer avant la tombée de la nuit. Au risque de me perdre à mon tour.

La veuve était chez nous, blafarde d'inquiétude. Quand elle me vit seul, elle se précipita dans la rue, en revint plus blême encore.

— Qu'as-tu fait de mon bébé ?

Elle me secoua avec hargne.

— Où est mon enfant ? Il était avec toi. Tu devais veiller sur lui.

— Le train…

— Quoi, le train ?

Ma gorge se contracta. Je n'arrivais pas à déglutir.

— Quoi, le train ? Parle.

— Il l'a emporté.

Il y eut un silence !

La veuve ne parut pas comprendre. Son front se plissa. Je sentis ses doigts ramollir sur mes épaules. Contre toute attente, elle émit un bout de rire et resta songeuse. Je m'attendais à la voir rebondir, me lacérer de ses griffes, foutre en l'air notre gourbi et nous avec ; elle s'adossa au mur et se laissa glisser sur le sol. Elle demeura ainsi, les coudes sur les genoux et la tête dans les mains, le regard charbonneux. Une larme roula sur sa joue ; elle ne l'essuya pas.

— Ce que Dieu décide, nous devons l'accepter, soupira-t-elle d'une voix souterraine. Tout ce qui s'accomplit en ce bas monde relève de Sa volonté.

Ma mère tenta de lui poser une main compatissante sur l'épaule. La veuve l'esquiva avec dégoût.

— Ne me touche pas. Je ne veux pas de ta pitié. Elle n'a jamais nourri personne, la pitié. Je n'ai plus besoin de personne. Maintenant que mon fils n'est plus là, je peux m'en aller, moi aussi. Ça fait des années que je songe à en finir avec ma chienne de vie. Mais mon fils n'avait pas toute sa tête. Je le voyais mal me survivre au milieu de gens pires que des loups… J'ai hâte d'aller dire deux mots à Celui qui m'a créée juste pour m'en faire baver.

— Que radotes-tu, pauvre folle ? Se tuer est un péché.

— Je ne pense pas qu'il puisse exister enfer pire que le mien, ni au ciel ni ailleurs.

Elle leva les yeux sur moi ; ce fut comme si la détresse de l'humanité entière s'était concentrée dans son regard.

— Déchiqueté par un train ! Mon Dieu ! Comment peux-tu en finir avec un enfant de cette façon après lui en avoir fait voir de toutes les couleurs ?

J'étais sans voix, chambardé par son délire.

Elle s'arc-bouta contre le plat de ses mains, se hissa en titubant.

— Montre-moi où est mon bébé. En reste-t-il quelques morceaux à mettre en terre ?

— Il n'est pas mort, lui criai-je.

Elle tressaillit. Ses yeux s'abattirent sur moi avec la férocité de la foudre.

— Quoi ? Tu as laissé mon fils pisser son sang sur la voie ferrée ?

— Il n'a pas été écrasé par le train. Nous sommes montés dedans, et quand le train a démarré, j'ai sauté, et lui il est resté. Je lui ai crié de sauter, il n'a pas osé. J'ai couru après le train, j'ai marché, marché le long des rails, mais il n'est descendu nulle part.

La veuve se reprit la tête à deux mains. De nouveau, elle ne paraissait pas comprendre. Soudain, elle se raidit. Et je vis l'expression de son visage passer de la perplexité au soulagement, puis du soulagement à la panique, ensuite, de la panique à l'hystérie :

— Ah ! mon Dieu ! Mon fils est perdu. On va me le dévorer cru. Il ne sait même pas tendre la main. Il a peur de la nuit, il a peur des gens. Oh ! mon Dieu ! Il est où, mon bébé ?

Elle m'attrapa par la gorge et se mit à me secouer, à me déboîter le cou. Ma mère et ma tante tentèrent de m'arracher à elle ; elle les repoussa d'une ruade et, folle à lier, elle se mit à hurler et tournoyer telle une tornade, renversant tout sur son passage. Subitement, elle poussa un mugissement et s'écroula, les yeux révulsés, le corps tressautant de spasmes.

Ma mère se releva, griffée de partout. Avec un calme sidérant, elle alla chercher une grosse clef de geôlier et la glissa dans le poing de la veuve – une pratique courante que l'on destinait aux personnes tombées dans les pommes des suites d'un malaise ou d'un choc.

Ma tante, éberluée, somma sa fille de courir chercher Mekki avant que la démente ne revienne à elle.

Mekki n'y alla pas par quatre chemins. Nora lui avait tout déballé. Remonté à bloc, il ne chercha pas à en savoir davantage. Chez nous, on cogne d'abord, ensuite, s'il n'y a pas d'inconvénients, on argumente. *Espèce de chien ! Je vais te tuer.* Il se précipita sur moi et entreprit de me démonter pièce par pièce. Je crus qu'il ne s'arrêterait jamais.

Ma mère n'intervint pas.

Il s'agissait d'une affaire d'hommes.

Après m'avoir copieusement arrangé, mon oncle me somma de le conduire sur la voie ferrée pour lui montrer la direction prise par le train. Je ne pouvais pas tenir sur mes jambes. Le ballast avait eu raison de mes pieds, et la raclée avait achevé le reste.

— Je vais le chercher où dans la nuit ? pestait Mekki en sortant du gourbi.

À l'aube, Mekki ne rentra pas. La veuve venait aux nouvelles toutes les cinq minutes, en état de décomposition avancée.

Trois jours étaient passés, et toujours rien à l'horizon. Au bout d'une semaine, on se mit à craindre le pire. Ma tante ne se relevait pas de ses prières. Ma mère tournait en rond dans l'unique pièce qui nous servait de maison. « Je suppose que tu es fier de toi, qu'elle maugréait en se retenant de me marcher dessus. Tu vois où tes diableries nous ont conduits ? Tout est ta faute. Si ça se trouve, les chacals ont fini depuis longtemps de ronger les os de ton oncle. Que va-t-il advenir de nous sans lui ? »

Au moment où nous commencions à perdre espoir, les hurlements de la veuve fusèrent. Il était environ 4 heures de l'après-midi. Nous sortîmes en courant du gourbi. Mekki tenait à peine sur ses jambes, le visage brouillé, sale de la tête aux pieds. La veuve serrait de toutes ses forces son enfant contre elle, lui retroussait les guêtres pour vérifier s'il n'était pas blessé, farfouillait dans ses cheveux en quête d'une bosse ou d'une plaie ; l'orphelin était sérieusement affecté par l'errance et la faim, mais sain et sauf. Il me fixait de son regard glauque et me montrait du doigt comme on désigne un coupable.

2.

Les ogres ne sont que les fruits hallucinogènes et les alibis de nos superstitions et, par voie de conséquence, nous ne valons guère mieux qu'eux car, à la fois faux témoins et juges expéditifs, nous condamnons souvent avant de délibérer.

L'ogre Graba n'était pas aussi monstrueux que ça.

De la colline qui me tenait lieu de mirador, je voyais en ses gens des pestiférés, et en ses taudis des nasses mortelles. J'avais tort. Vu de près, le ghetto se laissait vivre. On l'aurait volontiers assimilé au purgatoire, mais ce n'en était pas un. À Graba, on ne payait ni pour ses crimes ni pour ses péchés, on était pauvres, un point c'est tout.

Poussé par l'ennui et le désœuvrement, je me mis à m'aventurer de plus en plus dans le ghetto. Je commençais à m'intégrer quand j'eus droit à mon baptême du feu. Naturellement, je m'y attendais.

Un charretier me proposa un douro pour l'aider à charger une bonne centaine de fagots de bois sur son chariot. La corvée finie, le charretier me paya la moitié de la somme promise en jurant sur la tête de ses enfants que c'était tout ce qu'il avait sur lui. Il avait l'air sincère. Je m'étais contenté de le regarder s'éloigner lorsqu'une voix, dans mon dos, m'avait interpellé :

— Tu fricotes au noir sur mes terres ?

C'étaient les frères Daho. Ils me barraient la route.

Je sentis que ça allait mal tourner. Bagarreurs hors pair, ils régnaient sans partage sur la marmaille locale. Quand un mioche fendait la cohue, la figure en marmelade, ça signifiait que les Daho n'étaient pas loin. Ils avaient douze ou treize ans et parlaient comme des taulards trempés, les lèvres sur le côté. Derrière eux, leur garde rapprochée se frottait les mains à la raclée qui s'annonçait. Les frères Daho ne savaient pas passer leur chemin. Là où ils s'attardaient, le sang devait couler. C'était la règle. La souveraineté a horreur des trêves, et les jumeaux ne croyaient pas au repos du guerrier. Trapus et faunesques, flanqués d'une tronche si identique qu'on eût cru voir double une même calamité, ils étaient aussi vifs qu'un coup de fouet et tout aussi cuisants. Les adultes les surnommaient Gog et Magog, deux petites pestes irrécupérables destinées d'office à la potence comme étaient promises aux cousins benêts les vierges vieillissantes. Je n'avais aucune chance de m'en sortir avec eux et je m'en voulais de me trouver sur leur chemin.

— Je ne tiens pas à me battre, leur dis-je.

Des rires sardoniques saluèrent ma reddition spontanée.

— Aboule ce que t'as dans la poche.

Je sortis la pièce de monnaie que m'avait remise le charretier et la tendis à qui de droit. Ma main ne tremblait pas. Je ne cherchais pas d'histoires. Je voulais rentrer chez moi en entier.

— Faut être barjot pour se contenter de si peu, dit Daho 1 en soupesant mon gain avec dédain. On ne décharge pas un tombereau pour un demi-douro, espèce de raclure. N'importe quel crétin aurait exigé le triple.

— Je ne savais pas, m'en excusai-je.

— Retourne tes poches, maintenant.

— Je vous ai donné tout ce que j'avais.

— Menteur.

Je lisais dans leurs yeux que la confiscation de mes

gages n'était qu'une entrée en matière et que ce qui importait était la raclée. Je me mis aussitôt sur la défensive, décidé à vendre cher ma peau. Les frères Daho cognaient toujours les premiers, sans crier gare, pour profiter de l'effet de surprise. Ils frappaient simultanément, dans un mouvement d'ensemble synchronisé au poil, un coup de boule sur le nez et un shoot entre les jambes pour désarçonner leur proie. La suite était une pure formalité.

— Vous n'avez pas honte de vous mettre à plusieurs pour intimider le mouflet ? tonna une voix providentielle.

C'était celle d'un boutiquier debout sur le pas de sa baraque. Les mains sur les hanches, le tarbouche incliné avec chiqué sur l'œil et la moustache torsadée vers le haut, il remua sa grosse carcasse pour rajuster son saroual turc et avança sous le soleil. Après avoir promené un œil alerte sur la bande, il toisa les jumeaux.

— Si vous voulez vous mesurer à lui, prenez-le l'un après l'autre.

Je m'attendais à ce que le boutiquier me tire d'affaire, il ne fit qu'arranger la dérouille de façon plus conventionnelle, ce qui ne changeait pas grand-chose à ma déveine.

Daho 1 accepta de relever le défi et entreprit de retrousser ses manches en ricanant, les prunelles luisant de malveillance jouissive.

— Reculez, ordonna le boutiquier au reste de la bande, et ne vous avisez pas d'intervenir.

Un remous se déclencha, furtif et lourd de conséquences. La bande forma un cercle autour de nous. Daho 1 accentua son rictus en me jaugeant. Il me feinta du gauche et m'envoya un crochet qui m'effleura la tempe. Il n'eut pas l'occasion de rectifier son coup. Mon poing partit dans la foulée et, à mon grand étonnement, fit mouche. La bête noire des marmots se décrocha telle une marionnette et s'affala dans la poussière, les bras en croix. La bande se retrancha derrière une stupéfaction outrée. L'autre jumeau demeura quelques instants abasourdi, incapable de réaliser ou d'admettre ce que ses yeux lui livraient en vrac, ensuite, fou de rage, il somma son frère de se relever. Le frère ne se releva pas. Il dormait du sommeil du juste.

Devinant la tournure que risquaient de prendre les choses, le boutiquier vint se mettre à côté de moi et, tous les deux, nous regardâmes la bande ramasser son martyr plongé dans un rêve opaque fait de tocsin et de gazouillis.

— T'as pas été régulier, me lança un gringalet crépu du haut de ses pattes d'échassier. Tu l'as eu par traîtrise, et ça te coûtera cher.

— On te retrouvera, me promit Daho 2 en essuyant ses narines fuyantes sur le revers de sa main.

Le boutiquier était un peu déçu par ma procédure accélérée. Il espérait un spectacle plus consistant, avec des chutes et du suspens, des esquives et des gnons ravageurs, et s'offrir ainsi une bonne tranche de distraction à peu de frais. À contrecœur, il m'avoua que, tout compte fait, il était ravi que quelqu'un ait réussi à infliger une bonne correction à cette mauvaise graine qui polluait le ghetto et qui, faute d'adversaires sérieux, se croyait tout permis.

— Tu vas vite en besogne, dis donc, me flatta-t-il. Où t'as appris à cogner comme ça ?

— C'est la première fois que je me bats, monsieur.

— Waouh ! Ça promet… Ça te dirait de bosser pour moi. Ce n'est pas compliqué. Tu montes la garde quand j'suis pas là et tu t'occupes de petites broutilles.

Je mordis à l'hameçon sans négocier mon salaire, trop content de pouvoir gagner ma croustille et contribuer ainsi à l'effort de guerre familial.

— Je commence quand, monsieur ?

— Tout de suite, me cria-t-il en désignant d'un geste révérencieux sa boutique pourrie.

J'étais loin de me douter que les âmes charitables, lorsqu'elles interviennent pour vous sauver la peau, ce n'est pas forcément pour vous en laisser un bout sur le dos.

Le boutiquier s'appelait Zane ; ce fut grâce à lui que je sus que le diable avait un nom.

Ce que Zane appelait broutilles relevait en fait des travaux d'Hercule. Je ne terminais une corvée que pour prendre au vol la suivante. Je n'avais droit ni à une pause déjeuner ni à un instant pour souffler. Je fus chargé de remettre de l'ordre dans le capharnaüm (une véritable caverne d'Ali Baba), ranger les étagères, redonner un éclat aux vieilleries, déloger les araignées, un seau d'eau dans une main, une tête-de-loup dans l'autre, et m'occuper des livraisons à domicile. Avant de me mettre à l'épreuve, Zane me soumit à des tests de « confiance ». Il laissait traîner des sous et autres appâts pour évaluer mon degré d'honnêteté ; je ne touchai à rien.

En quelques mois, j'en appris plus sur la nature humaine qu'un vieux briscard. Zane était un collège de premier ordre, et ses fréquentations de formidables leçons de vie. Je voyais défiler dans la boutique de curieux zigotos qui s'amenaient sur la pointe des pieds, les uns avec des paquets suspects, les autres avec des projets foireux. Contrebandier, maître chanteur, receleur, indic et maquereau, Zane dirigeait son monde d'une main de fer, chaque doigt dans une magouille ; pas un troc, pas la plus insignifiante des transactions ne s'opérait au ghetto sans s'affranchir de ses rapines, à lui. Il achetait pour des bouchées de pain et revendait à des prix exorbitants, avec fermeté et sans scrupules. Tout le monde, à Graba, lui devait quelque chose. On se mettait à genoux devant lui et on se disait preneurs de n'importe quelle sale besogne pour mériter ses largesses. Zane ne se gênait pas. Pour une boîte de conserve ou un crédit dérisoire, il exigeait la lune. Il profitait sans modération de chaque opportunité et abusait jusqu'à satiété du malheur des gens. Il prêtait sur gages aussi. Quand il s'agissait de bijou de valeur, il prétextait ne pas avoir suffisamment d'argent disponible et demandait au client de revenir le lendemain, le temps pour lui d'élaborer un traquenard. Le lendemain, le client rappliquait, déposait son bijou, comptait son fric et filait... pour revenir dix minutes plus tard, la poire ensanglantée et les frusques en charpie comme au sortir d'un combat avec un ours. « On m'a agressé ! On m'a volé non loin d'ici. » Et Zane, imperturbable : « Et en quoi c'est mon problème ? J'suis pas censé raccompagner mes clients chez eux sous bonne escorte. » Sur ce il congédiait le pauvre diable. Ça crevait les yeux que le coup fourré était l'œuvre de mon employeur. Il avait des hommes de main qui n'attendaient qu'un signe de sa part pour sévir. Zane ne s'arrêtait pas à ces pratiques somme toute courantes. Il se vantait d'avoir des condés à sa botte et menaçait d'envoyer n'importe qui au biribi rien qu'en claquant des doigts. Il était aussi craint que l'enfer, et personne ne marchandait avec lui. Souvent, des femmes obscures, drapées de la tête aux pieds dans des voiles crasseux, avec juste une minuscule ouverture sur le front pour regarder où elles mettaient les pieds, échouaient dans la boutique. Elles avaient généralement le couteau sous la gorge et étaient prêtes à n'importe quel sacrifice pour un morceau de sucre ou une pièce de monnaie. Zane les poussait dans l'arrière-boutique, les plaquait contre une grande table hérissée d'outillages hétéroclites, retroussait leurs robes sur leurs fesses nues et les possédait sans ménagement. Il adorait les humilier et les faire souffrir avant de les jeter dehors comme de vulgaires torchons. Je crois qu'il était fou. Il fallait être fou pour s'enraciner à Graba lorsqu'on avait les moyens de se payer une maison à la ville ; il fallait être complètement cinglé pour étaler sa fortune devant des crève-la-dalle fauchés à prendre un crachat pour un picaillon ; il fallait être un toqué suicidaire pour violer à la chaîne des mères, des sœurs, des tantes quand on sait qu'en cette terre mortifère le secret ne se garde jamais longtemps et que la vindicte est vite opérée, le poignard aussi tranchant que précis. Zane s'en fichait, persuadé qu'il traverserait un champ de mines les yeux fermés. Il portait sur lui des amulettes plus fortes que les sortilèges et les anathèmes réunis. Il était né sous une étoile en béton et ne craignait ni les hommes ni les dieux.

De l'avis d'un marabout, lorsque Zane rendra l'âme en gardant ses péchés, il n'ira ni en enfer ni au paradis puisque le Seigneur niera en bloc l'avoir créé.

Les premières semaines, les frères Daho passaient me rappeler que j'avais une dette envers eux. Ils se tenaient au coin du pertuis pour éviter la confrontation avec mon redoutable employeur et me lançaient des défis comme on jette un sort. Ils m'adressaient des gestes obscènes, faisaient signe de m'égorger. Je gardais mon calme, assis sur le perron de la boutique… Le soir, mon oncle Mekki venait me chercher, un gourdin clouté sur l'épaule.

Un tâcheron-coursier, ça cavale tous azimuts. De livraisons en commissions, j'élargis mes champs de manœuvre et ne tardai pas à faire des connaissances. D'abord Ramdane, un gamin rabougri qui était au four et au moulin pour subvenir aux besoins de sa famille nombreuse dont le père était cul-de-jatte. À peine sorti du ventre de sa mère que déjà il raisonnait en adulte. J'avais de l'admiration pour lui, et même si je n'assimilais ses opinions qu'à moitié, je savais qu'elles avaient du sens et cette qualité écrabouillée sous l'éboulis des siècles et des défaites que les *chibani* appelaient « dignité ». Il avait du panache, ce garçon. Bien qu'il fût de deux ans mon cadet, j'aurais donné un bras et une jambe pour être son fils. J'étais rassuré qu'il existe et qu'il mette un soupçon de loyauté dans notre déconfiture collective qui avait ramené les valeurs universelles à des impératifs égoïstes et la sagesse ancestrale à une grossière ruse de survie. C'est grâce à Ramdane que je découvris combien être utile était plus louable qu'être riche.

Ensuite, j'ai rencontré Gomri, un apprenti maréchal-ferrant tassé et solide comme une borne, un tantinet grotesque sous son tablier trop grand pour lui. Rouquin, frisé et grêlé, les yeux limpides et la peau aussi blanche que celle d'un albinos, il me mettait mal à l'aise au début à cause d'une vieille croyance tribale qui laissait entendre que la rousseur des cheveux tiendrait des desseins infernaux qui sourdent dans la tête. Je me trompais. Gomri ne pensait pas à mal et ne cherchait à truander personne. Il venait, entre deux ferrages de canassons, proposer à Zane des marteaux, des houes et autres ustensiles de sa fabrication. L'atelier n'étant qu'à une encablure de la boutique, Zane me sommait de m'y rendre pour vérifier s'il n'y avait pas anguille sous roche car, selon lui, les ouvrages du petit forgeron étaient trop habiles pour son âge. Gomri prenait alors un bout de ferraille, le plongeait dans la braise jusqu'à ce qu'il devienne rouge vif, ensuite, il l'étalait sur l'enclume et le battait sous mes yeux ; et je voyais, comme par enchantement, le vulgaire métal se transformer progressivement en un outil presque parfait.

Ramdane me présenta Sid Roho, un Noir de quinze ans surnommé LeBouc depuis qu'on l'avait surpris derrière le fourré, le froc par terre, en train d'abuser d'une vieille chèvre pelée. Les mauvaises langues racontaient que lorsque la biquette avait mis bas, une délégation de plaisantins était allée le trouver pour lui demander quel nom il comptait donner à son rejeton. Sid Roho encaissait les piques sans sortir de ses gonds. Il était marrant et serviable et n'aurait pas hésité à offrir sa dernière chemise à un nécessiteux, ce qui ne l'empêchait pas de vivre du péché. Il était voleur devant le Seigneur. Les marchands avaient beau l'avoir à l'œil, il parvenait à leur chiper ce qu'il voulait en un tournemain. Un vrai magicien. Je l'avais vu à maintes reprises dérober des objets sur les étals et les glisser dans le capuchon d'un badaud pour les récupérer à la sortie du marché. Je ne crois pas qu'il puisse exister chapardeur plus habile que lui sur terre.

Ramdane, Gomri, Sid Roho et moi avions tissé notre amitié sans nous en rendre compte. Nous n'avions pas d'affinités évidentes, mais nous nous entendions bien. Après la galère de la journée, nous nous retrouvions le soir du côté d'un verger en disgrâce pour échanger nos dernières cocasseries et nous bidonner de nos déconvenues jusqu'à ce que la nuit vienne nous couper l'herbe sous le pied.

À la maison, ça avait l'air d'aller. Mon oncle s'était découvert un formidable sens du commerce et se débrouillait pas mal. Il avait confectionné un chariot à partir d'un reste de brouette, installé dessus une marmite en fonte et, du matin au soir, il vendait de la soupe sur la place du ghetto. Ma mère, ma tante et Nora mettaient les bouchées doubles pour l'approvisionner et livrer du pain frais aux gargotiers. Leur ardeur ne me complexait plus ; grâce à mon boulot, j'avais droit à de la considération et, avant de me coucher, à une prière nimbée de bénédiction. Je me sentais grandi, presque aussi vaillant que mon ami Ramdane et me permettais de dire, à mon tour et avec raison, que bientôt nous aurions du rouge aux joues et de quoi emménager dans une vraie maison avec une porte qui se verrouille et des volets aux fenêtres quelque part où les magasins seraient mieux fournis et où il y aurait des hammams à chaque coin de rue.

Je mettais de l'ordre dans les étagères quand une ombre glissa derrière moi avant de s'engouffrer dans l'arrière-boutique. Je n'eus que le temps d'apercevoir un voile blanc disparaître sous la tenture. Un sourire de satisfaction frissonna sur le visage de Zane. Ce dernier vérifia d'abord le contenu de son tiroir, ensuite, lissant sa moustache, il me montra la porte du coin de l'œil pour que j'aille faire le guet.

Zane n'avait pas plus de scrupules qu'une hyène, mais il redoutait que ses conquêtes féminines soient suivies par des maris jaloux ou des proches au sens de l'honneur aiguisé.

— Pas d'intrus, vu ? me dit-il. Les mendiants, tu les envoies balader. Pour les clients, qu'ils reviennent plus tard.

J'opinai du chef.

Zane se racla la gorge et rejoignit sa proie derrière la tenture. Je ne les voyais pas, mais je les entendais.

— Tiens, tiens, fit-il de sa grosse voix de tyran. Tu as fini par entendre raison…

— Nous n'avons plus rien à manger, mon fils et moi, dit la femme en étouffant un sanglot.

— C'est la faute à qui ? Je t'avais fait une offre et tu l'as repoussée.

— Je suis une mère. Je… je ne me vends pas aux hommes.

Cette voix, j'étais sûr de la connaître.

— Alors, qu'est-ce que tu viens fiche dans ma boutique ? Je croyais que tu avais changé d'avis, que tu avais compris qu'on est obligé de faire des concessions pour obtenir ce que l'on ne peut s'offrir…

Silence.

La femme sanglotait doucement.

— Dans la vie, c'est donnant-donnant, lui dit Zane. Ne crois pas que tu vas m'attendrir avec ton petit numéro de sainte-nitouche. Ou tu retrousses ta robe ou tu retournes d'où tu viens.

Silence.

— Alors, tu les veux ou non, mes quatre *soldi* ?

— Mon Dieu ! Que vais-je devenir, après ?

— Ça, c'est ton problème. Tu vas me montrer ton joli cul ou pas ?

Pleurs.

— Voilà qui est raisonnable. Retourne-toi maintenant, ma cocotte.

J'entendis Zane plaquer la femme contre la table. Un cri atroce s'ensuivit. Rapidement, des grincements effrénés couvrirent les gémissements de la femme avant que le râle triomphant de Zane ne mette fin au tapage.

— Tu vois ? dit-il. Ce n'est pas compliqué… Tu reviens quand tu veux. Maintenant, de l'air !

— Tu m'as promis quatre *soldi*.

— Ouais, deux aujourd'hui, le reste la prochaine fois.

— Mais…

— Dégage, je te dis.

La tenture se souleva, et la femme, catapultée par Zane, s'écroula à quatre pattes sur le sol. En levant les yeux, elle me trouva en face d'elle. Sa figure violacée devint aussi pâle qu'un suaire. Déroutée, suffoquant de gêne, elle ramassa en catastrophe son voile et s'enfuit comme si elle avait vu le diable en personne.

C'était la veuve, notre voisine.

Le soir, en rentrant à la maison, elle m'intercepta au coin de la rue. Elle avait vieilli de vingt ans en quelques heures. Échevelée, les yeux en vrille et la bouche écumante, on aurait dit une sorcière au sortir d'une transe. Ses mains s'agrippèrent à mes épaules et sa voix détimbrée me parvint dans un souffle d'agonie.

— Je t'en supplie, ne dis à personne ce que tu as vu.

Elle me faisait honte et pitié à la fois. Ses doigts me broyaient. Je dus les redresser un à un pour m'en débarrasser.

— Je n'ai rien vu, lui dis-je.

— Si, tout à l'heure, dans la boutique.

— J'ignore de quelle boutique tu parles. Veux-tu me laisser rentrer chez moi ?

— Je me tuerais, mon enfant. Tu ne peux pas savoir combien je regrette d'avoir cédé à la faim. Je ne suis pas une dévergondée. Je croyais que ça ne m'arriverait jamais. Et c'est arrivé. Nul n'est à l'abri. Ce n'est pas une excuse, c'est une réalité. Personne ne doit savoir, tu comprends ? J'en mourrais dans la seconde qui suivrait.

— Puisque je te dis que je n'ai rien vu.

Elle se jeta sur moi, embrassa ma tête, mes mains, se mit à quatre pattes pour me baiser les pieds. Je la repoussai et courus vers notre gourbi. Une fois loin, je la vis se recroqueviller au pied d'un fatras de ferraille pour pleurer toutes les larmes de son corps.

Le lendemain, elle avait disparu.

Elle avait pris son enfant et elle était partie on ne savait où.

Je ne la revis jamais plus.

Je me rendis compte que j'ignorais jusqu'à leur nom, à elle et à son rejeton.

3.

La disparition de la veuve et de son fils m'avait choqué. Je m'en voulais d'avoir été témoin de ce viol consentant qui précipita notre voisine dans l'abîme. Comment me défaire du souvenir de cette femme aux abois ? Sa voix continuait de cogner contre mes tempes ; mes yeux étaient pleins de sa détresse, et ça me dégoûtait de l'espèce humaine.

J'étais en colère contre ces gens qui végétaient au jour le jour comme si les lendemains n'avaient pas plus d'intérêt que la veille. Je les voyais défiler dans la boutique, malades de faim et de désespoir, prêts à lécher le comptoir s'il y avait un filament de sucre dessus. Ils n'en avaient rien à cirer de leur tenue ni de leur fierté, l'essentiel étant ailleurs, dans une misérable bouchée de nourriture. J'essayais de leur trouver une excuse, et pour moi un alibi, en vain. À l'ombre de Zane, je marinais dans le fiel et le dépit du matin au soir ; mon sommeil était infesté de mendiants, de pignoufs, de voleurs, de femmes avilies, de sorcières hirsutes, de tyrans hilares dont les gueules crachaient des flammes tourbillonnantes. Je me réveillais ruisselant de sueur, les tripes à l'envers, et je courais dehors dégueuler à rendre l'âme. J'avais de la haine pour Zane. Avait-il été enfant ? Si oui, lui ressemblerais-je quand je serais grand ? Ou bien ressemblerais-je à ces spectres déphasés qui traînaient leur damnation en guise de boulets, la crasse si épaisse sur la peau qu'on aurait pu y planter un couteau sans les blesser ? Non, me disais-je, Zane n'a jamais été enfant. Il est né tel quel, en bloc, avec sa moustache torsadée et une bouche d'égout au milieu de la figure. Il était la pourriture faite homme, puait comme charogne au soleil sauf que, comble de l'horreur, il était bel et bien vivant.

Zane me trouvait distrait et mélancolique. Il menaçait de me renvoyer. Je serais parti de mon propre gré s'il m'avait versé mes arriérés.

Mes compagnons me pressaient de questions, tarabustés par mon chagrin. Je gardais mon secret pour moi. Comment leur raconter ce qui se tramait dans l'arrière-boutique sans en être complice ? Comment leur expliquer la disparition de la veuve sans en être coupable ?

Zane finit par me virer, et je me sentis un peu mieux. Ma déprime, c'était lui. Personne ne peut vivre à proximité de la perversion sans en être souillé d'une manière ou d'une autre. Les agissements de Zane ne m'éclaboussaient pas ; j'en dégoulinais.

Aujourd'hui encore, mes silences sont chahutés par les grincements de la table dans l'arrière-boutique et par les pleurs des femmes qu'il sodomisait à l'envi. *J'ai suffisamment de bouches à nourrir pour ne pas m'encombrer en plus de bâtards,* leur déclarait l'infâme Zane.

Mon oncle faillit tomber à la renverse en apprenant mon renvoi. Lorsqu'il constata que Zane ne m'avait pas versé un sou après des mois d'esclavage, il s'empara de son gourdin clouté et partit lui dire deux mots. Il nous revint dans un sale état, couché sur un chariot, démonté de la tête aux pieds. *C'est encore ta faute !* me cria ma mère, sentencieuse.

De nouveau livré à moi-même, je rejoignis Gomri dans sa forge. Son employeur me chassa au bout de quelques jours sous prétexte que ma présence ralentissait le rendement de l'atelier. De son côté, Ramdane me proposa de lui donner un coup de main au marché. Nous étions preneurs de n'importe quelle tâche sans être regardants sur ce qu'elle nous rapportait afin de pouvoir être repris le lendemain. Ramdane ne savait ni se reposer ni choisir, entre deux supplices, le moins titanesque. À la fin du mois, je jetai l'éponge, préférant de loin glander dans les champs ou me rendre au souk voir Sid Roho détrousser ses victimes avec talent. Sid était un sorcier. Une fois, il avait dépossédé Laweto de son ouistiti. Au nez et à la barbe de tous. Laweto était un vénérable loustic qui écoulait des philtres miraculeux à l'entrée du marché. Lorsque des clients floués revenaient lui rendre son poison en le traitant de charlatan, il leur rétorquait : *Que reprochez-vous aux charlatans ? La médecine leur doit plus de découvertes qu'aux savants.* Pour appâter l'auditoire, il forçait son singe à exécuter des acrobaties obscènes qui nous pliaient de rire. Ce jour-là, tandis qu'il vantait les vertus abracadabrantesques d'un dard de scorpion qu'il faisait passer pour l'épine d'une plante aphrodisiaque, il s'aperçut que son ouistiti n'était plus sur son épaule. En une fraction de seconde, ce fut la débandade. Laweto hurlait et courait dans la cohue, renversant les gens, regardant dans les couffins, sous les étals, derrière les taudis, interpellant les suspects et s'arrachant les cheveux par poignées. Son émoi mobilisa jusqu'aux gredins qui suspendirent leurs petites combines pour nous prêter main-forte. Mais aucune trace du ouistiti. Laweto en était malade. Il avouait à chaudes larmes qu'il ne survivrait pas sans son singe et qu'il ferait un malheur si on ne le lui restituait pas avant la tombée de la nuit.

La nuit tomba, et pas de nouvelles du ouistiti.

— Quelqu'un a vu LeBouc ? fit Gomri.

Effectivement, personne n'avait vu Sid Roho de la journée, ni au souk ni pendant le ratissage. Gomri ne trouvait pas ça sunnite. Il nous invita à le suivre, Ramdane et moi, et nous nous rendîmes sur-le-champ chez LeBouc.

Gomri avait vu juste : Sid Roho était allongé sur un reste de civière récupéré dans la décharge, le talon sur le genou, une brindille de réglisse entre les dents, pareil à un jeune bachagha s'offrant une cure, et… attaché à une poutre, le singe de Laweto mort de trouille qui se demandait ce qu'il fichait là avec un garçon tordu qu'il ne connaissait ni d'Ève ni d'Adam.

— J'étais sûr que c'était toi, fulmina Gomri hors de lui. Je croyais que tu avais du respect pour ce pauvre Laweto.

— C'était pour rire, dit Sid Roho loin de se douter de la pagaïe que son rapt avait provoquée dans le bidonville.

— Laweto est à deux doigts de flancher du cœur à l'heure qu'il est, protesta Ramdane. Tu vas lui rendre sa bête sans attendre, sinon, je jure de ne plus t'adresser la parole jusqu'à ma mort.

Le lendemain, pareil à un somnambule, son ouistiti sur l'épaule, Laweto parcourait les pertuis en criant au miracle et en racontant à qui voulait l'entendre qu'un ange ailé avait délivré son singe d'un sortilège et le lui avait ramené dans un rêve.

Mon jeune oncle était fatigué de me voir rentrer le soir sans le sou. Il me proposa comme *moutcho* dans un hammam antédiluvien à Kasdir, un vieux douar où la nuit arrivait plus vite que le jour. C'était un quartier arabe greffé à l'aile sud de Sidi Bel Abbes avec des bicoques chaulées et des rigoles putrides au milieu des chaussées. Les gens étaient méfiants, ils considéraient d'un mauvais œil tout ce qui venait de Graba – enfant, animal, fruit ou poussière. J'ignore comment Mekki s'était débrouillé pour convaincre le propriétaire de me prendre. La tâche était honnête et propre. Je portais les serviettes des baigneurs, essorais leurs pagnes, décrassais leurs rejetons. Pour le pourboire, je pouvais toujours rêver, mais je gagnais dix-sept douros par semaine, et ça renflouait la tirelire familiale. Les choses se déroulaient sans bavures jusqu'au soir où un client fauché, n'ayant pas de quoi régler sa note, m'accusa tout bonnement de l'avoir détroussé.

Je fus congédié sur-le-champ.

Je n'avais pas intérêt à signaler à mon oncle que je n'avais plus de travail. Pendant la journée, je me cachais dans le maquis pour ne pas le croiser sur mon chemin. Au coucher du soleil, je rejoignais ma bande dans le verger. Mes camarades étaient au courant de ma déconvenue, et chacun y allait de sa petite suggestion. Sid Roho me proposa de rouler pour lui. Il avait besoin d'un acolyte pour brasser large. Je déclinai l'offre. Catégoriquement.

— Je ne tiens pas à finir en prison, lui dis-je.

— J'en connais qui en reviennent sains et saufs.

— Possible, mais c'est *haram*.

— Arrête ton char, Turambo. C'est la mouise qui est *haram*. Tu crois qu'ils survivent comment, les gens, par ici ? Quand on n'a pas le cul verni, on ne s'assoit pas sur sa merde.

— On n'a jamais rien volé, dans notre famille. Mon oncle me bannirait s'il apprenait que je vole.

Sid Roho tapota sa tempe avec le doigt ; il n'insista pas.

Deux jours plus tard, il revint me trouver avec un boîtier en bandoulière.

— Tu veux gagner ta vie à la sueur de ton front ? À la bonne heure. Je vais t'apprendre mon ancien métier de cireur. Ça n'a cours qu'en ville, dans les quartiers européens. Ça te dirait de m'accompagner à Sidi Bel Abbes ?

— Oh, non, pas la ville. On se perdrait.

— Y a pas de raison. J'y vais souvent.

— Mon oncle dit que les gens se font renverser par les voitures tous les jours, là-bas.

— Ton oncle est un péquenot. Il n'a jamais raclé de trottoir de sa vie… Allez, viens. Sidi Bel Abbes, c'est quelque chose, je t'assure. Ce n'est pas fait pour nous, mais ce n'est pas interdit de s'y rendre.

— Non, ces gros endroits me font peur.

— Mon grand-père disait : celui qui est né en enfer ne craint pas les volcans. Fais-moi confiance. Je te montrerai des trucs que tu n'imagines même pas. Tu parles un peu français ?

— Bien sûr. J'ai grandi dans la ferme d'un colon. Mon père s'occupait de l'écurie et ma mère du ménage. Le Xavier m'autorisait à jouer avec ses gosses. Je m'y connais en calcul aussi. Pour les divisions, c'est compliqué, mais pour ce qui est des additions et des soustractions, il me faut juste un tableau et un morceau de craie.

— D'accord, d'accord, on ne va pas y passer la nuit, m'interrompit-il, jaloux. Tu veux venir avec moi en ville oui ou non ?

Comme j'hésitais, il ajouta :

— Apprends à décider par toi-même, Turambo. Quelqu'un a dit : Si tu veux monter sur la lune, commence à grimper tout de suite.

Sid Roho parvint à me convaincre et nous partîmes en courant nous débarbouiller dans un abreuvoir où se désaltérait une mule. Ensuite, Sid Roho m'emmena chez lui essayer une chemise, un pantalon qui m'arrivait aux mollets et des sandales à semelles de chanvre.

— Avec tes fripes de bouseux, la fourrière t'alpaguerait avant que tu atteignes la ville.

Sidi Bel Abbes, quel choc !

Mon univers se limitait à Turambo et à la propriété du colon. Pour moi, l'aisance et le confort, la modernité dans son éclat absolu, c'était la ferme des Xavier. Je ne connaissais rien d'aussi cossu. Je passais des heures à contempler la grande maison aux toitures recouvertes de tuiles avec son perron évasé garni de balustrades, sa large porte en bois sculptée ouverte sur un salon inondé de lumière, ses portes-fenêtres peintes en vert donnant sur une vaste véranda en fleurs où, le dimanche, le colon et ses convives dégustaient des grillades et des orangeades ruisselantes de fraîcheur. Je pensais que c'était là le summum de l'art de vivre, l'octave supérieure de la réussite, un privilège si rare que seuls les bénis des dieux pouvaient en jouir.

Je n'avais jamais mis les pieds dans une ville avant, et n'avais des Européens qu'un vague aperçu que je confondais avec l'idée que je me faisais des sultans dont parlait tante Rokaya pour calmer la faim ou la fièvre qui nous tenaillait, Nora et moi.

Pour le mioche « enclavé » que j'étais, il n'y avait que deux mondes diamétralement opposés, celui du colon Xavier, un grand gaillard dressé au milieu de ses vergers, qui disposait d'une calèche tirée par un magnifique pur-sang, d'une valetaille obséquieuse, et qui s'offrait du méchoui à toutes les fêtes de l'année, et celui de Turambo où le temps semblait au point mort, sans joie et sans discernement, un coin mortifère, incongru, dépourvu d'horizons et triste à pleurer où l'on se terrait comme des taupes dans des trous sordides.

Et voilà Sidi Bel Abbes qui balayait mes références d'une main seigneuriale en étalant sous mes yeux un monde insoupçonnable fait de rues asphaltées, de réverbères tandis que nous nous éclairions aux quinquets d'un autre âge, de trottoirs jalonnés d'arbres, de vitrines où l'on exposait de la lingerie fine qui m'aurait anesthésié de gêne rien qu'à l'idée de l'imaginer sur le corps de Nora, de bistrots aux terrasses ensoleillées et de gens endimanchés tirant paisiblement sur leurs pipes.

J'étais resté bouche bée pendant de longs moments à examiner les fiacres qui allaient et venaient dans un staccato syncopé ; les automobiles garées çà et là quand elles ne pétaradaient pas sur le boulevard ; les femmes moulées dans des robes flamboyantes, certaines au bras de messieurs distingués, d'autres retranchées sous de jolis chapeaux marquise, belles à couper le souffle ; les gradés pétant le feu dans leurs uniformes repassés de frais, le poitrail bombé et l'allure martiale ; et les gosses en culottes courtes qui caracolaient comme des feux follets sur la place pavoisée de fanions.

Cette découverte demeurera gravée dans ma mémoire, pareille à une révélation prophétique.

Pour moi, plus qu'une rencontre fortuite, Sidi Bel Abbes était la preuve qu'une vie différente, aux antipodes de la mienne, était envisageable. Je crois que c'est bien ce jour-là que je m'étais mis à rêver car je ne me souviens pas de l'avoir fait avant. Je dirais même que le rêve, à l'instar de l'espoir, ne m'était guère familier tant j'étais persuadé que les rôles étaient distribués d'avance, qu'il y avait ceux qui étaient nés pour se pavaner sous les feux de la rampe et ceux qui étaient condamnés à se dissoudre dans les coulisses jusqu'à s'y confondre. J'étais perplexe, charmé et frustré à la fois…

Sidi Bel Abbes m'éveilla à des sensations insoupçonnées. J'étais face à un défi. Être ou ne pas être. Se décider ou renoncer. Cette ville ne me narguait pas, elle me déniaisait, écartait mes œillères sur de nouvelles perspectives ; je savais déjà ce que je ne voulais plus. Avant l'heure de rentrer au bercail, j'étais fixé : plus question de m'ancrer à Graba. J'étais résolu à faire n'importe quoi, quitte à pécher, pour me reconstruire ailleurs, dans une ville où les bruits avaient une musicalité et où les gens et les rues fleuraient bon la chance d'exister.

Pendant que Sid Roho s'échinait à brosser les souliers, je ne me lassais pas de m'attarder sur mes découvertes ; j'en absorbais jusqu'au moindre détail, telle une éponge mise au sec que l'on jette brusquement dans un ruisseau. Ah ! cette église pimpante qui veillait sur la place avec altesse, et ces vitrines qui me renvoyaient le reflet de mon infortune, et ces filles resplendissantes qui semblaient danser en marchant, et ces allées si propres qu'aucune salissure n'osait s'échouer dessus, et ces parterres gazonnés pavoisés de roses, et ces gosses qui avaient mon âge et tout pour eux, en costume marin et en casquette, les chaussettes aux genoux et les pieds dans de tendres chaussures, qui passaient devant moi sans me voir et qui fendaient l'air comme des éclaboussures de bonheur… Ah ! Ces gosses, en les regardant évoluer dans l'insouciance, je me dis, sans vouloir offenser les saints, que leur dieu était plus prévenant que le nôtre et que, si le paradis nous était promis à nous plutôt qu'à eux, un semblant de décence dans notre vie n'aurait pas faussé grand-chose.

— Reviens un peu sur terre au lieu de gober les mouches. C'est ici que ça se passe, Turambo. Regarde comment je manie la brosse si tu tiens à apprendre le métier.

Sid Roho finissait de redorer le cuir des brodequins d'un soldat. Après le cirage, il passait dessus un torchon, les poignets aussi vifs que des pistons. Le troufion nous ignorait. Les mains dans les poches et le sourire en biais, il draguait deux jeunes filles sur le trottoir d'en face.

— Voilà, monsieur. Vos bottes ont fait peau neuve.

Le soldat laissa tomber une pièce par terre et traversa la chaussée en sifflotant.

— Tu penses qu'un de ces quat' je vivrai dans une ville comme celle-ci ? m'enquis-je, les yeux pleins de détails colorés.

— Qui sait ? Mon grand-père disait que ce qui est difficile n'est pas forcément impossible.

— Il faisait quoi, ton grand-père ?

— Des enfants. Il en fabriquait à la chaîne… Alors, ajouta-t-il en décrivant un large arc avec son bras, tu me crois, maintenant ? N'est-ce pas qu'elle est magique, Sidi Bel Abbes ?

— Je n'arrive pas à croire qu'il y ait autant de maisons magnifiques en un seul endroit.

— Et encore, tu n'as pas vu comment c'est à l'intérieur. Les gens y ont chacun leurs chambres séparées par des couloirs. Leurs lampes ne fonctionnent pas à la mèche. Ils ont plein de miroirs, et des gravures encadrées d'or. Et des tapis au sol pour qu'ils ne se blessent pas aux pieds. Et ils ont des lits. Pas des paillasses, pas des nattes, des lits en fer à ressorts qui bercent leur sommeil. Et parfois un piano. Ces gens-là, ils ne sont pas obligés d'aller à la source chercher de la flotte. L'eau arrive jusqu'à eux dans des tuyaux. Ils en ont dans la salle où ils cuisinent, et dans la salle où ils font leurs besoins. Quand il nous faut, à nous, regarder de tous les côtés avant de baisser le froc derrière le buisson, eux n'ont qu'à pousser la porte des cabinets du bout du pied. Et tu sais quoi ? Il paraît qu'ils lisent le journal pendant qu'ils s'acquittent de leur grosse commission.

— J'ai un peu connu ces trucs à la ferme des Xavier sauf que, pour l'eau, on avait une pompe à levier dans la cour.

— Rien à voir. Tu es en ville, mon pauvre Turambo. Ici, les rues et les places ont des noms et les portes des numéros. Dans ces maisons-là, tu ne vis pas, tu te la coules douce. Tu es le plus sacré des veinards et les dieux te mangent dans la main. Et encore, c'est pas fini. Demain, c'est dimanche, du beau monde va envahir la place après la messe. Des fois, il y a des orchestres qui jouent en plein air, et les femmes se poudrent le nez pour se faire plus belles que leurs filles.

— On reviendra, demain ?

— On n'apprend pas tout en un jour.

Et il fila proposer ses services à un dandy.

J'étais rentré au ghetto la tête farcie d'étincelles. Je n'avais pas fermé l'œil tant Sidi Bel Abbes m'obsédait. Je revisitais en mémoire les quartiers extraordinaires et passais en revue, un à un, les gens raffinés qui s'y promenaient comme s'ils n'avaient rien d'autre à faire. Le matin, je courus réveiller Sid Roho pour retourner en ville puiser dans son soleil les lumières qui manquaient dans ma vie. Nous avions trouvé quelques souliers à reluire, puis nous étions allés dans un parc observer les jeunes amoureux se contant fleurette sur les bancs. Nous en avions oublié jusqu'à la faim.

Sid Roho m'apprit comment frotter les chaussures pour les dépoussiérer ensuite, comment les oindre en veillant à ne pas tacher les cordons et, enfin, comment donner un dernier coup de chiffon pour faire étinceler le cuir. Il me confia, en fin de journée, deux paires de godasses qui me donnèrent du fil à retordre au début, mais que je réussis à négocier de façon acceptable. Après, il partit se reposer sur un muret et me laissa me débrouiller seul.

— Alors ? me demanda-t-il à son retour.

— Je n'ai pas à me plaindre.

— Voilà qui est fait. Maintenant, repasse-moi le matériel, dit-il en voyant approcher un agent de l'ordre. J'ai besoin de ramasser un tas de blé aujourd'hui.

Monsieur l'agent présenta son pied d'emblée en remontant le bas de son pantalon pour ne pas le salir. Sid Roho déploya son art avec une rare dextérité, comme si l'uniforme lui insufflait un enthousiasme singulier. À la fin, le policier grogna de satisfaction et reprit sa ronde sans porter la main à sa poche.

— Il ne t'a pas payé.

— Il n'est pas obligé, je suppose, dit Sid Roho en remettant son attirail dans le boîtier. Sauf qu'il se goure.

Lorsque nous nous fûmes éloignés, il extirpa un sifflet de sa poche.

— Monsieur l'agent se croyait tout permis. Et moi aussi, tiens, exulta mon ami. Je lui ai chipé sa sirène, à ce radin boursouflé.

— Comment tu as fait ?

— Les voies du Seigneur sont impénétrables.

Il était vraiment impressionnant.

Le soir, nous ne rentrâmes pas directement au ghetto. Sid Roho tenait à me montrer l'étendue de son audace. Lorsque la nuit entoila la ville, il m'emmena dans un quartier éclairé de becs de gaz et se mit à souffler dans le sifflet. Aussitôt, d'autres sifflets retentirent dans le voisinage et nous vîmes rappliquer deux flics au pas de course. Sid Roho se tordait de rire, la main sur la bouche. « Je vais les faire tourner en bourriques jusqu'à l'aube, ces pingres en uniforme qui refusent de payer un misérable cireur de bottes. » Croyant à une alerte ou à une agression, les flics inspectèrent le coin de fond en comble avant de se retirer. Sid Roho me traîna dans un autre quartier et recommença son cirque. De nouveau, des sifflets lui donnèrent la réplique. Après une bonne rigolade, on remettait ça au faubourg suivant. Les pauvres flics passaient en flèches devant nous, la main sur le képi et l'autre étreignant la matraque, se rentraient dedans au détour des ruelles, s'interpellaient à coups de cris de sommation, rebroussaient chemin pour revenir en cavalant, puis, pantelants, fous furieux de ne pas comprendre de quoi il retournait, ils regagnaient leurs postes en grognant. Tapis dans l'ombre, Sid Roho et moi, on se bidonnait aux larmes en pédalant dans le vide, la gorge contractée pour ne pas nous faire repérer. Nos plaisanteries nous hérissaient les poils, délicieuses et angoissantes à la fois. Quelques pâtés de maisons plus loin, Sid Roho ressortait le sifflet, et en avant la clique. Les pauvres policiers surgissaient de l'obscurité et, épagneuls désorientés, filaient rattraper du vent. L'un d'eux, essoufflé, vint dégueuler à dix pas de notre cachette en poussant des râles de bête mourante. C'était un spectacle époustouflant qui m'avait vidé de mes tripes. Il m'avait fallu supplier Sid Roho d'arrêter son cirque tant je ne tenais plus sur mes jambes à force de rigoler. Vers minuit, absolument ravis de nos farces culottées en diable, nous rejoignîmes Graba pour savourer un somme bien mérité.

Au matin, le ghetto m'assena un coup de boutoir.

Maintenant que j'avais vu Sidi Bel Abbes, je ne voulais rien voir d'autre.

À Graba, il n'y avait ni vitrines ni kiosque à musique, ni esplanade bordée de haies verdoyantes, ni salles des fêtes. Il n'y avait que la puanteur qui nous rongeait les yeux et la gorge ; les cahutes noires d'usure que les herbes sauvages bouffaient avec application ; les chiens trimballant leurs colonies de puces d'un bout à l'autre du bidonville, si malingres qu'on aurait pu jouer de la cithare sur leurs côtes ; les mendiants tapis dans leurs propres ombres et les marmots aux fesses nues qui couraient dans tous les sens comme des débris de folie.

Je ne supportais plus cet enfer qui nous grillait le cerveau et asséchait nos veines sans nous laisser une seule source où puiser une larme. Une nuit sans lune, me promis-je, j'y mettrais le feu et je regarderais les flammes leur arracher les cheveux à ces taudis ébouriffés qui voulaient me faire croire qu'ils étaient mon cimetière, et moi un fantôme.

— Qu'est-ce qu'il y a ? me demanda Mekki en me surprenant en train de parler seul sur le pas du gourbi.

— Je veux qu'on parte d'ici.

— Sur quoi ? Sur un tapis volant ? On n'a pas assez de sous. Tu devrais rejoindre au plus vite le hammam au lieu de radoter.

— Le proprio m'a renvoyé.

Il manqua de s'étrangler.

— Depuis quand ?

— Une semaine.

— Et tu ne m'as rien dit ?

— Tu t'énerves pour moins que ça.

— Qu'est-ce que tu as encore foutu ?

— Ce n'est pas ma faute.

— C'est peut-être la mienne. Si tu n'es pas fichu de garder un travail, comment comptes-tu partir d'ici ? Tu devrais prendre exemple sur Nora. Elle n'a presque plus de peau sur les mains à force de trimer. Et elle ne se plaint pas. Et ta mère ? Et ta tante ? Et moi qui ai oublié ce que trêve veut dire pendant que toi, tu prends à la légère le fardeau qui nous écrabouille.

— Je n'allais quand même pas l'obliger à me garder.

— C'est un type correct. C'est toi qui n'en fais qu'à ta tête, si toutefois tu en as une. J'en ai marre de t'avoir dans les pattes.

— Je vais travailler à mon compte.

Mekki éclata d'un rire bref et sec, une sorte de hoquet dépité.

— À ton compte ? Tu vas monter une affaire ? Avec quoi, tiens ? Avec tes doigts dans le nez ?

— Je vais être cireur.

Mekki vacilla comme si le ciel lui tombait sur la tête. Il fronça les sourcils pour être sûr d'avoir bien entendu, ensuite, la figure livide et les narines dilatées de colère, il me saisit par la gorge et me plaqua contre le mur dans l'intention manifeste de m'y voir disparaître.

— Cireur ?... Jamais personne, chez nous, n'a baisé les pieds d'un maître. C'est vrai, nos maisons ne sont plus que ruines, nos champs confisqués, mais notre honneur tient debout. Quand vas-tu te rentrer ça dans le crâne, espèce de chien ?

Je le repoussai avec hargne.

— Ne m'insulte pas.

— Y a-t-il pire insulte que de s'abaisser pour cirer les chaussures de ses semblables ?

— C'est un gagne-pain comme les autres. Et je ne veux plus que tu portes la main sur moi. Tu n'es pas mon père.

— Je t'arracherais le cœur à main nue, si j'étais ton père. Et puisque c'est moi qui commande ici, je t'interdis de déshonorer le nom de notre famille. Cireur ! Il ne manquait plus que ça. Et s'il ne restait plus de poils à ta brosse, tu te débrouillerais avec la langue ?

Je ne savais plus s'il me fallait en rire ou en pleurer. Mekki osait me parler d'honneur et de sacro-saints devoirs abstraits tandis que je reniflais la honte chaque fois que je cherchais une bouffée d'air. Était-il aveugle ou stupide ? Ne comprenait-il pas que je tenais autant que lui à fuir cette basse-cour de toile et de zinc où l'on cuvait sa déveine comme couve sous la cendre la braise qui refuse de mourir ? Ne comprenait-il pas que je venais de prendre conscience d'une réalité autre que celle que je croyais naturellement faite pour nous, qu'à l'instant où je lui tenais tête, j'étais en train de devenir quelqu'un d'autre, que nous étions dimanche, un dimanche unique en son genre, qui n'était plus le jour du Seigneur et des roumis, mais un jour essentiel qui ferait date dans ma vie, et qu'il est des dates qui comptent plus que les autres, qui vous font naître à vous-même ? Je n'avais pas encore de mots à poser sur les choses, mais je les sentais au plus profond de moi. C'était une impression bizarre, lancinante et confuse, pareille à celle que l'on éprouve lorsqu'on a un nom sur le bout de la langue sans parvenir à l'atteindre. Et j'étais décidé à l'atteindre.

Sid Roho m'avança de quoi acheter un boîtier, des brosses et du cirage, et je courus traquer les bottes. Je m'aperçus très vite que je n'étais pas le seul à avoir eu cette idée. Il me fallut négocier selon les règles en vigueur car la concurrence était rude et l'offre restreinte. Les *yaouled* qui exerçaient le même métier que moi cognaient dur et ne savaient pas se retenir lorsque l'intrus était à terre. Mais je tins bon et défendis crânement mon territoire.

Ce qui m'importait, c'était de ramasser un maximum d'argent pour permettre à Mekki de nous trouver une maison en pierre sur une vraie rue, dans un vrai quartier paré de réverbères qui s'allument le soir et de boutiques aux devantures vitrées. Je voulais voir passer du beau monde sous ma fenêtre, m'offrir un instant de quiétude sur un banc public et, pourquoi pas, me croire de mon époque et capable d'en profiter. Pour cela, il me fallait mériter de rêver, et mériter d'espérer. Je ne me faisais pas trop d'illusions quant à accéder au rang d'un roumi ; ce n'était pas dans mes cordes, sauf qu'il n'était pas déraisonnable pour un gamin mal loti de trouver une autre voie, un autre destin, et, avec un peu chance, d'échapper définitivement à ces mouroirs sinistrés où les chants retentissaient comme des jurons, où les lendemains s'inspiraient des jours d'avant plus noirs que les nuits. J'avais vu deux ou trois Arabes qui avaient l'air de tirer leur épingle du jeu. Ils portaient des costumes bien droits et il n'y avait pas la moindre tache sur leur fez. Ils marchaient parmi les roumis sans trébucher, habitaient dans des maisons badigeonnées avec une porte qui se fermait à clef et des volets aux fenêtres – des maisons comme j'en rêvais. Et ça m'avait gonflé à bloc.

J'arrivais tôt le matin sur la place de Sidi Bel Abbes, mon boîtier en bandoulière et ma brosse en évidence, à l'affût d'un claquement de doigts ou d'un signe de la tête pour me ruer sur la chaussure et ne la libérer que lorsque mon image se reflétait sur le cuir. J'appris les astuces du métier en quelques ruades dans les flancs ; la colère du client me rendait plus habile ; je veillais à ne pas déborder des surfaces utiles, unique grand péché de la profession, et j'empochais au vol la pièce de monnaie que l'on me balançait en m'imaginant déjà sur mon balcon à saluer des copains dans la rue.

Hélas, les clients n'étaient pas légion. Il y avait des jours où je rentrais bredouille, le ventre vissé aux vertèbres. Tous les Européens n'étaient pas friands de mes services ; beaucoup traînaient des savates aussi pourries que les miennes. Ça ne me décourageait pas. Je rôdais sans arrêt autour des cafés, de l'église, de la mairie, et du bobinard car, d'après Sid Roho, certains puceaux tenaient à être présentables pour leur baptême coïtal. Mon fardeau me pesait chaque jour un peu plus, sans me ralentir. Des années après, j'ai continué de ressentir les sangles de ma boîte de cireur sur ma nuque et la gifle que m'avait assenée un client outragé. Je me souviens nettement de cet homme qui faillit me lyncher à cause d'une malheureuse rainure sur sa chaussette. Énorme, la figure cramoisie de soleil, il portait un casque colonial, un costume d'une blancheur immaculée et une montre à gousset en exergue sur son gilet. Il sortait de chez le barbier quand il m'avait hélé. Pendant que je m'attelais à rendre son éclat à sa chaussure, il lorgnait une demoiselle en train d'étendre du linge sur un balcon. J'ignore comment ma brosse avait dévié. Le monsieur avait manqué de tourner de l'œil en voyant sa chaussette souillée. Sa grosse patte d'ours s'était abattue sur ma joue avec une violence telle que j'ai vu les étoiles de la nuit se décrocher en plein jour. Ça ne m'avait pas affecté. Les coups faisaient partie de la vie ; ils étaient la rançon de la persévérance, le prix à payer pour croire et rêver. Et je croyais et rêvais à m'exploser la tête. Je me disais que ce qui était permis aux uns l'était aussi aux autres et que, si ces derniers avaient baissé les bras, je n'avais qu'à ne pas baisser les miens. Un adage ancestral stipulait que celui qui espère vaut mieux que celui qui attend, et celui qui attend est moins à plaindre que celui qui renonce. Mon ambition était grande comme ma faim et aussi crue que ma nudité. Je voulais porter un jour de beaux habits propres et des bretelles par-dessus ma chemise, me savonner le corps jusqu'à disparaître sous la mousse, donner un coup de peigne dans mes cheveux et m'amuser dans les rues comme un feu follet… Entre deux clients, je prenais place sur le trottoir et je m'imaginais sortir d'une pâtisserie les bras chargés de gâteaux, ou d'une boucherie avec d'épais quartiers de viande bien empaquetés, ou encore assis sur un banc à fumer ma cigarette comme ce monsieur là-bas qui étudiait son journal. Qu'un autocar passe, et je me voyais dedans, juste derrière le conducteur pour épier ses moindres gestes car, qui sait ? Je serais peut-être appelé à tenir à mon tour un volant. Quand un jeune couple s'amenait bras dessus, bras dessous, je sentais une main fragile et tendre me prendre par la taille… J'entendais le grand-père de Sid Roho me chuchoter : « Ce qui est difficile n'est pas forcément impossible », « Ce qui est difficile n'est pas forcément impossible », « … pas forcément impossible », « … possible, possible, possible », et je hochais la tête avec conviction comme si le vieillard se tenait en face de moi.

4.

Le rêve est le tuteur du pauvre, et son pourfendeur. Il nous tient par la main, puis il nous tient dans la sienne pour nous larguer quand il veut après nous avoir baladés à sa guise à travers mille promesses. C'est un gros malin, le rêve, un fin psychologue : il sait nous prendre à nos propres sentiments comme on prend au mot un fieffé menteur ; lorsque nous lui confions notre cœur et notre esprit, il nous fausse compagnie au beau milieu d'une déroute, et nous nous retrouvons avec du vent dans la tête et un trou dans la poitrine – il ne nous reste plus que les yeux pour pleurer.

Que dire de mon rêve à moi ? Il était attachant comme tous les rêves. Il berçait mon âme avec une tendresse telle que je l'aurais préféré à ma mère les yeux fermés. Et c'est vrai qu'ils étaient fermés, mes yeux, puisque je ne voyais que par lui. Mais le rêve n'a ni courage ni suite dans les idées. Il se débine quand vient l'heure des bilans ; ses tenants s'effilochent d'eux-mêmes à l'usure, et l'on revient sur terre aussi sot qu'avant l'envol avec, en supplément, le déplaisir de retrouver la case départ un peu plus délabrée. D'un coup, le crépuscule ressemble à l'autodafé des illusions, et la couleur de la nuit rappelle la cendre de nos vaines ardeurs puisque rien de ce que nous avons appelé de nos vœux ne nous a entendus.

Ma mère disait que les dieux ne sont grands que parce

que nous les regardons d'en bas. C'est valable pour les rêves aussi. En relevant la tête des souliers que je briquais, je mesurais combien j'étais petit. Ma brosse n'avait rien d'une lampe merveilleuse, et pas un génie ne choisirait pour retraite une godasse usée. En six mois de basse corvée, je n'avais toujours pas de quoi m'acheter un pantalon ; les maisons-en-dur-numérotées-sur-des-rues-bien-nommées prenaient le large comme des paquebots en partance pour le pays de cocagne tandis que je me décomposais sur mon île déserte en filtrant le sable entre mes doigts. Quand bien même j'aurais la main verte, a-t-on vu fleurir les ergs ?

Il avait suffi à un gamin de me montrer du doigt pour qu'il crève mon rêve comme un abcès. Je m'apprêtais à casser la croûte sous un arbre, assis sur ma boîte, lorsque j'entendis : « C'est lui, monsieur l'agent ! » C'était un garçonnet européen, habillé en prince, l'été dans les cheveux et la mer dans les yeux. Je ne l'avais jamais vu avant et ne comprenais pas ce qu'il me voulait. Mais le malheur ne sait pas rester à sa place. Il vous attend, puis, fatigué de poireauter, c'est lui qui vient vous chercher. Le gardien de la paix n'y alla pas par quatre chemins. Sa matraque s'abattit d'instinct sur ma tronche. Un Arabe est coupable par nature. Si l'on ignore de quoi au juste, ce n'est pas la peine de le lui demander. J'ignorais de quoi le petit roumi m'accusait. Je suppose que ce n'était pas, non plus, nécessaire de le lui demander. Mon bout de pain se bloqua en travers de ma gorge ; le sang qui gicla dans ma bouche ne l'aida pas à passer. Monsieur l'agent me cogna à plusieurs reprises avec sa trique en m'envoyant des coups de pied dans les flancs. « Sale vermine ! criait monsieur l'agent, ordure ! Pouilleux ! Retourne fissa dans ton chenil et reste-z'y. Si je te reprends à rôder dans le secteur, je te foutrai au trou jusqu'à ce que les rats aient fini de te ronger les os. »

Assommé, les membres en compote et la figure fendue, je pris mes jambes à mon cou et quittai la ville en y oubliant ma boîte de cireur, mes rêveries imbéciles et un tas d'autres choses que seul un paysan de mon âge aurait la naïveté de croire possibles.

Je ne remis plus les pieds à Sidi Bel Abbes.

Notre escale à Graba perdurait.

Deux années avaient passé, et nous étions encore à crapahuter sur place.

Mekki me prit avec lui pour m'avoir à l'œil. Il avait fabriqué un comptoir avec des lattes de bois et nous vendions côte à côte, en plus de la soupe, des œufs durs et des tomates à l'oignon.

Je ne rejoignais mes amis qu'une fois sur dix. Nous nous retrouvions au même endroit, dans le verger en disgrâce, sauf que nous étions rarement au complet ; à tour de rôle, l'un de nous manquait à l'appel.

Ramdane avait contracté une vilaine bouffissure au milieu du ventre. Le guérisseur lui avait certifié que c'était à cause des fardeaux qu'il chargeait et déchargeait à longueur de journée. Ramdane refusa de prendre au sérieux les recommandations du guérisseur. Il enroula un pansement autour de la taille pour contenir sa hernie et se remit au travail. Il dépérissait à vue d'œil. Quant à Gomri, il s'était dégotté une « fiancée » et commençait à nous délaisser afin de la rejoindre derrière les buttes boisées. Nous l'avions filé un soir, Sid Roho et moi, pour en avoir le cœur net. La fiancée était une gamine de Kasdir, une fugueuse ou bien une orpheline car il fallait être l'une ou l'autre pour hanter la nuit et fréquenter les garçons à cette époque. Elle avait une grosse tête fuselée enserrée dans un foulard, des épaules étroites et la poitrine plate, le tout juché sur des jambes grêles et démesurées. On aurait dit une sauterelle. Elle riait sans raison pendant que Gomri, les mains entre les cuisses comme s'il luttait pour contenir l'envie de pisser, la dévorait des yeux. Il n'en perdait pas une miette. Il faut reconnaître que la môme était une sacrée allumeuse, une authentique langue de flamme cueillie de l'enfer. Elle se tortillait de gêne simulée, les doigts dans la bouche, roucoulait, montrait cran par cran ses seins naissants et allait jusqu'à retrousser sa robe par-dessus ses cuisses pour faire saliver l'apprenti forgeron. Cachés derrière le fourré, nous assistions au petit manège dans un silence de cathédrale, Sid Roho en se massant le pédoncule et moi en pensant à Nora.

L'hiver 1925 fut terrible. De mémoire d'homme, jamais il n'avait fait aussi froid dans la région. Après les pluies diluviennes qui inondèrent nos gourbis, le gel recouvrit de verglas le sol et transforma le bidonville en patinoire. Il neigea trois jours de suite, sans discontinuer. Les gens s'enfonçaient dans la neige jusqu'à la taille, les enfants ne sortaient plus de leurs terriers. Beaucoup de paillotes s'étaient effondrées sous le poids des précipitations, certaines avaient brûlé à cause des bûchers que l'on allumait à l'intérieur. Pendant deux semaines, les échoppes restèrent closes et le marché vide. Il y eut des morts de faim et des morts de froid par dizaines. À la fonte des neiges, la bourbe envahit les taudis et, là encore, il y eut des morts et des cahutes par terre. Lorsque les premières provisions nous parvinrent, ce fut l'émeute ; Ramdane perdit son cul-de-jatte de père piétiné lors de la curée.

Il y eut des dégâts dans ma famille. Nora attrapa la crève et faillit y passer. Mekki et ma mère occupèrent la paillasse une semaine d'affilée ; ils rendaient jusqu'à l'eau rance qu'ils buvaient. C'était d'ailleurs tout ce que nous pouvions porter à la bouche. Moi, je brûlais de fièvre, le corps recouvert de furoncles. La nuit, j'avais des visions ; je voyais des cafards grouiller autour de moi. Puis, les uns après les autres, nous revînmes à la vie. Sauf tante Rokaya dont les genoux s'étaient ankylosés. Elle n'arrivait pas à plier les jambes ni à se mettre sur son séant. On avait cru qu'elle allait mourir, et c'était tout comme. Ses membres inférieurs ne répondaient plus. Elle gisait sur sa natte, aussi rigide qu'un morceau de bois. En regardant Nora et ma mère la traîner derrière le taillis pour l'aider à faire ses besoins, je mesurais ce que la misère humaine avait de plus ignoble sur terre.

De nombreuses familles avaient ramassé leur maigre paquetage et mis le cap sur d'autres purgatoires. Elles n'avaient plus de toit et aucun espoir de se refaire à Graba. Ramdane figurait parmi les partants. Il avait entassé sa mère et sa fratrie sur un chariot et s'en était allé enterrer son mort au douar natal. Il ne reviendrait pas.

Sid Roho déplora la perte de ses deux parents ; la faim et la maladie avaient eu raison d'eux. Il tint à me faire ses adieux avant de quitter le cloaque.

— Désolé pour tes parents, lui dis-je.

— Tu devrais te désoler pour les survivants, Turambo. Mes parents ont fini leurs numéros. Leur rideau est tombé. C'est moi qui reste sur scène comme un idiot ne sachant quoi faire de ma douleur.

— Le *mektoub*, lui fis-je à court d'arguments.

— Le *mektoub*, c'est qui, c'est quoi ? Mon grand-père disait que la fatalité ne concerne que ceux qui ont tout tenté sans succès. Pour les bras cassés, aucune excuse n'adoucit leur infortune. Je ne pense pas que mes parents aient tenté quoi que ce soit. Ils sont morts parce qu'ils n'ont fait que subir ce qu'ils auraient dû combattre…

— Et tu vas où ?

Il haussa les épaules.

— Je m'en tape. Quand je serai fatigué de bourlinguer, je m'arrêterai. La terre est vaste, et celui qui a connu Graba peut aller n'importe où en paix. Le pire restera toujours derrière lui.

Je l'avais raccompagné jusqu'à la route « arabe » et je l'avais vu clopiner vers son destin, un balluchon sur la tête et sa boîte de cireur en bandoulière.

C'était un matin sombre et laid, même les oiseaux ne chantaient plus.

Mekki admit à son tour que l'heure était venue, pour nous, de nous réinventer ailleurs. Il nous réunit dans le gourbi dont la toiture en tôle avait été démolie par la neige.

— Je crois que nous avons assez d'argent pour tenter notre chance loin d'ici, nous dit-il en déversant sur un foulard nos économies. De toute façon, il ne reste plus grand-chose dans ce foutoir.

Ce n'était pas faux. La moitié du ghetto avait été dévastée par les intempéries, et les rares vendeurs qui s'accrochaient encore à leur commerce rendaient leur tablier les uns après les autres, faute de clients et d'approvisionnement. Les fournisseurs préféraient ravitailler Kasdir et déguerpir. La piste qui menait à Graba était impraticable et les brigands infestaient les sentiers. Le plus alarmant, c'étaient les épidémies qui se déclaraient çà et là. On parlait de typhus et de choléra. Les morts continuaient d'endeuiller les foyers. Le cimetière improvisé derrière le dépotoir militaire témoignait de l'ampleur de la catastrophe.

— Si tu ne t'étais pas décidé, je serais partie de mon plein gré, lui déclara ma mère. Depuis le début, je me disais que tu allais te rendre compte qu'il n'y avait rien pour nous, ici. Mais je suppose que les hommes sont plus durs à la détente que les mules.

Le dépit de ma mère nous estomaqua. Elle qui taisait ses peines comme une poule couve ses œufs, la voilà qui crachait son ras-le-bol sans prendre de gants. Sa sortie inattendue était en réalité la preuve que notre descente aux enfers avait touché le fond.

Ma mère déplaça un tas de ballots dans un coin de la pièce, en extirpa un torchon sévèrement ficelé et le défit sous nos yeux. Un kholkhal en or massif roula à nos pieds, magnifiquement ciselé, terminé aux extrémités par deux têtes de lion rugissant et portant sur les bordures des inscriptions calligraphiques d'une rare finesse ; une authentique œuvre d'art surgie d'une époque confisquée où nos femmes étaient toutes des sultanes choyées.

— Prends-le, dit-elle à son frère.

Mekki fit non de la tête.

— Je n'ai pas le droit d'y toucher. Ce bijou a appartenu à ton arrière-grand-mère.

— Elle n'en a plus besoin.

— Il t'appartient désormais.

— J'ai faim, et je n'aimerais pas me casser les dents dessus.

— Non, je ne peux pas... C'est tout ce qui nous reste de notre histoire.

— Ne fais pas l'idiot. Il n'y a d'histoire que l'instant présent, et nous sommes en train de crever. S'il est écrit que ce bijou restera dans notre famille, il nous reviendra... Je suis dégoûtée de ce bidonville. Trouve-nous un point de chute où les gens ressemblent à des gens pour que nous puissions à notre tour ressembler à ce que nous avons été.

Elle saisit la main de Mekki, y mit l'imposant bijou et lui referma les doigts dessus. Sur ce elle se retira et entreprit de remettre de l'ordre dans ses balluchons.

Souvent, je m'étais demandé ce qu'elle attendait vraiment de la vie, ma mère. Je suis sûr qu'elle n'en attendait rien, pas plus qu'elle attendait quelque chose de la mort, sauf peut-être le soulagement d'en avoir fini avec tout, absolument tout, pourvu qu'il n'y ait ni enfer ni paradis *après*.

Mekki partit le lendemain à la recherche d'un point de chute. Sans choix fixe. Il demanderait conseil aux gens sur sa route. Dix jours s'écoulèrent, et pas une nouvelle de notre chef de famille. Nous n'arrivions ni à digérer les tubercules que l'on ramenait du maquis ni à dormir. Chaque fois qu'un homme passait près de notre gourbi, on priait pour que ça soit Mekki. Mais pas de Mekki en vue. L'attente nous angoissait au fur et à mesure que le soleil se couchait et nous nous mîmes à craindre le pire.

Un matin, Rokaya se réveilla en sueur, les prunelles éclatées.

— J'ai fait un mauvais rêve, j'en tremble encore. Je crois qu'il est arrivé quelque chose à Mekki.

— Et depuis quand tes rêves sont prémonitoires ? lui fit ma mère, sèchement.

— Qu'est-ce que tu as vu ? lui demanda Nora.

Rokaya remua péniblement sur sa couche.

— Mekki serait allé au bout du monde qu'il serait déjà de retour…

— Il reviendra, la coupa ma mère. Il nous a promis un endroit tranquille, et ça ne court pas les rues, les endroits tranquilles.

— J'ai un méchant pressentiment, Taos. Mon cœur se liquéfie. Tu n'aurais pas dû lui remettre ton bracelet. Avec tous ces gredins sur les routes…

— Tais-toi ! Tu vas lui porter la guigne.

— C'est peut-être déjà arrivé. Mekki est peut-être mort à l'heure qu'il est. Ton bijou a causé sa perte, et la nôtre.

— Ferme-la, sorcière. Dieu ne peut pas nous faire ça. Il n'a pas le droit.

— Dieu a tous les droits, Taos. Pourquoi blasphèmes-tu ?

Ma mère sortit dans la cour, furieuse, à court de repartie. Je ne l'avais jamais entendue hausser le ton ou manquer de respect à sa sœur aînée.

Mekki nous revint, exténué mais radieux. De loin, je le vis m'adresser des signes enthousiastes et je compris que notre histoire avec Graba touchait à sa fin. Nous accueillîmes notre revenant comme une grâce. Il nous pria de le laisser manger d'abord, ensuite, après avoir savouré notre impatience, il nous annonça qu'on partait pour Oran. Ma mère lui fit remarquer que Rokaya ne supporterait pas un tel voyage dans son état. Mekki nous rassura ; un transporteur de Kasdir ayant une livraison à Oran consentait à nous transporter dans son camion contre quelques francs.

Nous ramassâmes nos vieilleries et nos ustensiles, nos balluchons et nos prières et, à l'aube, nous grimpâmes à l'arrière du véhicule et fermâmes les yeux pour ne pas voir reculer le ghetto ; nous étions déjà ailleurs.

Mekki nous avait trouvé un pied-à-terre sur la façade nord de Médine Jdida – un quartier arabo-berbère que l'Administration dénommait le « Village nègre » – une dépendance en dur dans un patio, avec balcon et volets aux fenêtres, située à l'intersection de la rue du Général-Cérez et du boulevard Andrieu, en face d'une caserne d'artillerie.

L'habitation était spacieuse, composée de deux grandes chambres concomitantes dont l'une donnait sur la rue et l'autre sur une esplanade en terre battue, et d'une pièce exiguë pour faire à manger ; les cabinets se trouvaient dans la cour intérieure du patio que nous partagions avec la propriétaire, une veuve turque, et une famille kabyle qui gérait un bain maure. Nous étions très contents de notre nouveau point de chute. Nora avait versé quelques larmes pour bénir l'endroit.

Je mis un certain temps à me familiariser avec les choses de la ville, ses trottoirs rectilignes, ses chaussées mortelles pour les distraits et les frayeurs que m'infligeaient les automobiles avec leurs klaxons bêlants. Mais j'étais aux anges. Notre maison avait une porte qui fermait à clef et un numéro sur le fronton, et, pour moi, c'était ce que je pouvais espérer de mieux.

Le rêve, enfin.

Les premiers jours, j'aimais m'appuyer d'un pied contre le mur et rester ainsi pendant des heures pour que les passants sachent que j'habitais la belle demeure aux fenêtres vitrées ; ça me paraissait aussi essentiel que l'eau que nous tirions du puits creusé à même le patio et que nous n'étions plus obligés d'aller chercher aux sources à des kilomètres. Et la nuit, de mon balcon, je contemplais les habitations mauresques ornées de becs de gaz, leurs façades cambrées peintes en blanc, les moucharabiehs derrière lesquels des ombres s'agitaient dans la lueur des quinquets et, sur l'esplanade rassérénée, les badauds qui vadrouillaient çà et là, leurs falots au bout du bras semblables à des lucioles géantes emportées par le vent. L'embrun de la mer que je n'avais encore jamais vue de ma vie montait du port et venait humecter mon visage de milliers de particules rafraîchissantes. Je pompais l'air à m'exploser les poumons et je me surprenais à fredonner des ritournelles inconnues comme si elles avaient été longtemps enfouies au fond de mon subconscient avant que ma joie les délivre d'un coup en les lançant vers le ciel dans un souffle tout neuf.

Déboussolé par la forêt des maisons identiques et la toile inextricable des avenues, j'entrepris d'arpenter ma rue d'un bout à l'autre, à plusieurs reprises, pour mémoriser mes repères. Lorsque j'appris à retrouver ma porte les yeux fermés, je poussai ma curiosité jusqu'aux rues adjacentes, puis aux boulevards alentour et, en une semaine, je connaissais par cœur Médine Jdida.

Mon oncle s'associa à un Mozabite herboriste et tint boutique au marché arabe. Je lui portais son repas à midi et, le reste du temps, je voguais.

Oran était une aventure haletante, un carrefour où se

rattrapaient les âges, chacun paré de ses atours. La modernité faisait miroiter ses appâts auxquels les vieux réflexes ne mordaient que du bout des lèvres, comme on goûte à un fruit suspect. Les autochtones comprenaient qu'une nouvelle ère était en train de se mettre en place, et ils se demandaient ce qu'elle avait à leur offrir et à quel prix. La ville européenne affichait ses ambitions, frénétique et intimidante, mais quelque chose dans sa boulimie ne cadrait pas avec leur frugalité à eux, et ils s'estimaient trop amoindris pour prétendre à une part du gâteau. Le partage n'était guère équitable, et les chances accusaient un strabisme trop prononcé pour que tout le monde puisse regarder la même chose de la même façon. Il y avait fausse donne quelque part. Trop de décalages rendaient les passerelles périlleuses ; la ségrégation, qui faisait des uns une entité abstraite et des autres un fait accompli, maintenait les communautés dans une méfiance exacerbée. Oran, à cette époque, marinait dans un mélange de doute et de perplexité qu'alimentaient les préjugés et les dogmes du repli sur soi. Personne n'était assez fou pour confier sa mère au voisin.

Je marchais des heures et des heures sans m'en rendre compte, absorbé par les mystères des faubourgs qui se livraient au fur et à mesure, avec parcimonie. Ma quête d'un emploi me promena d'un bout à l'autre du plateau sud de la ville parsemé de guitounes de nomades venus du désert. Par-delà le cimetière israélite, tel un no man's land pris en étau entre Sananes et le champ de Manœuvres, végétait un petit lopin de campagne dont les convoitises urbaines dénaturaient la poésie et réduisaient en chantiers éventrés son cadre rustique ; au milieu des vergers squelettiques, une poignée de bicoques encore dégoulinantes de torchis et recouvertes de tôles jetaient les bases d'une bourgade imminente. Un peu plus loin s'étalait Lamur, une vaste étendue de glaises pourpres carrelées de patios rudimentaires. Les *citadins* musulmans voyaient d'un mauvais œil les gourbis que les paysans débarquant de l'arrière-pays élevaient autour de leur territoire dans un salmigondis de bâches pourries et de poutrelles ; des guéguerres d'incompatibilité se déclaraient quotidiennement entre les locaux et les arrivants, ce qui contraignait ces derniers, de plus en plus envahissants, de se rabattre sur Jenane Jato, un coupe-gorge où l'on ne se hasardait pas la nuit. À l'ouest, le quartier d'Eckmühl dégringolait jusqu'au ravin de Ras el-Aïn enguirlandé de jardins maraîchers, avec ses maisons étagées, ses venelles ombragées et ses arènes frémissantes de toreros. La majorité des habitants étaient des Espagnols, en général des petites gens et des Gitans sédentarisés qui vivotaient au gré des conjonctures, guettant entre deux prières un semblant de miracle qui les sortirait des mauvaises passes. Leurs femmes, dont de nombreuses diseuses de bonne aventure, faisaient du porte-à-porte pour vendre des dentelles fanées ou pour lire sur les lignes de la main des destins improbables. Elles avaient le don de repérer les gogos à des lieues à la ronde et, lorsqu'un client hésitait, elles finissaient par lui fourguer n'importe quoi en le harcelant sans relâche. Des femmes étonnantes, pugnaces et baratineuses de premier ordre, rusées à endormir le diable sur ses crottes. Au nord-est de Médine Jdida, en contrebas de Magenta, on débouchait sur le Derb, un quartier séfarade où les hommes en calotte noire s'affairaient dans leurs échoppes en enfermant à double tour leurs femmes. Comme chez nous. Hormis les gamines aux cheveux nattés jouant aux osselets avec de petits garçons sur le trottoir, pas une adolescente n'égayait l'air du dehors. C'était un quartier pauvre, bien qu'il refusât de l'admettre. Et le soir, pour prouver qu'il y avait de la joie, les cafés remplissaient les rues de flopées de musique métissée qui faisait soupirer les vierges derrière les volets…

C'était un peu partout la même ambiance.

Chaque communauté n'avait que son talent à dresser au nez des vicissitudes. Question d'amour-propre et de survie. La musique était un haut fait d'armes, le refus absolu de la capitulation. À Médioni, Delmonte, Saint-Eugène, de la pinède des Planteurs jusque sur les hauteurs de Santa Cruz, on chantait pour ne pas disparaître. La flûte bédouine donnait la réplique aux tambourins, et, lorsque l'accordéon rendait son dernier soupir au fond des portes cochères, la guitare du gitan prenait le relais pour que l'Oranais n'arrêtât à aucun moment de s'entendre vivre. Car, à Oran, la pauvreté était une mentalité, et non une condition. J'ai vu des gens engoncés dans des habits cent fois raccommodés, traînant des savates bayant aux corneilles, mais qui marchaient tête haute. À Oran, on tolérait d'être au bas de l'échelle, jamais au pied de quelqu'un. De Chollet à Ras el-Aïn où j'allais voir les lavandières essorer leur linge sur la berge de l'oued, de la Scalera que se partageaient Espagnols et musulmans abrutis par trois cents ans de guerres et de représailles à Victor-Hugo où les reptations inexorables de la favela faisaient reculer les jardins potagers, il n'était question que d'exemplarité. Chacun veillait sur l'honneur des siens. Bien sûr, il m'arrivait, au détour d'un pertuis, d'être intercepté par des louveteaux jaloux de leur fief et amateurs de *garrecho* cependant, immanquablement, il y avait un adulte pour les rappeler à l'ordre.

Oran avait aussi ses recoins maudits où la lumière du jour s'assombrissait tôt, des bas-fonds hantés de maquereaux et de lascars vénéneux, des bordels qui sentaient la chaude-pisse et des cages d'escalier où l'on forniquait debout et à la va-vite. Ces lieux mal famés étaient reniés par les Oranais ; on faisait comme s'ils n'existaient pas. Celui qui y était aperçu une fois était honni à vie. On n'y croisait que des étrangers à la ville, des bidasses en rut et des bateliers venus d'horizons lointains.

En remontant de la Casbah, on débouchait sur la place d'Armes cintrée d'arbres séculaires gros comme des baobabs ; à cet endroit précis se rejoignaient sans se fréquenter les différentes communautés qu'une ligne de démarcation virtuelle départageait tacitement. C'était une très belle place éclatante de soleil, avec sa station de tramway, ses cafés et ses terrasses, ses femmes pressées et ses poseurs pommadés, ses automobiles tapageuses doublant les fiacres juste pour leur en mettre plein la vue, encadrée au sud par l'hôtel de ville et ses deux lions de bronze en faction à l'entrée, à l'ouest par le théâtre et au nord par le Cercle militaire. Puis, tout de suite, survolant les hauteurs du boulevard Seguin, le plateau de Karguentah ! Un tout autre monde. Il s'étirait jusqu'à Miramar. Beau. Somptueux. Narcissique. C'était l'autre côté du miroir, là où les âmes éthérées se dissipaient d'elles-mêmes pour ne pas défigurer le décor ; le monde huppé des nantis, de ceux qui avaient le droit de croire et de posséder, de régner et de durer, pour qui le jour ne se levait que pour se mettre au garde-à-vous et la nuit ne se voilait la face que pour les préserver du mauvais œil : la fameuse ville européenne aux trottoirs garnis de réverbères, avec ses vitrines rutilantes, ses enseignes au néon, ses immeubles haussmanniens ornés de statues qui semblaient surgir des murs, ses squares verdoyants, ses bancs en fer forgé et ses halls marbrés où les gens en costume blanc et lunettes fumées se voulaient réfractaires à la bonne humeur si chère aux faubourgs méridionaux et viscéralement hostiles aux tombereaux et aux va-nu-pieds ; des gens taciturnes, arrogants, tellement sophistiqués qu'ils me rappelaient tous ce gros lard qui m'avait torgnolé à Sidi Bel Abbes à cause d'une infinitésimale tache de cirage sur sa chaussette.

De mon côté, je n'étais moi-même et fier de l'être qu'à

Médine Jdida, mon port d'attache, mon refuge et ma patrie. Je ne me lassais pas de humer son souffle et de lui prendre le pouls, attentif au moindre de ses soubresauts. Médine Jdida sentait la fièvre des survivances. L'arôme des épices croisait le fer avec les encens et le relent des tanneries, se mêlait aux odeurs des torréfactions et des bazars, rattrapait le parfum de la menthe émanant des cafés maures et la senteur des brochettes que l'on braisait à l'entrée des gargotes, et toutes ces exhalaisons fusionnaient dans une alchimie qui compactait l'air et tenait en suspens la poussière. Les lumières du jour ricochaient sur les murs et sur les calèches en une succession de flashes éblouissants et traversaient les yeux comme des lames de rasoir. Les fripons couraient pieds nus, le crâne tondu à la zouave, renversaient les étals dans leur fuite, singeaient les vendeurs ; il était inutile de leur crier après, ni les menaces ni la volée de gourdin n'étaient en mesure de les calmer. Les rues grouillaient d'un monde disparate et fébrile, enfaîté de fez, de chéchias, de turbans et, par endroits, de casques coloniaux. Les réclames tonitruantes des marchands conféraient à la cohue une épaisseur de migraine. On se serait cru à la fête foraine tant les couleurs étaient criardes et l'ambiance savoureusement saugrenue. J'ai aimé Médine Jdida dès que j'ai levé la tête sur son peuple, le mien, mais tellement différent de celui de Graba. À Médine Jdida, la pauvreté était toujours là, sauf qu'elle avait de la pudeur. Les culs-de-jatte ne s'accrochaient pas aux basques des badauds et les mendiants modéraient leur psalmodie. Les autochtones, pour la plupart araberbères[1], burnous par-dessus l'épaule et canne au poing, étaient entiers dans leur dégaine, et dignes comme du temps où leurs ancêtres pouvaient regarder par terre sans baisser la tête. Ici, pas de jurons, pas de grossiè-

1. Néologisme de l'auteur destiné à unifier la nation arabo-berbère.

retés ; les formules de politesse marquaient le pas sur les autres considérations. Les *chibani* portaient leur barbe blanche avec noblesse. Ils n'étaient pas assis à ras le sol ; ils trônaient sur des tabourets matelassés ou sur de petites chaises en osier ou se tenaient à plusieurs sur des bancs de rotin en égrenant leur chapelet d'une main translucide et en offrant aux jeunes leur crâne à baiser. Dans les cafés bondés où des phonographes nasillards diffusaient sans trêve de la musique cairote, les serveurs slalomaient au milieu des tables, la théière sur le plateau, le tablier immaculé. Il n'était pas rare de voir débouler des femmes dans leur voile froufroutant, et les hommes se détournaient sur leur passage par correction. Et le soir, lorsque la fournaise consentait à tempérer ses ardeurs, des attroupements s'opéraient sur l'esplanade en terre battue, et on assistait alors à toutes sortes de spectacles. Les danseurs de *lalaoui* sortaient leurs tambourins et leurs bâtons ; les charmeurs de serpents soulevaient le couvercle de leurs paniers et jetaient aux pieds des enfants horrifiés leurs vipères lascives ; les virtuoses du gourdin se livraient à des parties d'escrime époustouflantes ; plus loin, un troubadour fascinait son monde à coups de récital tiré par les cheveux et entrecoupé de chants braillards qui tenaient plus de l'improvisation ratée que d'autre chose, tandis qu'à un jet de fronde un montreur de singe se prenait carrément pour un magicien. Le folklore de Médine Jdida était, à lui seul, une formidable conjuration.

C'était mon univers qui recouvrait ses marques, mes gens tels qu'ils furent avant que le malheur les désarçonne, mon élément que je réintégrais après tant d'exils et de naufrages.

J'étais ému, ravigoté et soulagé, persuadé de pouvoir grandir comme un garçon normal, à l'abri des Zane et de la perversité des bidonvilles, même si j'avais toujours faim et pas de beaux habits sur le corps.

5.

Ma mère avait trouvé du travail, malgré la désapprobation de Mekki. Elle avait vu comment étaient meublés l'appartement de la vieille Turque et celui de la famille kabyle et voulait, elle aussi, disposer de matelas, de tables basses pour manger, de vaisselle, de bidons, de couvertures en laine, d'édredons et pourquoi pas d'un bahut avec une glace massive au milieu. Mon oncle gagnait juste de quoi réchauffer la marmite et payer le loyer. Ma mère avait de l'ambition. Elle voulait une maison décente où elle pouvait recevoir ses voisines sans les indisposer, un lit pour sa sœur aînée dont la santé se détériorait, de belles robes pour Nora qui était presque une jeune fille maintenant – c'est vrai que Nora avait poussé vite, que ses traits s'étaient prononcés, qu'elle s'épanouissait au fur et à mesure que ses grands yeux noirs s'ouvraient au monde. Je n'avais pas le courage de l'admettre, mais Nora occupait une bonne partie de mes pensées depuis que je l'avais surprise en train de se laver. Son corps d'adolescente commençait à accentuer ses formes et ses seins blancs ornaient sa poitrine comme deux soleils jumeaux. Je l'avais certainement vue nue avant, sans que cela m'interpellât, mais, depuis cette dernière fois, il lui suffisait de me regarder pour me troubler, et c'était moi qui détournais la tête le premier.

Ma mère faisait le ménage chez une veuve, boulevard Mascara, à quelques encablures de notre maison. Je devais l'accompagner le matin et la ramener le soir car elle confondait les maisons et les rues, incapable de retrouver son chemin dès qu'elle traversait la chaussée. Je la conduisais jusqu'à la porte en question, sonnais et partais quand on lui ouvrait. Vers la fin de l'après-midi, je la récupérais au même endroit. Quand elle percevait son salaire, nous faisions la tournée des bazars et nous rentrions les bras chargés de seaux en fer, d'entonnoirs, de samovars, de braseros avec soufflet et bien d'autres ustensiles parfois sans grande utilité.

J'étais en train de l'attendre, boulevard Mascara, lorsqu'un garçon blond de mon âge, propret sans être pimpant, s'arrêta devant moi.

— Je peux t'aider ? me fit-il en arabe.

Ses yeux bleus ne nourrissaient pas d'agressivité. Il avait l'air affable, mais je n'avais des jeunes roumis que le souvenir de ce gosse qui avait crevé mon rêve comme un abcès en me montrant du doigt à monsieur l'agent, là-bas, à Sidi Bel Abbes. Instinctivement, je vérifiai si un uniforme opérait dans les parages ; rassuré, je maugréai :

— Je ne t'ai rien demandé.

— Tu es assis sur le pas de notre porte, me signala-t-il d'une voix tranquille.

— J'attends ma mère. Elle fait le ménage à l'intérieur.

— Tu veux que je monte voir où elle en est ?

Sa prévenance me mettait mal à l'aise. Était-il en train de m'endormir pour me balancer brusquement son pied dans la figure ?

— Je veux bien, lui dis-je sur mes gardes. Je commence à avoir mal à la tête à cause du soleil.

Le garçon m'enjamba, grimpa en courant un escalier et revint au bout de quelques minutes.

— Elle en a encore pour une petite heure.

— Mais qu'est-ce qu'elle fabrique, là-dedans ? Elle retape la maison ou quoi ?

— Mon nom est Gino, Gino Ramoun, fit-il en me tendant la main. Ma mère dit beaucoup de bien de la tienne. C'est la première fois qu'elle s'entend avec une domestique. Nous en avons eu un tas. Y en avait qui trichaient, et d'autres qui nous dérobaient des trucs, pas seulement de la nourriture.

— On est des gens corrects, nous. C'est pas parce que ma mère travaille pour la tienne que…

— Non, non, où vas-tu chercher ça ? On n'est pas des riches, nous. Ma mère est impotente. Elle ne quitte jamais son lit. Il lui faut de l'aide, c'est tout.

Je balayai ses excuses de la main.

Il s'assit à côté de moi sur le perron. Je voyais bien qu'il tentait de se racheter, mais je ne l'encourageai pas. J'en avais assez de me lustrer le postérieur sur la marche en regardant les autres vaquer à leurs occupations.

— J'ai un petit creux, me suggéra le roumi. Ça te dirait de m'accompagner chez le gargotier du coin.

Je ne lui répondis pas. J'étais fauché.

— C'est moi qui invite, insista-t-il… Allez, viens. Si ta mère est amie avec la mienne, pourquoi pas nous ?

J'ignore si c'était à cause de l'ennui ou de la faim, j'acceptai l'invitation.

— Tu aimes les pois chiches bouillis au cumin ?

— On aime tout lorsqu'on crève la dalle.

— Eh bien, qu'est-ce qu'on attend ?

Gino était un garçon franc, sans histoires et sans malice. Il avait l'air dans ses petits souliers, et ma compagnie le réconfortait un peu. Il ne fréquentait pas les autres garçons du quartier ; il les redoutait. Je m'étais habitué à lui, moi aussi, et, en quelques semaines, on était comme cul et chemise. Il y avait quelque chose, chez lui, qui sentait bon. Sa voix était sans aspérités, quant à ses yeux limpides, ils avaient le regard sain. Il travaillait dans un garage, place Sébastopol. Nous nous retrouvions le soir, boulevard Mascara. Parfois, il nous raccompagnait à la maison et, après avoir déposé ma mère, nous allions manger des beignets au marché arabe ou éprouver nos dents sur des *torraïcos* que les Espagnols nous vendaient dans des cornets en papier.

Un jour, il m'invita chez lui. Il tenait à m'offrir quelque chose. L'appartement de Gino se trouvait au-dessus d'une mercerie. On y accédait par un escalier qui montait droit à l'étage, abrupt. Nous gravîmes les marches jusqu'à un petit couloir en équerre qui donnait sur deux grandes salles à droite, et une courette suspendue à gauche. Au moment où nous atteignîmes le vestibule, une voix nous interpella :

— Ouvre les fenêtres. Je suis en train de fondre.

La voix avait fusé dans un souffle flapi, de la chambre. Je regardai à l'intérieur, personne. Puis quelque chose remua sur le lit. En plissant les yeux, je décelai une masse rougeaude sous un drap blanc transparent de sueur. En réalité, ce n'était pas un drap, mais un chemisier d'une taille prodigieuse conçu pour faire chic malgré son énormité, avec de la broderie sur les bords et des ganses fleuronnées au col. Il y avait une tête blonde sur l'oreiller, un beau visage englué dans une gangue cramoisie trop disproportionnée pour être considérée comme un cou que prolongeait une anatomie en plaques disjointes sillonnée de plis profonds et tortueux. J'en eus le souffle coupé. Il me fallut du temps pour distinguer les seins d'un volume surnaturel des bras si pesants qu'ils bougeaient à peine. Son ventre était vallonné de bourrelets de graisse qui cascadaient sur les flancs, et ses jambes éléphantesques reposaient sur des coussins comme deux colonnes de marbre. Jamais, au grand jamais je n'avais pensé qu'il puisse exister des corps humains de cette ampleur. Ce n'était pas le corps d'une femme, plutôt un tas de chair phénoménal qui couvrait presque tout le matelas ; une masse de flaccidité écarlate de chaleur qui menaçait de se répandre en une coulée gélatineuse dans la chambre.

C'était la mère de Gino, obèse, monumentalement obèse, si oppressée par son propre poids qu'elle avait du mal à respirer.

— *Sei Gino ?*

— Oui, maman.

— *Dove eri finito, angelo mio ?*

— Tu le sais bien, maman. J'étais au garage.

— *Hai mangiato ?*

— Oui, maman, j'ai mangé.

Un silence, puis la voix de la mère revint, apaisée :

— *Chi è il ragazzo con te ?*

— C'est Turambo, le fils de Taos… de Mme Taos.

Elle chercha à se tourner vers nous, mais ne parvint qu'à déclencher une avalanche de frémissements qui lui parcourut le corps comme des vaguelettes à la surface d'une mare.

— *Digli di avvicinarsi, così posso vederlo più da vicino.*

Gino me poussa vers le lit.

La mère me dévisagea de ses yeux bleus. Elle avait de belles fossettes aux joues, son sourire était touchant de tendresse.

— Approche encore un peu.

Je m'exécutai, troublé.

Elle voulut porter sa main sur mon visage, son bras resta coincé dans la masse.

— Tu as l'air d'un bon gars, Turambo.

Je ne dis rien. J'étais sous le choc.

— Ta mère prend soin de moi comme une sœur… Gino m'a beaucoup parlé de toi. Je crois que vous allez vous entendre tous les deux. Approche encore, mets-toi à côté de moi.

Gino perçut mon malaise grandissant et vint à ma rescousse en m'attrapant par le poignet.

— Je l'emmène dans ma chambre, maman. J'ai des choses à lui montrer.

— *Povero figlio, ha solo stracci addosso. Devi sicuramente avere degli abiti che non indossi più, Gino. Daglieli.*

— C'est ce que je comptais faire, maman.

Gino me conduisit dans sa chambre. Il y avait un lit démontable, une table avec une chaise dans un coin, une petite armoire déglinguée, et c'est tout. Les murs s'écaillaient, et des taches verdâtres bariolaient le plafond dont le revêtement craquelé laissait entrevoir les poutres qui le traversaient. C'était une pièce triste, avec une fenêtre aux vitres crevées donnant sur la façade d'une bâtisse repoussante de laideur.

— Elle parle quel jargon, ta mère ? demandai-je à Gino.

— Italien…

— C'est du chleuh ?

— Non. L'Italie est un pays, de l'autre côté de la mer, pas loin de la France.

— Vous n'êtes pas algériens ?

— Si. Mon père est né ici. Ses parents aussi. Et ses ancêtres, depuis des siècles et des siècles. Ma mère est de Florence. Elle a rencontré mon père sur un paquebot. Ils se sont mariés, et ma mère l'a suivi ici. Elle parle l'arabe, le français, mais quand on est ensemble, elle et moi, on parle italien. Pour que je ne perde pas la langue de mes oncles, tu comprends ? Les Italiens sont très fiers de leurs origines. Ils ont un sacré tempérament.

Ce qu'il tentait de m'expliquer me dépassait. Je ne connaissais du monde que ce que m'imposaient les jours et leurs vilenies. Quand j'étais petit, en me dressant au haut d'un rocher sur les hauteurs de Turambo, je croyais que l'horizon était un précipice, que la terre s'arrêtait à son pied, et qu'il n'y avait plus rien après.

Gino ouvrit l'armoire et sortit d'un tiroir un paquet de photos. Il en sélectionna une pour me la montrer. Sur la photo prise sur une terrasse surplombant la mer, une femme riait, son corps de sirène enserré dans un joli maillot de bain. Elle était aussi belle que ces actrices que l'on voyait sur les affiches à l'entrée des cinémas.

— C'est qui ?

Gino esquissa une moue maussade. Ses yeux miroitèrent lorsqu'il passa son pouce par-dessus l'épaule.

— C'est la dame qui lève comme une pâte dans la pièce d'à côté.

— C'n'est pas vrai.

— Je jure que c'est bien ma mère qui est sur cette photo. Elle faisait tourner la tête à tout le monde dans la rue. On lui avait proposé un rôle dans un film, mais mon père ne voulait pas d'actrice chez lui. Il disait qu'avec une actrice on ne sait jamais quand elle est sincère et quand elle joue la comédie. Un macho de première, mon père, d'après ce qu'on m'a raconté. Il nous a quittés pour aller faire la guerre en Europe. Je ne me souviens pas très bien de lui. Il est mort gazé dans sa tranchée. Ma mère est devenue folle quand elle l'a appris. On l'a même internée. Quand elle a recouvré la raison, elle s'est mise à prendre du poids. Elle n'a pas arrêté depuis. On lui a prescrit des tas et des tas de traitements, et ni les médecins de l'hôpital ni les guérisseurs arabes ne sont parvenus à freiner son obésité.

Je lui pris la photo des mains pour mieux l'examiner.

— C'qu'elle était belle !

— Elle l'est toujours. Tu as vu son visage ? On dirait celui d'un ange. C'est la seule partie de son corps qui a été épargnée. Comme pour sauver son âme.

— Sauver son âme ?

— Excuse-moi, j'ignore pourquoi je parle ainsi. Quand je vois ce qu'elle est devenue, je dis n'importe quoi. Elle n'arrive même plus à s'asseoir. Elle pèse autant qu'une vache sur la balance. Et encore, la vache, elle, n'a besoin de personne pour faire ses besoins.

— Ne dis pas ça de ta mère.

— Ce n'est pas après elle que j'en ai. Ça me rend amer, et je n'y peux rien. Ma mère a le cœur sur la main. Elle n'a fait de tort à personne. Elle donne sans compter et n'attend rien en retour. On l'a souvent volée, pas une fois elle n'en a tenu rigueur. Il lui est arrivé de fermer les yeux quand elle surprenait les fureteuses la main dans le sac. Ce n'est pas juste, voilà tout. Je trouve qu'elle ne mérite pas de finir de cette façon.

Il me reprit la photo et la rangea dans une boîte en carton.

Il s'essuya le front sur le revers de sa main, me considéra avec précaution. Après s'être raclé la gorge pour se donner du courage, il risqua :

— J'ai quelques chemises, un ou deux tricots et un pantalon que je ne porte plus. Tu ne m'en voudrais pas si je te les donnais ? C'est de bon cœur, je t'assure. Je ne veux pas que tu le prennes mal. Ça me ferait plaisir si tu les acceptais.

Ses yeux brillaient d'une crainte chagrine.

Il guettait ma réaction comme on guette une sentence.

— La peau de mes fesses est à deux doigts de percer le fond de ma culotte, lui dis-je.

Il émit un petit rire et, soulagé, entreprit de trifouiller dans les étagères en me jetant une œillade rapide pour s'assurer que je n'étais pas offensé.

Plus tard, plusieurs années plus tard, je lui avais demandé pourquoi il se mettait sur la défensive lorsqu'il cherchait seulement à rendre service à un copain ? Gino m'avait répondu que c'était à cause de la susceptibilité des Arabes, que ces derniers avaient un sens de l'honneur si hypertrophié qu'ils soupçonneraient une anguille sous roche même dans une rivière à sec.

En rentrant à la maison ce jour-là, fier de mon balluchon plein d'habits presque neufs, je surpris Mekki et ma mère en train de parler de mon père. Ils se turent en me voyant arriver. Leur visage était distordu de colère. Ma mère paraissait sur le point d'imploser. Sa figure tressautait d'indignation et ses yeux étaient remplis de larmes. Je voulus savoir ce qui se passait. Mekki me dit que ça ne me regardait pas et me ferma la porte de sa chambre au nez. Je tendis l'oreille pour saisir quelques bribes de leur conciliabule, mais ni mon oncle ni ma mère ne reprirent la parole. Je haussai les épaules et partis dans l'autre pièce essayer, un à un, les vêtements que Gino m'avait offerts.

Mekki me rejoignit quelques instants après, la pommette tressautant de tics.

— On a retrouvé le corps de mon père ? m'enquis-je.

— Après toutes ces années ? me rétorqua-t-il, agacé par ma naïveté… Il faut que tu trouves du travail, ajouta-t-il pour me détourner du sujet. Rokaya est malade. Elle a besoin de soins. Ta mère et moi ne gagnons pas assez.

— J'en cherche tous les jours.

— C'est parce que tu ne frappes pas aux bonnes portes. Je ne veux plus te voir glander dans les rues.

Je me remis à la recherche d'un gagne-pain, sans rien changer à mes habitudes ; je ne savais pas où se trouvaient les *bonnes portes*. De toute façon, que je me présente avant ou après l'embauche, c'était toujours la même rengaine : ou bien la place était déjà prise ou bien je n'avais pas la tête de l'emploi.

J'étais sur un muret en train de rêver d'un fromage de chèvre enveloppé dans une feuille de vigne qu'un mioche, là-bas, tentait de vendre aux passants lorsqu'un adolescent m'aborda. Il devait avoir quinze ou seize ans. Il était grand pour son âge, assez maigre ; ses lunettes de vue lui donnaient l'air de ces garçons instruits qui excellaient à charmer les filles à la sortie du lycée. Il portait une chemise à carreaux et un pantalon de ville bien repassés. Ses cheveux châtains étaient coupés court sur les côtés et ses mains immaculées.

— Tu n'habites pas en face à la caserne d'artillerie ?

— Si.

— J'habite non loin de chez toi. Je m'appelle Pierre.

Il ne me tendit pas la main.

— Je t'ai entendu chercher après un boulot au dépôt, tout à l'heure, dit-il. Je peux arranger ça. J'ai des relations. Entre voisins, on se serre les coudes, non ?

— Je veux bien.

— C'est pas facile de convaincre un employeur, de nos jours. Tu n'as pas d'expérience et, *naturellement*, tu n'as pas d'instruction. Si tu acceptes que je te parraine, tu commenceras à gagner ta croûte dès demain.

— Je suis d'accord.

— Voilà ce que je te propose : je te trouve de l'embauche et on partage ton gain moitié-moitié. Ça te va ?

— Ça me va.

— Tu as bien saisi ma condition : on partage moitié-moitié *ton* gain. Je ne veux pas qu'après, tu cherches à m'entuber. C'est bien compris ? Moitié-moitié *ton* gain ?

— J'ai très bien compris.

Il me tendit la main.

— On fait le serment. La parole d'honneur vaut tous les contrats.

Je lui pris la main avec enthousiasme.

— Je commence quand ?

— Tu habites bien la maison avec le balcon sur l'esplanade, celle qui a la porte en face de la caserne ?

— Exact.

— Tu m'attends demain, devant chez toi. À 5 heures du matin. Mais attention, encore une fois, ce sera moitié-moitié. Et ne cherche pas à me doubler, parce que ton salaire, c'est moi qui le négocie.

— Je ne suis pas un tricheur.

Il me dévisagea posément, se détendit.

— C'est quoi, ton blaze ?

— Turambo.

— Eh bien, Turambo, c'est le bon Dieu qui me met sur ton chemin. Si tu fais exactement ce que je te demande et si tu es honnête comme tu le prétends, dans moins d'un an, nous ferons plein d'affaires tous les deux.

Pierre tint parole. Le lendemain, aux aurores, il vint me chercher pour me conduire dans un vaste entrepôt où je devais transporter des cageots remplis de fruits et légumes. J'ai bien cru que j'allais tomber raide mort à force de me faire botter le cul par un gros lard hurlant. Le soir, Pierre m'attendit au coin de la rue du Général-Cérez. Il compta mes sous, en empocha la moitié et me rendit le reste. C'était chaque fois le même rituel. Il ne me trouvait pas du travail tous les jours, mais dès qu'une tâche était vacante, elle était pour moi. Pierre était le fils d'un greffier qui passait son temps à entretenir les filles de joie. Il me l'avait montré une nuit sortant d'un claque. C'était un monsieur bien mis, le complet parfait et le chapeau sur la figure pour passer incognito dans les endroits louches. Pierre me parlait de lui avec des mots très durs. Il me confia qu'à la maison les scènes de ménage étaient monnaie courante. La mère savait ce qui retenait son mari si tard dans la nuit et ça la rendait hystérique car, en plus de ses coucheries honteuses, le père ne se gênait pas pour pomper dans les économies de la famille. S'il arrivait à Pierre, collégien, de sécher les cours, c'était pour permettre à sa mère de joindre les deux bouts. Et il comptait sur moi pour parer à la banqueroute familiale. J'étais en quelque sorte son filon. Moi, je n'y voyais pas d'inconvénient. De toute façon, tant que je ne rentrerais pas à la maison une main derrière, une main devant, j'étais preneur de ce qu'il me proposait. La galère me laminait sans pour autant me décourager. Mais Pierre me voulait pour lui seul. Il m'avait à l'œil, surveillait mes fréquentations, me sommait de dormir tôt, de préserver mon énergie pour le boulot ; bref, il me menait à la baguette et n'aimait pas trop me voir traîner le soir avec Gino. D'ailleurs, il ne manqua pas de me le signifier :

— Débarrasse-toi de ce type, Turambo. C'est pas un gars pour toi, en plus c'est un youpin.

— C'est quoi un youpin ?

— Un juif, voyons. Tu débarques de quelle planète, bon sang ?

— Comment tu sais que Gino est juif ?

— Je l'ai vu pisser...

Pierre me saisit par les épaules et me fixa droit dans les yeux.

— J'ai pas été réglo avec toi ? On a toujours partagé moitié-moitié. Si tu tiens à rester mon associé, évite ce pédéraste. À nous deux, on va se faire un tas de blé et, dans quelques années, on montera une affaire et on roulera en bagnole comme des nababs. Tu as vu les relations que je collectionne sur le marché ? Je m'arrangerai pour te dégotter autant de boulots que tu veux. Alors ? Tu me fais confiance ?

— Gino est mon ami.

— Pas de sentiments en affaires, Turambo. C'est des boniments pour minettes et fils à maman. Quand tu tournais en rond, l'estomac sur les talons, quelqu'un est-il venu compatir à ton malheur ? Moi, je suis venu. Sans que tu me l'aies demandé. Parce que moi, je pense à ton intérêt... Oublie cette andouille maniérée. Il gagne sa croûte, lui. Bien à l'abri dans son garage à astiquer la carrosserie des rupins. Est-ce qu'il t'a offert de bosser avec lui ? Est-ce qu'il a parlé de toi à son proprio ?

Il se tut, attendit un signe de ma part qui ne se manifesta pas, gonfla les joues et laissa ses bras retomber contre ses flancs. Il dit, contrarié :

— C'est toi qui décides. Si tu trouves ce *mariquita* plus important que ta carrière, c'est ton choix. Ne viens pas après me dire que je ne t'ai pas averti.

J'ignorais ce qu'un juif représentait et ce que je risquais à le fréquenter. Mais la mise en garde de Pierre et son chantage déguisé me déroutèrent. Quand je revis Gino, alors que nous étions assis sur le trottoir à observer deux charretiers en train de s'engueuler, je lui demandai s'il était juif. Gino fronça les sourcils d'une drôle de façon ; je compris que ma question le choquait plus qu'elle ne le surprenait. Il me dévisagea comme s'il ne parvenait pas à me remettre. Ses lèvres tremblaient. Après avoir respiré un bon coup, il lâcha dans un soupir peiné :

— Ça changerait quelque chose entre nous ?

Je lui dis que non.

Il se leva et me rétorqua, avant de me laisser planté là et de rentrer chez lui :

— Alors, pourquoi tu me la poses, ton idiote de question ?

Il était très en colère.

Les jours d'après, il m'évita, et je pris conscience de la gravité de mon indiscrétion.

Pierre me récupéra jusqu'au dernier poil. Il était ravi de retrouver son pactole en entier, et rien que pour lui. « Tu vois ? observa-t-il. Dès que tu as mis le doigt sur son petit secret, il t'a largué. C'est pas un gars clair, ton Gino. »

J'avais essayé de renouer avec Gino, en vain ; il me boudait. Je mesurais combien je l'avais blessé. Par inadvertance. Je souffrais de le voir fâché contre moi, et doublement parce qu'à aucun moment je n'avais voulu lui causer de la peine. Pour moi, c'était juste une question en l'air. Je me fichais qu'il soit blanc ou noir, croyant ou athée. Il était mon copain, sa compagnie m'importait. Il m'emmenait souvent chez lui, et nous passions des heures à papoter dans sa chambre. C'était un fils dévoué, obéissant et sage. Il faisait la lecture à sa mère tous les soirs. Il s'asseyait à côté d'elle, sur le bord du lit, ouvrait un livre, et le silence de la maison se remplissait de personnages magiques et de morceaux d'aventures. La mère de Gino ne pouvait pas fermer l'œil sans un petit détour par le monde des textes. Elle priait son fils de reprendre tel ou tel chapitre, de lui relire tel ou tel poème, et Gino revenait sur les pages avec un entrain qui me laissait songeur. Je ne savais pas lire, mais j'aimais prendre place sur un tabouret et l'écouter. Il avait une voix douce, prenante, qui m'emportait d'une ambiance à l'autre et me faisait voyager. Il y avait un livre que sa mère adorait par-dessus tous les autres. Il s'intitulait *Le Miraculé*, écrit par un paroissien dénommé Edmond Bourg. Au début, je croyais qu'il s'agissait d'un livre de prières. L'auteur y parlait de pardon, de charité, de solidarité, et la mère de Gino pleurait sur certains passages. Moi aussi, j'avais le cœur qui se refermait comme un poing tant c'était émouvant. Je voulais en savoir un peu plus sur l'auteur, était-il un prophète ou bien un saint ? Gino me raconta l'histoire d'Edmond Bourg qui, me signala-t-il, avait défrayé la chronique au siècle dernier. Avant de disposer d'une paroisse, Edmond Bourg était ingénieur dans les chemins de fer. C'était un monsieur ordinaire, un peu solitaire, mais affable et prévenant. Un soir, il surprit son épouse avec un collègue à lui en train de se livrer à des ébats torrides dans son propre lit. Il les tua tous les deux avant de les découper en petits morceaux que la police retrouva disséminés dans les bois. Tous les jours, les journaux annonçaient la découverte d'un bout de chair ou d'un organe, comme si le tueur cherchait à traumatiser les esprits. Le feuilleton macabre se mit à passionner et à horrifier les foules au point où l'audience fut à plusieurs reprises interrompue à cause des marées humaines qui voulaient assister au procès. Les avocats d'Edmond Bourg plaidèrent la folie au moment des faits. Le peuple exigea du sang, et le tribunal condamna l'assassin à la peine capitale. Mais le jour de l'exécution, le couperet de la guillotine s'enraya. Le code pénal exigeant que l'opération se poursuive jusqu'à ce que la tête soit séparée du corps, le bourreau actionna de nouveau son levier, sans succès. Curieusement, lorsqu'on retirait le supplicié de la bascule, le mécanisme fonctionnait, et lorsqu'on on lui remettait le cou dans la lunette, le couperet refusait de se décrocher. L'aumônier cria à un signe du ciel ; Edmond Bourg vit sa peine commuée en travaux forcés à perpétuité. Il fut expédié sur l'île du Diable, un bagne non loin de Cayenne, en Guyane, où il se conduisit en forçat exemplaire. Une vingtaine d'années de pénitencier après, un célèbre journaliste remit l'histoire d'Edmond Bourg au cœur d'un grand débat national et, d'articles en pétitions, il parvint à obtenir sa grâce. Edmond Bourg se convertit en paroissien et passa le restant de sa vie à faire le bien, à semer la bonne parole et à réconcilier les êtres avec leurs vieux démons. Son livre connut un énorme succès à sa sortie, en 1903. Les âmes en peine y puisèrent beaucoup de réconfort, et la mère de Gino le gardait précieusement à proximité d'elle, sur la table de chevet, à côté de la Bible. L'histoire de Bourg m'avait tellement impressionné que j'avais prié Gino de m'apprendre à lire et à écrire, comme Rémi et Lucette, les enfants de Xavier, m'apprenaient autrefois le calcul… Et puis, une maladresse, et tout s'était effondré. Depuis mon *idiote de question*, je ne savais plus quoi faire de mes soirs. Parfois, à mon insu, je me surprenais à arpenter le boulevard Mascara. Je voyais la lumière dans la chambre de Gino et je me demandais s'il pensait à moi, lui aussi, si je lui manquais autant qu'il me manquait. Parfois, poussé par un besoin irrésistible, je m'arrêtais devant la porte de sa maison, la main sur le point de frapper dessus, mais je n'osais pas aller plus loin. J'avais peur qu'il me fermât définitivement son cœur.

Pierre mesurait mon désarroi. Pour m'empêcher d'y penser, il entreprit de m'abrutir de petits boulots aussi éreintants que mal payés. En quelques mois, il me fit endosser toutes sortes de bâts. Je fus tour à tour commis de magasin, décrotteur d'écurie, préposé au portage, rempailleur de chaises, marchand d'oublies, livreur de barbaque, charbonnier sans garder un même emploi deux semaines d'affilée. Pierre négociait mon salaire sans s'attarder sur la nature des épreuves qu'il m'infligeait. Il passait me prendre chez moi, me lâchait dans l'arène et me retrouvait en fin de journée pour m'amputer de la moitié de mes sous. Lorsqu'il n'avait rien pour moi, il me délaissait. Je pouvais aller frapper à sa porte, il ne m'ouvrait pas. Quand j'insistais, il sortait sur le balcon et m'engueulait. Je lui en voulais, après m'avoir brouillé avec Gino, de me traiter de la sorte et, touché en mon amour-propre, je décidai à mon tour de ne plus mordre à ses hameçons. Au bout de quelques « insubordinations », c'est lui qui se mit à me courir après. Moi non plus, je ne lui ouvris pas ma porte et je me contentai de le guigner du balcon, indifférent à ses appâts. Il se grattait le sommet du crâne en feignant de réfléchir, me soumettait des tas de compensations, me promettait la lune ; je faisais non de la tête.

— Sois raisonnable, Turambo. Je suis ta bonne étoile. Sans moi, tu n'iras pas loin. Je sais que c'est difficile, mais tu dois garder ta main dans la mienne. Un jour, grâce à moi, tu voleras de tes propres ailes.

— Je ne suis pas un oiseau.

— M'enfin, qu'est-ce que tu veux au juste ?

— Un vrai boulot, n'importe lequel, mais stable, lui dis-je d'un ton ferme. J'en ai marre de caboter d'un bout à l'autre de la ville pour des miettes.

Il hochait la tête, à court de propositions intéressantes.

— Et on continuera de partager moitié-moitié ?

— Ça dépendra.

Pierre me présenta à Toto la Goinche, gérant d'un boui-boui niché au pied de Santa Cruz, en contrebas d'une vieille fortification espagnole. Toto était un quadragénaire d'apparence modeste. Il était en train de dépecer le cochon dans la cour de son établissement, un tablier de boucher par-dessus son torse nu quand nous avions débarqué. Il me demanda si je savais tenir un registre, je répondis que non. Il me demanda si je savais tenir ma langue, je répondis que oui, et c'étaient les bonnes réponses.

Il me prit à l'essai pendant une semaine, sans paye.

Puis une deuxième semaine pour vérifier qu'il ne se trompait pas de cheval ; toujours sans paye.

À la fin, il me souhaita la bienvenue dans *sa* confrérie.

En vérité, le boui-boui n'était pas une gargote comme on en voyait à foison dans les faubourgs, mais un lupanar clandestin, une sorte d'auberge interlope empestant le traquenard et la gnôle frelatée où venaient se vautrer des putains pachydermiques en compagnie de matelots aux accents inconnus qu'elles déplumaient savamment au détour d'une passe bâclée.

Les premiers jours, l'endroit me fichait la frousse. Il se terrait dans un cul-de-sac croulant sous les ordures où, miraculeusement, les chats et les chiens se partageaient les poubelles à l'amiable pendant que les soûlards se rentraient dans le lard pour un oui ou pour un non. Le tenancier, respectueux des usages, n'acceptait pas de disputes sous son toit, cependant il tolérait que les litiges se règlent derrière la cour, sur une langue de terre donnant sur un précipice. Lorsque les choses dérapaient sur des saignées, Toto faisait appel à Babaye, un colosse du Sahara, ancien taulard si noir qu'on ne distinguait guère les tatouages sur son corps. Babaye n'avait pas un gramme de patience et ne savait pas raisonner les chicaneurs qui, d'ailleurs, braillaient sans arrêt en agitant leurs canifs ; il attrapait les deux singes hurleurs par la peau de la nuque, leur tapait la tête l'une contre l'autre et les abandonnait sur le carreau, sûr qu'on ne les entendrait plus avant le lever du jour.

Ce n'étaient pas les bagarres qui me turlupinaient – Graba m'avait initié à ces rapports de force grégaires. Ce que je redoutais, dans cette faune urbaine, c'étaient les dames qui y opéraient à la manière des crocodiles en eaux troubles ; elles étaient effrayantes avec leurs bigoudis plein la tête, la figure marquée du sceau de la déchéance, ruisselante de fard bon marché, les yeux pochés au mauvais khôl et la bouche si rouge qu'on l'eût dite trempée dans un bol de sang frais. C'étaient des créatures étranges, syphilitiques, dérangeantes ; elles fumaient comme des brutes, les seins à l'air et la guêpière ajourée sur les fesses, rotaient et pétaient sans modération, vulgaires et féroces, avachies à trente ans mais toujours souveraines du désir bestial des hommes. Elles sentaient le beurre rance le jour, et la sueur froide dès la nuit tombée, et lorsqu'elles n'étaient pas contentes, elles cognaient dans le tas, capables de balancer leurs clients par la fenêtre et de tirer les rideaux après, sans aucun état d'âme.

Je ne tenais absolument pas à les approcher.

Je trimais au sous-sol, elles régnaient à l'étage, et c'était mieux ainsi.

Mon travail consistait à débarrasser les tables, vider les pots sanitaires, faire la vaisselle, sortir les poubelles et tenir ma langue car il se passait de drôles de choses au boui-boui. En plus des filles en perdition qu'on récupérait dans les portes cochères en train de crever de faim, on y faisait venir des garçons aussi.

Au début, je ne faisais pas attention au manège qui évoluait au ralenti dans la moiteur et la pénombre. Le personnel étant plus occupé à jauger le degré de vulnérabilité des pigeons afin de commencer leur déplumage, je me cloîtrais au sous-sol parmi mes bassines et les casiers de vin pour ne rien remarquer. J'étais isolé, ignoré, et je m'ennuyais à répéter les mêmes gestes et à parcourir les mêmes trajets. Même Babaye ne se montrait qu'à l'occasion. Il devait être caché dans un placard tel un djinn pour n'en ressortir qu'au coup de sifflet du maître. Puis, petit à petit, je me mis à mesurer jusqu'où Pierre m'avait enfoncé dans la fange. Le boui-boui n'était pas un endroit pour moi. Je n'avais qu'une seule envie : encaisser mon salaire et me tailler à toute vitesse en cochant d'une croix cette partie de la ville. Le tenancier m'avertit qu'un contrat étant un contrat même si on n'avait rien signé du tout, je ne percevrais mon dû qu'à la fin du mois. Il me fallait donc subir, en plus des deux semaines d'essai, les quatre autres d'active, fermer les yeux sur certaines horreurs et rincer les verres en retenant ma respiration.

Une nuit, un matelot débraillé descendit dans mon repaire. Il était en larmes et tenait un litron dans sa main en tanguant d'un mur à l'autre. « Je marcherais sur l'eau que ça ferait pas frémir d'un poil un curé, se lamentait-il en s'adressant à lui-même. Je pourrais passer ma vie à faire du bien que personne ne me prendrait au sérieux. Parce que j'suis pas crédible. Tu partirais à la mer que tu la trouverais à sec, me prédisait ma sainte mère que j'aimais tant. » Lorsqu'il m'aperçut penché sur les rinçures dans une encoignure, il dégringola les quelques marches qui nous séparaient et, titubant, il sortit une liasse de billets de sa poche et me les fourra sous mon tricot.

« Elle les a repoussés, la grosse Bertha qui fait passer sa verrue sur le nez pour un grain de beauté. Elle m'a dit qu'elle n'en voulait pas de mon pognon, que j'avais qu'à me torcher avec… Tu te rends compte ? Même avec son fric gagné à la sueur de son front, on ne peut plus tirer son coup maintenant… Tu les veux, mes billets ? Eh bien, je te les donne. De bon cœur, je t'assure. J'en veux plus de ce fric. J'en ai des liasses et des liasses chez moi. J'en fais des matelas à la maison. Toi, tu en as besoin. C'est écrit sur ta bouille. T'as sûrement un parent très malade. Considère mon argent comme un don du ciel. J'suis un bon chrétien, moi. J'ai le cœur sur la main même si j'fais pas crédible. » Il essaya de me caresser les joues en tripotant sa braguette…

Par miracle, Babaye surgit de son placard pour jeter l'ivrogne dehors.

6.

Mekki considéra avec réticence l'argent que m'avait remis le matelot au boui-boui. Il se gardait d'y toucher. Nous étions dans sa chambre. Il venait de finir sa prière quand je lui tendis les billets de banque.

— Tu les as trouvés où ? fit-il en se retenant de se pincer le nez.

— Je les ai gagnés.

— Au jeu ?

— À mon travail.

— Même un chasseur du casino *Bastrana* ne gagnerait pas autant.

— Est-ce que je te demande, moi, comment tu gagnes ton argent ?

— Tu as le droit de le savoir. Le Mozabite tient nos comptes, et tu peux vérifier. Pas un sou *haram* n'entre dans cette maison. Et toi, tu me sors d'on ne sait où du fric en papier et tu veux me faire croire que tu as un salaire de nanti. Je refuse ton argent. Il ne sent pas bon.

À contrecœur, déçu et dépité, je remis mes billets dans la poche et m'apprêtai à regagner ma natte pour me coucher.

— Pas si vite, me dit Mekki. Tu ne dormiras pas ici tant que tu ne m'expliqueras pas dans quelles embrouilles tu t'es embringué.

— Je suis plongeur dans une gargote.

— Pourquoi pas dans un grand hôtel de luxe ? Il n'y a qu'à cet endroit où l'on peut se faire ce genre de fric, et encore ce n'est pas la bonne saison.

Je haussai les épaules et sortis dans le patio.

Mekki me poursuivit dans la rue en m'intimant l'ordre de m'expliquer. Je pressai le pas, sourd aux sommations puis, soulagé de ne plus l'entendre grogner derrière moi, je ralentis. J'étais furieux. Je travaillais dur et j'exigeais un minimum de considération. Ce n'était pas juste.

Après avoir erré dans les ruelles en pestant contre tout et en shootant dans les cailloux, je dormis à la belle étoile, sur un banc dans un parc hanté de trimardeurs livrés aux incertitudes de la nuit. Il me semblait qu'eux et moi, nous ne faisions qu'un seul et même déni de soi.

Il ne lui avait pas fallu longtemps pour percer le mystère, Mekki. Il m'avait sûrement filé. Une semaine plus tard, en rentrant à la maison, je trouvai le conseil de famille sur le pied de guerre. Hormis Rokaya clouée à son grabat, et une Nora retirée mais consentante, ma mère et Mekki me fusillèrent du regard. Ils m'attendaient dans la salle, roides, les narines frémissantes d'indignation.

— Tu es la honte de nos morts et de nos vivants, décréta Mekki, sa cravache solidement étreinte dans la main. D'abord, tu choisis de cirer les bottes, et maintenant, tu fais la vaisselle dans les maisons closes. Eh bien, si tu es tombé aussi bas dans ta propre estime, je m'en vais te redresser comme un chien pour l'honneur de nos absents.

Il déploya sa cravache et l'abattit sur mon épaule. La douleur me fit sortir de mes gonds et, droit d'aînesse ou pas, j'attrapai mon oncle par la gorge et l'aplatis contre le mur, sous l'œil outragé de ma mère.

— Tu oses lever la main sur moi ? tonna mon oncle, abasourdi par le sacrilège.

— Je ne suis pas un chien, et tu n'es pas mon père.

— Ton père ? Tu me parles de ton père ? Parce que

c'est lui qui te nourrit, c'est lui qui sue sang et eau pour la famille ? Ton père, ce maudit… Eh bien, on va en débattre, de ton père, puisqu'on y est…

— Mekki, le supplia ma mère.

— Il faut qu'il sache, lui rétorqua-t-il la bouche pétillante d'écume. Viens, morveux, viens avec moi. Je vais te montrer sur quelle crotte pousse ton orgueil, mon pauvre neveu écervelé et vaniteux.

Il me saisit par le cou et me poussa devant lui.

Je le suivis, curieux de découvrir ce qu'il y avait derrière ses insinuations. Le soleil brûlait les rues. L'air sentait la rigole et le bitume surchauffé. Mekki fonçait droit devant, le pas hargneux. Il bouillonnait de fureurs intérieures. Je me dépêchais derrière lui. Nous traversâmes Médine Jdida terrassé par la fournaise, fendîmes la cohue du marché qu'aucune canicule ne semblait en mesure de décourager, débouchâmes sur l'avenue qui menait à la porte de Valmy et au parc à fourrages avant de nous arrêter devant le cimetière israélite.

Mekki me décocha un rictus fielleux. De la tête, il m'invita à passer devant en me désignant de la main le portail grand ouvert sur les carrés de tombes.

— Après toi, comme disent les roumis, me fit-il avec une lueur cruelle dans les yeux.

Je n'avais jamais vu mon oncle, lui le pieux, le sage de vingt ans et de toujours, dans un tel état de mépris et content du mal qu'il se préparait à m'infliger car je devinais qu'il ne m'avait pas conduit là pour m'éveiller à mon devoir mais pour me punir de façon que j'en garde les séquelles jusqu'à la fin de mes jours.

— Pourquoi m'amènes-tu ici ?

— Tu n'as qu'à entrer là-dedans pour le savoir.

— Tu crois que mon père est enterré parmi les juifs ?

— Il veille seulement sur leurs morts.

Mekki me poussa à l'intérieur du cimetière, chercha du

regard quelque chose et finit par m'indiquer un homme assis en tailleur sur le pas d'une guérite. Ce dernier était en train de farcir son bout de pain de rondelles d'oignon et de tranches de tomate. Au moment où il s'apprêta à mordre dans son sandwich, il remarqua notre présence. Je le reconnus aussitôt. C'était ma gueule cassée de père, plus maigre qu'un épouvantail et tout aussi dépareillé. Mon cœur cogna si fort dans ma poitrine qu'il m'ébranla de la tête aux pieds. La terre et le ciel se confondirent autour de moi et je dus m'agripper au bras de mon oncle pour tenir sur mes jambes, la pomme bloquée dans mon cou comme un galet avalé de travers.

— Il aurait dû mourir dans sa tranchée, dit mon oncle. Nous aurions au moins gardé de lui une médaille pour greffer à notre deuil un semblant de fierté.

Le gardien nous dévisagea de ses yeux de rongeur. Lorsqu'il nous reconnut à son tour, il ploya sur sa nourriture. Comme si de rien n'était. Comme si nous n'étions pas là. Comme s'il ne nous connaissait ni d'Ève ni d'Adam.

Si le sol s'était dérobé sous mes pieds à cet instant, je n'aurais pas hésité à le laisser m'engloutir.

— J'espère que tu ne nous casseras plus les oreilles avec tes histoires de père, me dit Mekki. Il est bel et bien vivant comme tu peux le constater. Ce n'est qu'un pauvre type qui préfère sarcler les tombes plutôt que balayer devant sa porte. Il a choisi le cimetière israélite pour qu'on ne le retrouve pas. Ici, a-t-il pensé, aucun musulman ne viendrait le regarder de près. Encore moins sa propre famille larguée dans la nature.

Il me prit par le bras et me bouscula hors du cimetière. Je n'arrivais pas à décrocher mes yeux de l'homme en train de manger sur le pas de la guérite. Un sentiment insondable se répandit en moi telle une coulée de plomb. J'avais une folle envie de fondre en larmes mais je ne parvins ni à crier ni à gémir. Je me contentai de fixer cet homme qui avait été mon père et mon idole et qui, désormais, m'était totalement étranger. Il becquetait en nous ignorant. Rien ne semblait lui importer plus que son bout de pain dans lequel il mordait avec un franc appétit. Je n'avais décelé sur son visage ni surprise ni la moindre trace d'émotion. Hormis la flammèche fugace qui avait traversé son regard lorsqu'il nous avait reconnus, tout son visage s'était refermé comme une mare sur un pavé. J'avais un gros chagrin pour lui, même si je mesurais nettement combien, de tous les enfants de la terre, j'étais le plus à plaindre.

— Allons-nous-en, m'ordonna Mekki. Tu as eu ta dose pour aujourd'hui.

Mes forces m'avaient lâché. Mon oncle me traînait presque.

En sortant du cimetière, je vis mon père fermer le portail derrière nous. Sans un regard. Sans une once de gêne…

Un monde venait de s'éteindre, mais j'ignorais lequel.

Je m'étais retourné plusieurs fois dans l'espoir de voir le portail du cimetière s'ouvrir et mon père se dépêcher de me rattraper.

Le portail demeura clos.

Je compris qu'il me fallait partir, m'éloigner, disparaître.

Mon oncle me parlait. Sa voix s'estompait avant de m'atteindre. Je n'entendais que mon sang battre à mes tempes. Les bâtisses défilaient de part et d'autre dans une sorte de buée fumante. Il faisait sombre dans le jour. Mes pieds s'enfonçaient dans un sol cotonneux. La nausée contractait mon ventre, et je tremblais sous le soleil.

Je marchai droit devant. En somnambule. Porté par ma douleur. Mon oncle se tut, puis s'évanouit dans le décor. J'atteignis le boulevard National sans m'en apercevoir, débouchai sur la place d'Armes. Il y avait trop de monde sur la place, trop de fiacres, trop de *yaouled* vociférant, trop de poseurs, trop de dames avec leurs poussettes ; il y avait trop de vertige et trop de vacarme. J'avais besoin d'air et de silence. Je poursuivis mon chemin en direction du front de mer. La fête battait son plein au Cercle militaire. Je contournai Château-Neuf où l'on parquait les zouaves et dévalai un talus jusqu'à la promenade de Létang. Des couples d'amants palabraient à voix basse le long des allées. Ils se tenaient par la main comme des enfants. Des femmes coquettes erraient dans leur quiétude, la tête pleine de rêves sous leurs ombrelles. Des gamins gambadaient sur le gazon. Et moi, dans tout ça ? Moi, j'étais hors sujet, j'étais hors champ.

Je grimpai sur un promontoire pour contempler les paquebots en rade. Quatre *Schiaffino* mouillaient sur les quais, gavés de blé à ras la coque ; leurs cheminées rouges comme le nez d'un clown répandaient dans l'air de noirs nuages de fumée… Quelques mois auparavant, j'étais venu à cet endroit contempler la mer ; je l'avais trouvée aussi fascinante et mystérieuse que le ciel et je m'étais demandé qui des deux s'inspirait de l'autre. Je me tenais debout sur ce même tremplin rocailleux, les yeux écarquillés, émerveillé par la plaine bleue qui se perdait au large. C'était la première fois de ma vie que je découvrais la mer. Un peintre, qui reproduisait sur sa toile les cargos ventripotents amarrés aux côtés desquels les petits bateaux à vapeur paraissaient aussi minuscules que des puces, m'avait dit : *La mer est un bénitier où toutes les prières qui n'atteignent pas le Seigneur retombent en larmes, et ça depuis des millions d'années.* Bien sûr, il faisait de l'esprit, le peintre. Pourtant, cette fois-ci, sur le même promontoire où pas un chevalet ne se dressait, ses propos me revinrent en mémoire tandis que je revoyais, tournant en boucle et au ralenti, l'image de mon père refermant le portail du cimetière derrière moi, et ces paroles bêtes et jolies me brisèrent le cœur.

J'étais resté sur le promontoire jusqu'à la tombée de la nuit. Mon chagrin me débordait ; je coulais dedans. Je ne voulais pas rentrer à la maison. Je n'aurais pas supporté le regard de ma mère ni celui de mon oncle. Je les détestais. Ils *savaient*, et ils ne m'avaient rien dit. Les monstres !… Il me fallait un coupable, et j'étais trop peu de chose pour ce rôle. J'étais la victime, plus à plaindre qu'à charger. J'avais besoin de montrer quelqu'un du doigt. Mon père ? Il était le méfait. Pas la pièce à convictions, mais l'acte, le crime, le meurtre. Je ne voyais que ma mère et Mekki au box des accusés. Je comprenais enfin pourquoi ils s'étaient tus l'autre jour lorsque je les avais surpris en train de parler de mon père. Ils auraient dû me mettre dans la confidence. J'aurais accusé le coup autrement. Ils ne l'avaient pas fait. Et je les tenais pour responsables de tous les malheurs de la terre.

Cette nuit, je n'étais pas rentré à la maison.

J'étais allé frapper à la porte de Gino.

Dès qu'il avait vu la tête que je faisais, Gino avait deviné que s'il ne me laissait pas entrer chez lui, je me jetterais dans l'abîme pour ne plus en remonter.

Sa mère dormait, la bouche ouverte.

Il me conduisit dans la courette qu'éclairait un falot. Le ciel scintillait de constellations. On entendait, au loin, une altercation. Gino me prit par le poignet, et je lui déballai tout, d'une traite, sans reprendre mon souffle. Il m'écouta jusqu'au bout, sans m'interrompre et sans lâcher ma main. Lorsque j'eus vidé mon sac, il me dit :

— Beaucoup de gens sont revenus de la guerre étrangers à eux-mêmes, Turambo. Ils sont partis en entier, et ils sont rentrés en laissant une partie de leur âme dans les tranchées.

— Il aurait mieux fait d'y rester en entier.

— Ne sois pas dur avec lui. Il reste ton père, et tu ignores ce qu'il a subi là-bas. Je suis certain qu'il en souffre encore. On ne fuit pas sa famille lorsqu'on est un rescapé de la guerre.

— Il l'a fait, lui.

— C'est la preuve qu'il ne sait plus où il en est.

— J'aurais aimé qu'il soit mort. Quel souvenir je vais garder de lui, maintenant ? Le portail d'un cimetière qui me claque au nez ?

Ses doigts se refermèrent un peu plus sur les miens.

Il dit avec chagrin :

— Je donnerais tout pour croire mon père encore vivant quelque part. Le vivant peut à la longue rentrer à la maison un jour ou l'autre, pas le mort.

Gino me dit d'autres choses. Je ne l'écoutais plus. Seul le grincement du portail continuait de ferrailler dans ma tête. Mon père avait beau se retrancher derrière, je le distinguais clairement comme à travers un miroir sans tain. Fantomatique. Miteux. Grotesque. Il m'écœurait. Je fermais les yeux, il était là ; je les ouvrais, et il était encore là, dans son costume d'épouvantail, aussi inexpressif qu'un squelette en bois. Qu'était-il devenu ? Était-ce bien lui ? Qu'était-ce que la guerre ? Un au-delà d'où l'on revient expurgé de son âme, sans cœur et sans mémoire ? Ces questions me bouffaient cru. J'aurais souhaité qu'elles m'achèvent ou bien qu'elles m'éveillent à quelque chose. Rien. Je les subissais, et c'est tout. J'étais malade de ne pas leur trouver un semblant de réponse ou bien un sens.

Gino me proposa de dormir dans sa chambre. Je lui dis que j'étoufferais, que je préférais la cour. Il m'apporta une natte en alfa, une couverture et il s'allongea à côté de moi sur un bout de tapis. Nous avions fixé le ciel en tendant l'oreille aux rumeurs de la ville. Quand les rues se vidèrent de leurs trépidations, Gino se mit à ronfler. J'attendis de m'assoupir à mon tour, mais mes colères me rattrapèrent et je ne réussis pas à fermer l'œil.

Gino se leva tôt. Il prépara du café pour sa mère, s'assura qu'elle ne manquait de rien et m'invita à rester à la maison, si je le voulais. Je déclinai l'offre car je ne tenais pas à rencontrer ma mère qui n'allait pas tarder à arriver. Elle se présentait tous les jours à 7 heures pour faire le ménage chez les Ramoun. Gino n'avait pas grand-chose à me proposer. Il devait se rendre à son travail. Je l'accompagnai jusqu'à la place Sébastopol. Il me promit de me retrouver en fin de journée et prit congé de moi. J'étais resté planté sur le trottoir, ne sachant quoi faire de ma personne. J'étais mal dans ma peau, et mal partout. L'idée de rentrer chez moi me répugnait.

Je m'étais rendu sur les hauteurs de Létang pour regarder la mer. Elle était aussi démontée que le boucan dans ma tête. Ensuite, j'étais allé boulevard Marceau voir le tramway transporter ses passagers pendus aux rambardes semblables à des chapelets de gousses d'ail. À la gare, j'écoutais les trains arriver à coups de sifflet retentissants et déverser sur les quais leurs contingents de voyageurs. Par moments, une idée me traversait l'esprit et je m'imaginais sautant dans un wagon pour aller n'importe où, loin de ce sentiment de dégoût que je trimballais en guise de boulet. J'avais envie de cogner sur tout ce qui bougeait. Qu'un regard se posât sur moi, et j'étais prêt à charger.

Je ne recouvrai un soupçon de calme qu'au retour de Gino.

Gino était mon équilibre, ma béquille. Chaque soir, il m'emmenait au cinéma voir Max Linder, *Charlot*, *Les Trois Mousquetaires*, *Tarzan chez les singes*, *King Kong* et des films d'ombres et de fracas. Après, nous nous rendions dans un café-concert, rue d'Austerlitz dans le Derb, pour écouter chanter Messaoud Médioni. Ça allait un peu mieux, pour moi. Mais le matin, lorsque Gino retournait au boulot, mes malaises prenaient le relais et je courais les semer dans le remous des foules.

Pierre revint me chercher. Je lui annonçai que c'était fini entre nous deux. Il me traita d'andouille et me dit que le « youpin » était en train de me manger la cervelle. Mon poing se déclencha de lui-même. Je sentis le nez de mon « barbeau » flancher au bout de mon bras. Surpris par ma procédure, Pierre tomba à la renverse, à moitié assommé. Il porta la main à sa figure, considéra ses doigts ensanglantés, incrédule. « Si je m'attendais à ça, grommela-t-il d'une voix tremblante de fiel. J'essaye de t'aider, et c'est ainsi que tu me remercies. Décidément, un bougnoule reste un bougnoule, traître et ingrat. »

Il se releva, me pocha un œil et me ficha définitivement la paix.

7.

Nous devions aller à Ras el-Aïn nous promener, mais Gino changea subitement d'avis. « J'ai des trucs à ranger à la maison », prétexta-t-il. Je le raccompagnai chez lui. Et ma mère était là, boulevard Mascara, un gant dans une main et une bassine d'eau à côté d'elle ; elle finissait de toiletter la maman de mon ami. Je demandai à Gino ce que signifiait cette étrange coïncidence. Il me répondit que j'avais tort de bouder ma famille. Cela faisait neuf mois, depuis l'histoire du cimetière israélien, que je n'avais pas remis les pieds rue du Général-Cérez. Je demandai à Gino si c'était une façon moins frontale de se débarrasser de moi. Il attesta que sa maison était la mienne et que je pouvais y demeurer autant que je le souhaitais, mais que ma famille avait besoin de moi, et que ce n'était pas une bonne idée de me fâcher avec elle.

Je m'apprêtais à me retirer quand ma mère me retint par le poignet. « J'ai à te parler », me dit-elle. Elle enfila son voile et me fit signe de la suivre. Nous n'échangeâmes pas un mot dans la rue. Elle marchait devant, je traînais derrière en me demandant quelle nouvelle révélation m'attendait au tournant.

Arrivés à la maison, ma mère clama : « Nous ne sommes pas durs avec toi, c'est la vie qui est dure avec nous tous. » Je lui demandai pourquoi elle ne m'avait pas dit la vérité sur mon père, elle me rétorqua qu'il n'y avait rien à dire à son sujet. Et c'était tout. Ma mère se rendit dans la cuisine pour préparer le dîner.

Nora me rejoignit dans la chambre d'à côté. Elle avait encore embelli, ses grands yeux me désarçonnaient.

— Tu nous as manqué, m'avoua-t-elle en se détournant de gêne.

Elle grandit trop vite, pensai-je. Elle était presque une femme, maintenant. Son corps s'était épanoui ; il réclamait l'exaltation.

— Je suis rentré, c'est ce qui importe, lui fis-je.

Elle sentait bon, Nora, tout un pré au printemps. Ses cheveux noirs coulaient sur ses épaules rondes et sa poitrine portait l'offrande de la maturité.

Nous ne trouvâmes rien à ajouter.

Notre silence parlait pour nous.

Je l'aimais…

Tante Rokaya m'ouvrit ses bras décharnés. « Vieux fou ! me tança-t-elle affectueusement. On ne se fâche pas avec ses parents. Comment as-tu fait pour habiter chez ton ami à deux pas d'ici et nous ignorer ? » Elle défit un foulard accroché à son corsage et m'offrit la bague en argent qui s'y trouvait. « Elle a appartenu à ton grand-père. Le jour de sa mort, il l'avait retirée de son doigt et m'avait chargée de la remettre à mon fils. Je n'ai pas eu de fils de mon ventre. Et tu es plus qu'un neveu pour moi. »

Elle avait maigri, tante Rokaya. En plus de la paralysie de ses membres inférieurs qui la clouaient à sa paillasse, elle se plaignait de sifflements dans les oreilles et de migraines abominables. Les amulettes que lui prescrivaient les charlatans restaient sans effet. Elle n'était plus qu'un spectre aux traits brouillés, à la peau grisâtre que veillaient deux yeux asséchés au fond desquels une souffrance stoïque tissait sa toile.

Rokaya avait la maladie des *sans-patrons*. Elle l'avait

contractée à Turambo lorsque la guitoune rafistolée tenait lieu de foyer. À cette époque, le chaudron sur le feu de bois ne se gargarisait que pour tromper la faim. Les tubercules sans saveur poussaient une fois par an, le reste des saisons on se nourrissait de racines et de glands amers. À cinq ans, Rokaya gardait l'unique chèvre de grand-père qu'un chacal égorgea une nuit à cause d'un enclos mal fermé. Elle en garda sa vie durant un complexe de culpabilité. Quand un malheur nous frappait, elle disait que c'était sa faute – inutile de lui prouver qu'elle n'y était pour rien. À quatorze ans, elle fut mariée à un berger pied bot qui la battait pour l'assujettir. Ce minable se savait le dernier des derniers, il l'avait épousée pour se donner une contenance et une autorité. Aussi considérait-il comme un outrage le simple fait qu'elle levât les yeux sur lui. Il mourut, tué par la foudre, et les gens du village virent dans cette fin tombée du ciel la main du Seigneur. Veuve à dix-neuf ans, elle fut remariée à un autre paysan aussi mauvais que la tempête. Son corps portera à jamais les traces de sévices contractés de son second lit conjugal. Répudiée à vingt-six ans, elle fut cédée pour la troisième fois à un colporteur qui partit un matin vendre des samovars et ne revint jamais, laissant son épouse enceinte de huit mois. Rokaya accoucha de Nora dans une étable, en tirant sur la corde, un torchon dans la bouche pour étouffer ses cris. À quarante-cinq ans, elle était arrivée au bout du rouleau. On lui aurait donné le double de son âge. La maladie des *sans-patrons* l'avait rongée de l'intérieur avec la voracité méthodique des termites. Cette femme m'avait toujours fait de la peine. Son visage portait la trace d'un vieux chagrin qui refusait de se dissiper. C'est par Rokaya que j'avais cru comprendre qu'il est des drames qui veillent à demeurer en surface, pareils à de vilaines cicatrices, pour ne pas tomber dans l'oubli et absoudre ainsi le mal qu'ils ont commis… car le mal revient dès lors qu'il est pardonné, persuadé qu'on le réhabilite, et alors il ne sait plus s'arrêter. Rokaya gardait ses plaies ouvertes comme ses yeux. Pour ne pas perdre de vue la moindre peine subie par crainte de ne pas la reconnaître si elle avait le culot de frapper de nouveau à sa porte. Son visage, dans un sens, était un miroir où chaque épreuve exhibait ses factures dûment payées. Et les épreuves s'évertuaient à faire de ses rides un parchemin inextricable dont toutes les voies de sortie conduisaient au même crime originel, celui d'une enfant de cinq ans qui avait omis de fermer l'enclos où se retirait l'unique chèvre de la famille.

Nous dînâmes dans le vestibule, rassemblés tous les quatre autour d'une table basse, Rokaya allongée un peu plus loin dans un coin. Mekki avait juste ébauché un petit sourire en rentrant. Il ne m'adressa pas la parole. Son statut de chef de famille lui épargnait certains usages contraignants. Mais il était content de mon retour au bercail. Nora avait du mal à avaler ses cuillerées de soupe. Ma présence la perturbait. Plutôt mon regard. Je ne cessais pas de l'épier à la dérobée, ne voyant que sa bouche charnue qui s'escrimait à taire ce que ses yeux revendiquaient. J'avais grandi, moi aussi. J'allais sur mes dix-sept ans, bien baraqué, et lorsque je souriais à mon reflet dans la glace, mon visage recouvrait comme un charme évanescent. Nora nourrissait pour moi une tendresse qui dépassait le cadre de l'innocence. Ces neuf mois de séparation nous révélaient à nous-mêmes. Notre mutisme trahissait une fébrilité intérieure qui nous débordait. Dans nos traditions, on ne savait pas se débrouiller avec ce genre de sentiments. On les couvait en secret, parfois on les étouffait carrément. C'étaient des sentiments lourds à porter, et trop dangereux pour être étalés au grand jour. La parole, dans ce débat platonique mais intense, aurait eu l'indécence de la crudité puisque chez nous les sens s'exprimaient dans le noir, le toucher étant, à cet endroit, plus éloquent que la poésie.

Après le dîner, Mekki prétexta un rendez-vous avec son Mozabite d'associé et sortit ; ma mère se chargea de débarrasser la table. Rokaya dormait déjà. Et ce fut ce soir-là, profitant d'un instant d'inattention, que je portai la main sur les seins de Nora. Je venais de toucher, pour la première fois de ma vie, le pouls d'une fraction d'éternité. Jamais mes doigts ne connaîtraient sensation plus forte. Nora avait reculé d'un bond, effrayée par mon geste, et je lus dans ses yeux écarquillés de surprise qu'elle en était flattée. Elle s'était dépêchée de rejoindre ma mère, et moi, me rabattant sur le balcon, le cœur emballé, j'avais l'impression de tenir au bout de mes doigts hardis, encore chargés de la chair de Nora, toute l'euphorie de la terre.

Le matin, il m'a semblé que Médine Jdida fêtait quelque chose. Les visages étaient radieux, et les rues submergées de soleil paraissaient naître à des jours meilleurs. En réalité, c'était moi qui exultais. J'avais rêvé de Nora, et je l'avais embrassée sur les lèvres dans mon sommeil ; pour moi, je l'avais embrassée pour de vrai. J'en avais la bouche ointe d'un nectar sans pareil. Ma poitrine était remplie de joie, et mon cœur broutait dans un nuage. Pas une toxine ne polluait mon être. J'avais tout pardonné. J'étais même allé dans la boutique de mon oncle pour lui montrer que je ne lui en voulais plus. Son associé, un Mozabite petit de taille mais énorme d'érudition, m'avait invité au café et nous avions vidé deux théières sans nous en apercevoir. Le Mozabite connaissait toutes les herbes et leurs vertus. Je l'écoutais pendant quelques secondes puis, au détour d'un nom de fleur ou d'une plante aphrodisiaque, l'image frémissante de Nora me catapultait à travers mille audaces virtuelles.

Il était midi passé lorsque le Mozabite prit congé de moi.

Je retournai rue du Général-Cérez.

Ma mère était chez les Ramoun. Rokaya sommeillait sur sa paillasse. Nora était dans la cuisine à surveiller la marmite. Je regardai dans tous les sens pour m'assurer qu'il n'y avait personne d'autre à la maison. Ma cousine devina ce qui se tramait dans ma tête. Elle se mit aussitôt sur la défensive. Je m'approchai d'elle, les yeux rivés à ses lèvres. Elle brandit sa spatule. Ses yeux ne repoussaient pas les miens, sauf qu'il était question d'intégrité. Chez nous, l'amour n'était pas souverain ; il était sujet à toutes sortes de convenances et devenait ainsi presque une épreuve de force. Cependant, je me sentais en mesure d'escalader les montagnes sacrées pour leur marcher dessus, de tordre le cou aux usages, de narguer le diable dans son repaire. Mon corps n'était plus qu'un délire. Nora recula contre le mur, sa spatule érigée en bouclier. Je ne voyais ni les barrières ni le mal ; je ne voyais qu'elle, et plus rien autour n'avait d'importance. Mon visage était à deux doigts du sien, la bouche offerte. Je priai de toutes mes forces que Nora en fasse autant et j'attendis que ses lèvres se posent sur les miennes. Son souffle se mêlait à mon souffle dans une turbulence électrique. Nora ne céda pas. Une larme roula sur sa joue et noya d'un coup le brasier qui me dévorait. « Si tu as de la considération pour moi, ne me fais pas ça », dit Nora… Je pris conscience de l'étendue de mon égoïsme. On ne foule pas aux pieds les montagnes sacrées. Mon doigt partit effacer la larme sur la joue de ma cousine. « Je crois que je suis rentré plus tôt que prévu », lui fis-je pour sauver la face. Elle acquiesça en regardant par terre. Je courus rejoindre le chahut des rues. Heureux. Fier de ma cousine. Son attitude l'avait grandie cent fois dans mon cœur et dans mon esprit.

J'ignore où j'étais passé ce jour-là, et comment j'avais tenu sur terre jusqu'au retour de Gino.

— Je suis gravement amoureux, lui confiai-je tandis qu'il se changeait dans sa chambre.

— Rien n'est grave en amour, me lança Mme Ramoun du fond de son lit.

Gino fronça les sourcils. De la main, il me pria de baisser le ton. Et tous les deux, nous pouffâmes sous cape comme deux moutards effrontés pris à leur propre piège. Je jetai un coup d'œil par-dessus mon épaule. Mme Ramoun avait un large sourire sur sa figure ruisselante de sueur.

— Il me faut un boulot, dis-je à Gino. Pour devenir un homme.

— C'est la condition que te pose ta dulcinée ? me taquina-t-il en riant.

— C'est la condition pour la mériter. J'ai envie d'avoir une vie, tu saisis ? Jusque-là, je n'ai fait que me disperser.

— Elle a tapé fort, à ce que je vois.

— Tu parles ! C'est à peine si je sais où j'en suis.

— Sacré veinard.

— Tu ne peux pas en toucher deux mots à ton proprio ?

— Tu ne connais rien à la mécanique, et le vieux Bébert est plutôt maniaque sur ce point.

— J'apprendrai.

Gino crispa les lèvres, embarrassé ; il promit de voir ce qu'il pouvait faire.

Il parvint à convaincre son proprio de me prendre comme apprenti.

Le vieux Bébert m'avertit tout de suite : je devais regarder faire les autres et ne toucher à rien. Il m'avait d'abord posé un tas de questions sur les métiers que j'avais effectués, sur ma famille, si j'étais malade et si j'avais des antécédents avec la police. Ensuite, il me montra les futailles où étaient emmagasinées les huiles usées, le débarras aux balais, les détergents pour le grand nettoyage et me mit immédiatement à l'épreuve. Gino étant occupé à démêler les boyaux d'une grosse voiture, à moitié enfoui sous le capot, je devais me débrouiller seul, me familiariser au plus vite avec les différents compartiments du garage. Le vieux Bébert m'observait du fond de son box, un œil sur ses registres, l'autre sur mes faits et gestes.

Vers une heure, Gino m'emmena dans un kiosque. On pouvait s'y attabler et commander des sandwiches. Je n'avais pas faim ; je me demandais plutôt si l'air vicié du garage me convenait. Je me sentais un peu largué au milieu de mécaniciens butés. Gino devinait mon dépaysement, il me parlait de choses décousues juste pour détendre l'atmosphère.

Trois adolescents roumis se délassaient sur la terrasse du kiosque. Le blond cessa de touiller son café quand il nous vit prendre place à la table voisine.

— C'est interdit aux Arabes, dit-il.

— Il est avec moi, lui fit Gino.

— Et tu es qui, toi ?

— On ne cherche pas d'histoires. On veut juste casser la croûte.

Les deux compagnons du blond nous toisèrent. Ils ne semblaient pas prédisposés à nous laisser tranquilles.

— Faudrait mettre un écriteau sur le fronton, dit le plus petit des trois. *Interdit aux clébards et aux bicots.*

— À quoi bon ? Ils ne savent pas lire.

— Dans ce cas, pourquoi ils ne restent pas dans leurs enclos ?

— Ils ne savent pas tenir en place, non plus. Dieu a créé l'Arabe pour emmerder le monde.

Gino héla le garçon, un adolescent basané, et lui passa commande.

Le blond ricanait en reluquant mes frusques. Il dit :

— Quelle est la différence entre un bougnoule et une patate ? Après avoir fait le tour de la table d'un air emprunté, il s'écria : La patate, ça se cultive.

Ses deux compagnons éclatèrent d'un rire sardonique.

— Je n'ai pas compris, fis-je à l'adresse du blond,

indifférent à la main de Gino qui tentait de me calmer sous la table.

— Ce n'est même pas la peine d'essayer. Tu as évacué toute ta cervelle à force de te branler.

— Tu es en train de m'insulter ?

— Laisse tomber, me dit Gino.

— Il est en train de me manquer de respect.

— Sans blague ! rétorqua le blond en quittant sa table pour venir me dominer de sa grande taille. Tu sais ce que c'est, le respect, toi ?

— Allons-nous-en, me conjura Gino déjà debout.

Je lâchai un soupir et m'apprêtai à m'en aller quand le blond me retint par le col de ma chemise.

— Où tu vas comme ça, le raton ? J'ai pas encore fini avec toi.

— Écoutez, tenta de le raisonner Gino, on ne veut pas d'histoires.

— C'est pas à toi que je cause. Tu te tiens à carreau, vu ? (Il se tourna vers moi.) Alors, le melon, tu as avalé ta langue ? À part te branler, qu'est-ce que tu sais faire de tes mains, petite… ?

Il n'alla pas au bout de sa phrase. Mon poing le catapulta par-dessus la table. Le blond pirouetta parmi les tasses et les bouteilles et s'abattit au sol dans le tintement des bris, le nez éclaté et les bras en croix.

— Je sais cogner, lui dis-je en réponse à sa dernière question.

Les deux autres marioles levèrent les mains en signe de reddition. Gino me tira fortement par le poignet, et nous remontâmes le boulevard pour rejoindre le garage.

Gino était en colère contre moi.

— Bébert ne veut pas de problèmes dans le voisinage. J'ai fait des pieds et des mains pour qu'il accepte de te prendre à l'essai.

— Tu voulais quoi ? Que je laisse cet enfariné essuyer ses chaussures sur moi ?

— Ce n'était qu'un voyou désœuvré. Je reconnais qu'il l'a bien cherché, mais ce n'était pas nécessaire. Il faut savoir passer son chemin lorsqu'il n'y a rien à voir, Turambo. Si tu te mets à t'attarder sur les choses qui fâchent, tu n'iras pas loin. Tu as un métier à apprendre avec un boulot possible à la clef. Alors, sois patient et, surtout, sois raisonnable. Des petits emmerdeurs, il y en a à chaque coin de rue. Tu passerais ta vie à les étaler qu'il y en aurait encore et encore. On me provoque, moi aussi ; si je n'en fais pas un plat, ce n'est pas faute d'amour-propre.

Le vieux Bébert avait, pour les voitures de ses clients, une véritable vénération. Il les maniait comme s'il s'agissait de nitroglycérine ou de porcelaine. Il lui arrivait même de les astiquer, par endroits, avec un bout de son tablier. Ses clients comptaient parmi les nouveaux richards de la ville, des gens qui avaient le souci des apparences et qui arboraient leur statut social comme un poilu ses médailles, revanchards et fiers de leur combat qui les avait conduits de la paille aux paillettes alors que personne n'aurait donné cher de leur peau.

Il fallait les voir ranger leurs bagnoles, les rupins. Que de précautions millimétrées, de recommandations insistantes et de mises en garde tranchées. Ils ne quittaient le garage qu'après s'être assurés que leur « bijou » était entre de bonnes mains, promettant de gros pourboires aux méritants et la foudre du ciel pour la moindre éraflure sur leur carrosse.

Bébert veillait au grain. Il s'était entouré d'une équipe de quatre mécaniciens spécialisés triés sur le volet qu'il menait à la trique et tambour battant. Il m'avait chargé d'interventions anodines. Je me contentais de changer les roues, de nettoyer les banquettes et le plancher, de faire reluire la carrosserie et d'autres petites bricoles sans risques, ce qui ne m'empêchait pas de regarder faire les autres car je voulais apprendre le métier.

L'équipe finit par m'adopter. Il y avait deux vieux mécaniciens qui avaient roulé leur bosse à l'usine, un jeune Corse prénommé Filippi qui connaissait les moteurs sur le bout des doigts, et Gino. L'ambiance était saine et nous travaillions d'arrache-pied en nous racontant un tas de ragots sur tel ou tel nabab et des cocasseries qui nous gardaient humains au milieu de la ferraille et des odeurs de carburant.

Après quelques mois, Bébert m'adjoignit à Gino. J'avais enfin le droit de toucher aux entrailles sous les capots. Je pouvais raccorder une durit, remplacer une bobine, désencrasser un carburateur, ajuster un phare.

Je gagnais suffisamment et pas une fois je n'avais été sermonné par le proprio.

Mais l'éclaircie fut de courte durée.

Il était environ 4 heures de l'après-midi. Nous étions dans les temps pour livrer une superbe caisse qu'un client nous avait confiée pour un lavage complet, une torpédo Citroën B14 tout droit sortie de la chaîne de montage. Son propriétaire, un malabar roux au nez cassé, en était fou. Il n'arrêtait pas de passer le doigt sur le capot pour essuyer d'imperceptibles filaments de poussière. Quand il revint la chercher, et qu'il la vit flamboyante en train de l'attendre au milieu du hangar, il porta ses mains à ses hanches et resta de longs instants à la contempler avant de se tourner vers son compagnon pour voir s'il était aussi impressionné que lui : « Elle n'est pas belle, ma charrette ? Aucune fille ne va me résister. » Soudain, en ouvrant la portière, son teint vira au rouge sombre. « C'est quoi cette merde ? » rugit-il en montrant une tache de cambouis sur le siège en cuir blanc. Gino accourut pour voir. Le client le prit par la gorge et le souleva du sol : « Tu sais combien elle coûte, ma charrette ? Tu passerais ton existence à fabriquer des billets de banque que tu pourrais pas te l'offrir, espèce de dégueulasse. » Je m'emparai d'un torchon et fonçai sur le siège pour l'essuyer. Mes coups de chiffon ne firent qu'étaler davantage le cambouis sur le cuir. Horrifié par ma maladresse, le client poussa un juron féroce et, relâchant Gino, il me flanqua une torgnole qui me fit pivoter sur moi-même. Gino n'eut pas le temps de me ceinturer. Mon bras décrivit un crochet fulgurant, et le client s'effondra comme un château de cartes. Il gigota mollement par terre, accusa deux ou trois soubresauts et se raidit. Son compagnon demeura pétrifié, le buste en arrière dans une tentative de retraite. Les mécaniciens suspendirent leurs gestes et nous regardèrent, bouche bée. Gino porta ses mains à ses tempes, catastrophé ; j'en déduisis que je venais de commettre un crime de lèse-majesté. Le vieux Bébert gicla de son box, blême d'affolement. Il me poussa sur le côté, se pencha sur le client. Dans le silence glacial du garage, on n'entendait que la respiration oppressée du vieux Bébert qui ne savait plus s'il devait s'arracher les cheveux ou me crever les yeux. « Tu es devenu fou ? me hurla-t-il en se relevant, tremblant de la tête aux pieds. Tu oses lever la main sur un client, toi, le pouilleux ? Petit asticot des chiottes ! C'est comme ça que tu me récompenses ? Je t'offre du travail et tu agresses mes clients. Je ne veux plus te voir. Fous le camp. Retourne dans ta grotte jusqu'à ce que la police vienne te chercher. Parce que, fais-moi confiance, tu vas payer très cher ton geste. » Je jetai par terre le torchon et allai me changer. Bébert me poursuivit et continua de m'insulter pendant que je retirais ma salopette et enfilais mes frusques. Sa bouche salivante me mitraillait de postillons et ses yeux cherchaient à me faire rentrer sous terre. Il retourna aider le client à se relever. Ce dernier, sonné, ne tenait pas sur ses jambes. On l'installa tant bien que mal dans la torpédo que son compagnon mit aussitôt en marche. Lorsque la voiture quitta le garage, Bébert s'en prit à Gino. Il lui reprocha ma conduite, le tint pour responsable des conséquences de mon agression et lui signifia que lui aussi était viré.

Nous rentrâmes boulevard Mascara, lessivés. Gino n'avait rien dit en chemin. Il marchait d'un pas accablé, la nuque cassée. J'étais désolé, mais je ne trouvais pas de mots pour m'excuser du tort que je lui causais. Arrivés devant sa maison, il me pria de le laisser, ce que je fis.

Assis sur le pas de notre patio, je guettais le panier à salade promis. Je m'imaginais au poste de police à subir le courroux des flics. J'avais cogné un Européen, on n'allait pas me faire de cadeau. Je connaissais des Arabes qui s'étaient retrouvés au biribi sur simples supputations, parfois pour l'exemple. Et le bonhomme que j'avais assommé ne devait pas être n'importe qui, à en juger par sa grosse automobile et la panique de Bébert.

Le soleil commençait à décliner, et pas de représentants de l'ordre en vue. La police attendait-elle la nuit pour me surprendre dans mon lit ? Mes tripes s'enchevêtraient dans un remous nauséeux. Je ne savais quoi faire de mes mains poisseuses de tension. Les histoires épouvantables que l'on m'avait racontées au sujet des prisons et des traitements inhumains que subissaient les détenus me revinrent en bloc. Je paniquais à chaque crissement de pneus…

Au lieu des flics, ce sont trois Européens qui vinrent me rendre visite ; un vieux bonhomme trapu et bedonnant, le canotier chevillé au crâne, et deux autres citadins, l'un trapu et chauve, l'autre haut et maigre que j'avais déjà aperçu au cinéma du quartier – il exerçait la fonction de pianiste et accompagnait musicalement les films muets.

— C'est toi, Turambo ? me demanda le vieux.

— C'est à quel propos ?

— Tu travailles bien chez Bébert le garagiste ?

— Oui.

Il me tendit la main que je ne saisis pas de peur de recevoir un coup de l'autre.

— Mon nom est DeStefano. Le binoclard, c'est Francis, et celui-là, c'est Salvo. Je dirige une écurie, rue Wagram, en face de la porte du Ravin. On ne parle que de toi sur la place, fiston. Filippi, qui bosse avec toi, m'a dit que tu as étalé le Gaucher d'un seul coup. Je n'en reviens pas. D'ailleurs, personne n'en revient...

— Est-ce que tu sais qui est le Gaucher ? me fit le chauve.

— Non.

— C'est le seul boxeur de l'Oranie à avoir tenu tête à Georges Carpentier. Trois combats, et pas un genou à terre. Et tu sais qui c'est Georges Carpentier ?

— Non.

— C'est le champion de l'Afrique du Nord et du monde. Il a flanqué une dérouille à Battling Levinsky. Et tu sais qui c'est Battling Levinsky ?

— Arrête, lui intima le pianiste. Tu es en train de lui mettre la cervelle en compote avec tes « tu sais qui c'est »... Si ça se trouve, il ne sait même pas qui est son père.

Le vieux pria ses compagnons de se taire. Il s'adressa à moi :

— Écoute, p'tit. Ça te botterait de rejoindre mon écurie ?

— La police va venir me chercher.

— Elle ne viendra pas. Un boxeur ne porte pas plainte quand il se fait péter hors du ring. Question d'honneur. Ou il exige une revanche ou il jette l'éponge. Le Gaucher ne passera pas par un poste de police pour te corriger, je te le garantis. Tu n'as rien à craindre de ce côté... Alors, tu acceptes ma proposition ? Qui sait ? Tu es peut-être un champion qui s'ignore. Nous formons une belle famille, rue Wagram. On a tout ce qu'il faut pour fabriquer un as de la boxe, il nous faut juste le poulain. D'après Filippi, tu aimes en découdre, et c'est déjà la marque d'un champion.

— Je n'aime pas me battre. Je ne fais que me défendre.

— Tu ne parais pas en état de réfléchir pour l'instant, me dit le pianiste en essuyant ses lunettes fumées sur son tricot. On ne veut pas te forcer la main. Ces choses sont trop sérieuses pour être prises à la légère. On reviendra demain et on discutera à tête reposée. Ça te va ?

— Sinon, tu peux nous rendre visite à l'écurie, me suggéra le vieux. Tu verras sur place de quoi il retourne. Laisse-moi insister sur ceci, mon gars. T'as une sacrée gueule de champion. T'es bien baraqué, et t'as le regard qui flanche pas. J'ai vingt ans de métier, et j'ai appris à reconnaître l'oiseau rare du premier coup d'œil. On t'attend demain, dans la matinée. Si tu te pointes pas, on reviendra te trouver ici. Tu promets de nous attendre, au cas où ?

— Je ne sais pas, monsieur.

Le vieux acquiesça. Il repoussa son chapeau sur le sommet de son crâne sans me quitter des yeux. De nouveau, il tendit sa main et, cette fois, je la saisis.

— Je compte sur toi, hein, Turambo ?

— Je ne suis pas très porté sur la bagarre, monsieur.

— Il ne s'agit pas d'une castagne de rue, fiston. La boxe, c'est tout un art. Ça t'ouvre pas mal de portes. Tu peux gagner un tas de fric, et des privilèges, et le respect de tous. C'est important, le respect, pour quelqu'un qui sort du caniveau. C'est d'ailleurs une des rares chances qu'un Arabe se doit de saisir au vol pour se tirer vers le haut. Je ne sais pas pourquoi, mais quelque chose me dit que tu ne laisseras pas passer ta chance. Réfléchis, ce soir. Demain, on en discutera.

Ils me saluèrent tous les trois et s'éloignèrent.

Ils revinrent le lendemain, et les jours suivants. Parfois ensemble, parfois séparément. Le vieux me promettait monts et merveilles. Il disait qu'il avait le flair infaillible, que j'étais conçu dans la gangue des centaures. On aurait juré que son avenir dépendait de ma décision. Il était tellement aimable que je craignais de le décevoir. Je lui promis de réfléchir. Il me signala que je ne faisais que ça depuis deux semaines, et que la question était simple : devenir boxeur ou continuer de griller au soleil ?

Gino trouva l'offre intéressante. « Tu ne sais rien faire d'autre que cogner, observa-t-il avec une pointe de reproche. C'est un métier comme les autres, la boxe. Le type que tu as assommé au garage, ce n'était qu'un voyou avant de monter sur un ring. Tu as vu la caisse qu'il pilotait, et les fringues qu'il portait. Si tu apprends vite, tu peux gravir les échelons et t'offrir une gloire bien rémunérée. »

Encouragé par Gino, je demandai conseil à mon oncle. Mekki réprouva de façon catégorique mon souhait de rejoindre l'écurie de la rue Wagram. « C'est un péché, décréta-t-il. On ne trempe pas son pain dans le sang d'autrui. Tu veux bénir ta nourriture, asperge-la de la sueur de ton front. Le métier qui consiste à jeter deux hommes comme deux fauves dans une arène n'est pas un métier, c'est une perversion. Je t'interdis de lever la main sur ton semblable pour gagner ta croûte. Nous sommes des croyants, et aucune foi ne se reconnaît dans la violence. »

Lorsque DeStefano revint me relancer, je l'informai que le conseil de famille avait tranché et que je ne serais pas boxeur. Il fut si peiné qu'il ne trouva rien à dire. Il ôta son chapeau, s'essuya le crâne dans un mouchoir et considéra le bout de ses chaussures pendant une bonne demi-douzaine de minutes avant de se retirer, la mort dans l'âme.

Retour à la case départ.

Un grossiste m'embaucha dans sa quincaillerie implantée en plein cœur de la rue d'Arzew. Du matin au soir, je poussais un chariot chargé d'outillage hétéroclite que je devais livrer aux différents magasins du quartier. Mon employeur, un vieux Maltais criblé de rhumatismes, était gentil, mais ses clients avaient toujours quelque chose à me reprocher et m'engueulaient pour n'importe quelle anomalie relevée sur la marchandise comme si c'était moi qui la fabriquais. J'étais mal à l'aise dans ces quartiers huppés où le raffut du tramway et les bêlements stridents des automobiles terrassaient le bruissement des choses simples. Les premiers mois, je tins le coup ; à l'usure, j'en eus par-dessus la tête.

Je n'étais plus le mouflet affamé prêt à sauter sur n'importe quelle corvée à deux sous, et les employeurs se méfiaient des tâcherons aguerris. Les chefs de chantier me faisaient non de la tête, de loin. Les magasiniers feignaient de regarder ailleurs. C'était partout le même rejet sans appel. Au port, les crevards étaient légion. Les bagarres qui se déclaraient au beau milieu des bousculades laissaient les moins malins sur le tapis. Lorsque la grille se fermait derrière les veinards, les recalés se cherchaient aussitôt des boucs émissaires pour se défouler dessus. La misère avait réduit les cherche-galères plus bas que les loups, et malheur au congénère qui fléchissait. J'avais manqué d'y laisser ma peau, moi aussi : une brute s'était pris la main dans les battants de la grille. Le recruteur le sommait de reculer. La brute ne pouvait pas s'exécuter à cause de sa main piégée. Le recruteur s'était mis à la cogner avec sa matraque. La trogne du pauvre bougre giclait de sang sous les coups. Je sautai à la gorge du recruteur, et ses gros bras me tombèrent dessus comme des vautours. Personne ne vint à mon secours. Pas même la brute qui, pour se faire remarquer par le recruteur et lui montrer combien il lui était dévoué malgré la ratonnade, se permit de finir le sale boulot après le retrait des sbires. Elle me tapait de ses pieds sur le dos en criant qu'on ne lève pas la main sur M. Créon. Elle criait de plus en plus fort pour que le recruteur continue de l'entendre en s'éloignant. La brute ne fut pas embauchée, ce jour-là, mais elle était persuadée de marquer un point. Après m'avoir esquinté, elle s'agenouilla près de moi et me dit : « J'suis désolé. J'ai douze bouches à nourrir, et pas d'autres solutions. Je vendrais mon âme au diable pour des clopinettes… »

Gino avait trouvé du travail chez un imprimeur, rue de Tlemcen. Il ne m'en voulait plus pour l'incident du garage. « Je n'allais quand même pas faire carrière dans le cambouis », m'avoua-t-il. Le soir, quand une voisine se portait volontaire pour tenir compagnie à sa mère, Gino me faisait découvrir des cafés-orchestres. L'associé de mon oncle le Mozabite, qui était parolier à ses heures perdues, disait : *La musique est la preuve que nous sommes capables de continuer d'aimer malgré tout, de partager la même émotion, d'être nous-mêmes une émotion fabuleuse, saine, belle comme une rêverie jaillissant au cœur de la nuit… Qu'est-ce qu'un ange sans sa harpe sinon un démon triste et nu, et que serait pour lui le paradis hormis un exil plein d'ennui ?* Gino était totalement de cet avis. Il adorait la musique. Ce n'était pas mon cas. Je n'aimais que les chants kabyles que marmonnait ma mère en vaquant à ses tâches ménagères, mais, à force de suivre Gino, je commençais à apprivoiser de nouveaux univers. Avant lui, je ne connaissais ni le cinéma ni les orchestres. Puis, de découverte en découverte, mes sens s'étaient ouverts aux joies des autres, et j'en redemandais.

Une rivalité bon enfant obligeait les musiciens à se surpasser. De Médine Jdida à la Casbah en transitant par le Derb séfarade, les chanteurs conjuraient le sort rien qu'en se raclant la gorge. À mon tour, je me mis à montrer à Gino ce que les miens savaient faire. Je l'emmenais dans un café maure fréquenté par des initiés, au fond d'une impasse à Sidi Blel. Il y avait un violoniste chevronné, un joueur de luth, une *derbouka*, et un chanteur aux cordes vocales aussi solides que les câbles. Gino tomba amoureux du groupe. Il me promit qu'un jour il écrirait un livre sur le répertoire folklorique des différents quartiers d'Oran.

Les temps étaient durs, en particulier pour les gens de ma communauté. Les miens pouvaient s'accrocher aux épaves, sauf qu'ils n'étaient pas autorisés à se hisser à bord. Plus la misère s'accentuait, moins les Oranais lui cédaient. Si dans les rues, la colère et l'humiliation dépassaient les bornes, les plaies se cicatrisaient d'elles-mêmes lorsque la mandoline supplantait la cacophonie des hommes. De toute façon, on n'avait pas le choix : ou écouter la musique ou céder à l'appel des frustrations. Les cafés chantants étaient des lieux chaleureux où les pauvres pouvaient s'offrir une trêve et même, pour quelques heures, se prendre pour des privilégiés. Ils trônaient sur des chaises geignardes, le fez ou le tarbouche incliné sur la tempe, ce qui était une marque de grand chiqué, les uns en costume de ville, les autres dans de belles robes traditionnelles. Les plus nantis faisaient glouglouter le narguilé en sirotant du thé à la menthe tandis que sur une estrade sommaire se relayaient des ténors de légende, riches de leur terroir séculaire. En me réfugiant dans la chorale des orchestres, je désertais mes furies. C'était ma façon à moi d'entendre un autre son de cloche, de me croire verni l'espace d'un tour de chant et de noyer mon chagrin dans celui des paroliers. Ce n'était qu'une trêve et, pour un paumé, c'était presque un moment de grâce.

Lorsque Gino prenait congé de moi, je n'osais pas regagner notre patio tout de suite. Je continuais de rôdailler jusqu'au matin dans les venelles obscures, l'écho des chansons contre mes tempes. Pour avoir la paix, je faisais croire à ma famille que j'étais veilleur de nuit.

C'était un vendredi.

Ma mère était rentrée plus tard que d'habitude, chancelante d'épuisement. Je lui ai demandé ce qui n'allait pas.

— Elle m'a obligé de la toiletter trois fois de suite, soupira-t-elle en jetant son voile dans un coin. Je pense qu'elle est en train de perdre la raison.

Ma mère parlait de Mme Ramoun.

— Depuis midi, elle radote, poursuivit-elle après s'être désaltérée. Je ne savais plus si je devais l'écouter ou terminer le ménage. La pauvre n'est plus dans son état normal. Elle récitait je ne sais quoi dans une langue qui n'était ni l'espagnol, ni le français, ni l'arabe, ni le kabyle. Je crois qu'elle est possédée.

— C'était sûrement de l'italien, lui dis-je. Est-ce qu'elle t'a renvoyée ?

Ma mère me pria de la laisser reprendre son souffle. Elle se coucha sur une peau de brebis et glissa son bras sous la tête en guise d'oreiller.

— Elle demande après toi, mon fils. Elle veut te voir et elle insiste.

J'étais allé acheter une boîte de Pernot, des biscuits que la maman de Gino affectionnait, et je m'étais rendu boulevard Mascara.

La porte n'était pas fermée à clef.

J'ai appelé mon ami, il est sorti sur le balcon et m'a fait signe de monter. L'obscurité qui régnait dans l'escalier me déplut. Un vague pressentiment m'étreignit le cœur.

Gino était assis sur le lit de sa mère, la mine déconfite. Mme Ramoun suffoquait, répandue sur le matelas, une bible sur la poitrine. Elle tourna doucement la tête vers moi. Ses yeux se rallumèrent lorsqu'elle me reconnut. Elle m'adressa un sourire triste et m'invita à m'approcher. Gino me céda sa place et se tint debout au chevet de sa mère. Je m'assis sur le bord du lit, le cœur pressé.

— Je n'attendais que toi, Turambo. Je ne peux pas

bouger le bras. Pose ta main sur la mienne, s'il te plaît. Il faut qu'on parle.

Chaque fois que je la voyais, j'avais la même peine pour elle. Devoir demeurer allongée jour et nuit, tous les jours et toutes les nuits, de saison en saison et d'année en année, dépendre des autres jusque pour ses plus intimes besoins, personne ne mériterait une telle ignominie. Mme Ramoun n'était qu'une âme crucifiée sous un éboulis de chair folle telle une sainte malheureuse engluée dans une masse de contrition, et je ne trouvais ni morale ni raison à son martyre.

— Je t'aime comme mon fils, Turambo. Tu es plus qu'un ami pour Gino, plus qu'un frère. Dès que je t'ai vu la première fois, j'ai su que tu étais ce jumeau qui a toujours manqué à mon fils. Gino est quelqu'un de bien. Il ne fait de mal à personne, et nous traversons une époque qui ne pardonne pas. Tu es plus jeune que lui, mais je te vois en aîné. Et ça me rassure. Je veux que tu prennes soin de Gino.

— Maman, s'il te plaît, fit Gino.

— Pourquoi vous me dites ça, madame Ramoun ?

— Parce que je m'en vais… Et je veux partir en paix. Je n'ai rien sur la conscience, mais je laisse un orphelin derrière moi. Je veux être sûre qu'il sera entre de bonnes mains.

— Elle est malade ? fis-je à Gino.

— Elle radote. Elle est comme ça depuis midi. J'ai appelé le médecin, il a dit qu'elle n'a rien. Je ne comprends pas pourquoi elle croit qu'elle est en train de mourir. Depuis tout à l'heure, j'essaye de la raisonner, elle refuse de m'écouter.

— Il y a des choses qu'un médecin ne perçoit pas, dit la mère. Des choses que seuls les partants ressentent. Mes pieds sont glacés, et le froid gagne le reste de mon corps.

— Mais non, maman, tu te fais des idées.

— Remets ta main sur la mienne, Turambo, et jure-moi de prendre soin de mon fils.

Gino me fit signe d'accepter.

Je déglutis, pris à la gorge par une poussée d'émotion.

— Tu veilleras sur lui comme sur toi-même ?

— Oui, madame Ramoun.

— Je veux que rien ne vous dresse l'un contre l'autre, ni fortune, ni femme, ni carrière, ni tentation.

— Rien ne nous dressera l'un contre l'autre.

— Je te surveillerai de là-haut, Turambo.

— Je veillerai sur Gino et je ne laisserai aucun serpent se glisser entre nous.

— Tu me le promets ?

— Je le jure.

Elle se tourna vers Gino et lui dit en italien.

— *Va me chercher ton père.*

— Maman…

— *S'il te plaît, Gino.*

Gino partit dans sa chambre et revint avec un cadre forgé au fond duquel un tirailleur enturbanné souriait à l'objectif en tétant une cigarette. C'était le portrait d'un jeune homme basané, aux traits fins, très beau. La photo avait jauni par endroits et était traversée par de vieilles écorchures qui, heureusement, avaient épargné le visage du soldat.

— C'était un Arabe ? demandai-je à Gino.

— C'était mon père, et rien d'autre, répliqua-t-il exaspéré par mon *idiote de question*.

Il posa le portrait sur la chaise à côté de la table de chevet, de façon que sa mère l'ait en face d'elle. Mme Ramoun fixa longuement la photo de son mari. Elle souriait, soupirait, souriait encore, soulevait les sourcils dans des expressions attendries tandis que mille souvenances défilaient dans ses yeux. Tout en elle demandait grâce. Elle n'en pouvait plus de vivre à l'étroit dans son sarcophage de chair. Sans sa foi, elle aurait sans doute mis fin à ses jours depuis des lustres, mais il y avait cette crainte du Jugement dernier, cette horrible échéance qui porte son doigt à son œil pour vous mettre en garde contre vous-même, qui vous maintient au purgatoire en vous promettant l'enfer si vous tentez d'en échapper. Je m'étais souvent demandé ce que je ferais à sa place ; pas une fois je n'ai eu de réponse. Je me limitais à regarder la pauvre femme s'enliser dans les sables mouvants de son corps, comme on regarde la misère du monde se donner en spectacle à chaque coin de rue. Il n'y avait rien d'autre à faire.

— *Et maintenant, fais-moi un peu de lecture, Gino... Non, pas la Bible,* dit-elle en serrant d'un cran le saint livre contre sa poitrine, *je préfère Edmond Bourg. Relis-moi le chapitre 13, le passage où il parle de sa femme...*

Mme Ramoun ferma les yeux et se laissa bercer par la voix pénétrante de son fils. Gino lui lut le chapitre 13. Comme sa mère ne réagissait pas, il passa au chapitre suivant. Mme Ramoun remua dans son sommeil et bougea le doigt pour prier son fils de revenir en arrière et de reprendre encore et encore le même chapitre que l'auteur consacre à sa femme. C'était un passage émouvant dans lequel Edmond Bourg demandait pardon à son épouse.

Mme Ramoun mourut quelques heures plus tard, la Bible sur le cœur et les yeux remplis d'une sérénité lumineuse. Elle poussa d'abord un soupir, rouvrit les yeux pour regarder une dernière fois son fils, lui sourit et, heureuse, délivrée des chaînes de son corps, aussi légère que les premiers frissons de son idylle, elle se tourna vers le portrait posé sur la chaise et dit : « Tu en as mis du temps pour revenir me chercher, mon amour. »

Gino et moi cherchâmes un menuisier pour nous fabriquer un cercueil ; ceux que proposaient les pompes funèbres ne correspondaient pas à la taille de la défunte. Il faisait chaud ; il fallait faire vite pour éviter à la dépouille de se décomposer.

Ce que Gino redoutait dépassa les limites de ses craintes. Plus que le deuil, la levée du corps fut une épreuve particulièrement éprouvante pour mon ami. Impossible d'évacuer la dépouille par la porte de sortie. Elle était trop obèse, et trop lourde pour les porteurs.

Des volontaires se mobilisèrent, ameutant le quartier. Le tramway avait du mal à se frayer un passage dans la cohue. *Qu'est-ce qui se passe ?* demandaient les passagers penchés sur la rambarde. *Il paraît qu'une dame est morte… L'immeuble s'est effondré sur elle ? Non, on casse le mur pour la faire sortir… C'est une blague ?* Les regards se fixaient sur les hommes en train de creuser un grand trou dans le mur autour de la fenêtre donnant sur la chambre mortuaire.

Gino était effondré par le spectacle que les funérailles de sa mère donnaient. Lui qui se voulait discret, voilà qu'il était exposé telle une énormité foraine.

Après avoir défoncé la façade de la maison, les volontaires se mirent à dresser un échafaudage à grand renfort de cordages, de poulies et de madriers. Un maçon au front suturé dirigeait les opérations, les mains en entonnoir autour de la bouche. On amarra le cercueil grand comme un buffet normand et, à coups de *Oh ! hisse !*, une dizaine d'hommes commença à tirer sur les cordes tandis que d'autres, sur le balcon, orientaient le fardeau pour lui éviter de s'abîmer contre la paroi.

L'embarras, ce jour-là, outrepassa l'entendement.

Lorsque le cercueil sortit par le trou dans le mur et vacilla par-dessus les têtes, la foule retint son souffle. Dans le silence général, on n'entendait que les crissements des poulies. On multiplia les précautions jusqu'à ce que le cercueil fût posé sur un tombereau. Le cortège funèbre se mit aussitôt en marche, entraînant dans son sillage des dizaines de badauds.

Dans les rues, les gens s'arrêtaient au passage du corbillard ; certains ôtaient leur chapeau, d'autres, attablés autour des cafés, se levaient obséquieusement. Les gamins émergeaient d'entre les futailles et les arbres où ils jouaient à cache-cache, renonçaient à leurs parties de *pignols* ou reportaient à plus tard les commissions dont ils étaient chargés et venaient grossir le cortège, soudain silencieux et graves, tandis que les ménagères se bousculaient aux balcons et sur le parapet des terrasses, leurs rejetons dans les jupons. Un vieux fou raspoutinien vint se mettre au-devant du cortège, la bouche écumante et les yeux exorbités. Il montra du doigt le corbillard, ensuite le ciel, remua sa chevelure sauvage à droite et à gauche en vociférant : « Ceci est un rappel à l'ordre. Nous mourrons tous un jour. Ce que nous croyons posséder n'est qu'illusion. Nous ne sommes que les maillons éphémères d'une chaîne que traîne à ses pieds un fantôme nommé Temps qui court à l'infini droit sur le néant. » Il était en transe. Des agents durent intervenir pour le dégager de la voie.

Gino gardait la nuque basse.

Je lui pris la main ; il la retira vivement et pressa le pas pour être seul.

Nous enterrâmes Mme Ramoun au cimetière chrétien.

Ce fut un jour d'une terrible tristesse.

Un malheur n'arrive jamais seul. Lorsqu'il pointe le nez, sa smala lui colle au train, et la descente aux enfers s'enclenche sans retenue.

Un jour de fête religieuse, alors que je m'apprêtais à accompagner Gino à la plage de Kristel où mon ami aimait aller se réfugier depuis la mort de sa mère, une voiture rutilante, conduite par un chauffeur arabe, s'arrêta devant notre maison, rue du Général-Cérez. En un tournemain, les mioches rappliquèrent des ruelles voisines et se mirent à essaimer autour du joyau à quatre roues, subjugués par tant de technologie et de raffinement.

Qui était cette grosse dame aux allures de sultane que deux domestiques aidaient à s'extirper du carrosse mécanique ? Qui étaient ces femmes étincelantes de bijoux et de soie et à qui portaient-elles ces plateaux chargés de présents et de gâteaux enrubannés ? Que signifiaient ces youyous claironnants et cette fébrilité qui s'était déclarée dans le patio de notre habitation ?

Personne ne m'avait prévenu.

Je n'avais rien vu venir, non plus.

Ce fut comme un couperet qui s'abat sans crier gare. *Nora est une fille précieuse,* me dira ma mère. *Elle mérite tous les bonheurs du monde, et tu n'as pas grand-chose à lui offrir, mon fils. Il faut regarder la réalité en face. Nora sera choyée. Elle vivra dans une grande maison et mangera tous les jours à sa faim. Ne sois pas égoïste. Laisse-la à son destin, et tâche de t'en trouver un…*

Ma cousine Nora, mon amour que je croyais acquis, ma raison d'être venait d'être cédée à un riche féodal de Frenda.

Comment avait-il fait pour la repérer, ce cul-terreux qui vivait dans ses champs à des centaines de kilomètres d'Oran ? Nora ne sortait presque jamais de la maison, ne fréquentait personne.

« Les entremetteuses ! m'éclaira le Mozabite. Ce sont des professionnelles abonnées au hammam. Et il n'y a pas endroit plus propice pour évaluer la marchandise que le hammam. Les entremetteuses connaissent parfaitement leur affaire. Elles viennent prendre un bain, s'installent dans la salle chaude et choisissent parmi les vierges dénudées celles qui ont les seins hauts, la cuisse galbée, la hanche pleine, la fesse bien ronde et une jolie frimousse par-dessus un cou élancé. Après avoir jeté leur dévolu sur leur préférée, elles la suivent de loin, localisent où elle habite et collectent un maximum d'informations sur elle auprès du voisinage. Une fois certaines d'avoir mis le grappin sur la bonne fille à marier, elles en informent les commanditaires et, dans la semaine, on voit débarquer, comme tombées du ciel, des dames chargées de cadeaux pour faire leur offre aux parents de la belle… Il s'agit d'une vieille pratique, me précisa l'associé de mon oncle. Sinon comment expliques-tu, alors qu'on a emmuré sa vierge, qu'on vienne toujours demander sa main ? Les entremetteuses sont les meilleures détectives du pays, et sans doute les mieux payées. Elles retrouveraient la reine de Saba sans problème. »

J'étais effondré.

Je n'étais pas allé à Kristel, ce jour-là.

Aucune mer n'aurait été en mesure de noyer mon chagrin.

Aussitôt demandée, aussitôt empaquetée et livrée. En trois semaines, tout fut réglé, et le cortège nuptial démarra sur les chapeaux de roue. Je n'eus pas le temps de m'attendrir sur mon sort. Mon oiseau bleu regagna sa cage, et son gazouillis se perdit dans la rumeur de la ville.

À Oran, l'hiver arrive comme un voleur et se retire de la même manière. Qu'emporte-t-il dans sa retraite honteuse ? Tout ce que les Oranais n'aiment pas – la grisaille, le gel, la fugacité des journées et les mauvaises humeurs – c'est-à-dire ce qu'ils lui cèdent volontiers.

Cet hiver-là fut le pire de tous les hivers ; il m'avait dérobé mon soleil à moi. Lorsque le printemps revint avec ses lumières et ses joies, il ne fit que rendre mes nuits plus froides et tristes. Nora partie, je ne reconnaissais plus ni mes gens ni mes rues. On m'avait trahi. Ma tante n'ignorait pas les sentiments que je nourrissais pour sa fille. Comment avait-elle pu leur marcher dessus ? Et ma mère, pourquoi n'avait-elle pas cherché à la dissuader? J'en voulais à la terre entière, aux anges et aux démons, et à chaque étoile dans le ciel. J'avais le sentiment d'avoir perdu de vue le seul repère qui m'importait. Subitement, je ne savais plus où j'en étais. Dépourvu de mes certitudes et un peu de mon âme, je me mis à pester contre tout ce que je rencontrais sur mon chemin.

Ma mère tentait de me raisonner. *L'amour est le privilège des nantis,* me disait-elle. *Les crève-la-faim n'y ont pas accès. Leur monde est trop sordide pour seoir au rêve ; leur idylle est une imposture.*

Je n'étais pas d'accord. Je refusais d'admettre que l'on puisse tout acheter, tout vendre, y compris sa propre progéniture. Pour moi, Nora avait été vendue. À un vieux péquenot de Frenda, assez riche pour s'offrir une houri, mais trop pingre et obtus pour lui proposer un paradis. Nora ne serait qu'une espèce d'odalisque piégée au milieu d'un harem hostile. On lui en voudrait d'être la plus jeune, la plus adulée par le maître, et on comploterait contre elle jusqu'à ce qu'elle finisse par se dissoudre dans son ombre. Puis le maître se dégotterait une nouvelle vierge, et Nora serait reléguée au rang de concubine occasionnelle…

La nuit, sur le balcon où je me morfondais, je ne parvenais pas à fermer l'œil. Couché sur le dos, les mains sous la nuque, je fixais le ciel comme on toise un indésirable. J'imaginais Nora dans les bras de son ogre rebutant qui devait sentir le foin moisi sous sa robe satinée; c'était comme si une machine endiablée me broyait. Ce n'était plus Nora qui subissait les assauts de son amant, mais moi. Je percevais nettement les mains poisseuses de cette enflure souiller ma chair, percevais son souffle de fauve en rut sur ma figure, et mes poumons se remplissaient de son haleine fétide.

Jamais le sort ne m'avait paru aussi injuste que ces nuits-là.

J'aimais en silence une cousine de mon rang et de mon sang, et un inconnu vieillissant, débarquant de nulle part, était venu me la ravir comme un gros bras confisquant à un mioche le seul songe qui le consolerait de tout ce qu'il ne posséderait jamais !

— Je peux te poser une question ? dis-je à Gino.
— Bien sûr.
— Et tu me réponds franchement ?
— J'essayerai.
— Est-ce que je suis un maudit ?
— Je ne pense pas.
— Alors, pourquoi il me tombe sans arrêt des tuiles sur la tête ?
— Ce qui t'arrive, Turambo, chacun y a droit. Tu n'es pas plus à plaindre que l'ouvrier qui glisse du haut d'une échelle. Ce sont les choses de la vie. Avec un peu de patience, cette mauvaise passe ne sera qu'un vague souvenir.
— Tu crois ?
— Pas toi ?

J'avais attendu que la mauvaise passe se muât en un vague souvenir, et chaque matin, à mon réveil, elle était là, omniprésente, empuantissant l'air que je respirais et viciant mes pensées.

Je ne dormais plus.

Le jour, je rasais les murs tel un crabe. Oran m'était devenu le cirque de l'horreur. J'étais la bête curieuse exposée au regard moqueur des voisins. Aucun d'eux n'osait lever les yeux sur Nora lorsqu'elle étendait le linge sur le balcon. On la *savait* à moi, et on me jalousait. Certains étaient ravis de ma déconvenue et ne le cachaient qu'à moitié. D'autres ne se gênaient pas pour me décocher des insinuations assassines. J'avais beau leur rentrer dedans, ils continuaient de me charrier… Pour fuir les propos suspects, que j'interprétais souvent à tort dans des bagarres rageuses, je me rabattais sur la Cueva del Agua, une falaise à l'est de la ville, loin du chahut et des malentendus. C'était un coin sinistre où de rares pêcheurs haillonneux feignaient de surveiller leurs lignes en se soûlant à mort pour mieux s'engueuler. En les observant, j'avais envie de me soûler, moi aussi, à tire-larigot, jusqu'à prendre une vague pour un déluge. J'avais envie de crier ma peine à dominer la rumeur des flots, d'insulter, un à un, tous les saints patrons de la ville, de maudire les riches et les pauvres jusqu'à les faire rentrer sous terre.

Cela aurait changé quoi ?

Je me contentais de contempler la mer. Je prenais place sur un gros caillou et, le menton sur les genoux, je fixais l'horizon en ceinturant frileusement mes jambes. Les navires en rade me prouvaient qu'il y avait d'autres points de chute, avec des rivages différents, des hasards et des rencontres fabuleuses, et des gens qui parlaient des langues aux intonations bizarres. Je songeais à sauter dans un bateau et à mettre les voiles sur n'importe quel mirage. Nora partie, je n'avais plus de port d'attache. J'étais malheureux chaque fois qu'une voix, une silhouette, un friselis me renvoyait à son souvenir. *Laisse-la à son destin*, m'avait dit ma mère, *et tâche de t'en trouver un...* Comment m'inventer tout un destin, moi, qu'un simple coup de sort suffisait à disqualifier ?

Je passais des heures à interroger la mer, à sentir la brise gonfler ma chemise sans apaiser mon âme. Je voulais devenir une bulle d'air, survoler les tempêtes et les vacheries des hommes, me mettre hors de portée de mon chagrin. Je me sentais à l'étroit dans mon corps, dépaysé dans mon propre esprit, aussi vide d'intérêt que de sens.

Je revis Nora six mois après son mariage.

Elle était revenue chercher sa mère.

Je rentrais d'une errance, et elle était là, dans sa soierie chatoyante, telle une jeune princesse, plus belle que jamais. J'en eus le souffle coupé. Mais elle n'était pas seule. Deux belles-sœurs et une domestique reptilienne veillaient sur elle comme sur la prunelle de leurs yeux, ne la quittant pas d'une semelle. Dès qu'elles m'avaient entendu traîner la savate dans le corridor qui menait à la cour intérieure, elles s'étaient dépêchées de déployer la tenture sur le pas de la porte pour mettre à l'abri leur protégée. Durant trois jours, j'avais essayé d'approcher Nora, sans succès. J'avais beau me racler la gorge et tousser dans mon poing pour lui signifier que j'étais dans la pièce d'à côté et que je l'attendais, Nora ne se montra pas. Le quatrième jour, je parvins à tromper la vigilance de sa garde rapprochée. Nora faillit s'évanouir en me voyant surgir devant elle. Un spectre ne l'aurait pas épouvantée autant. *Tu es fou ?* s'était-elle étranglée, livide. *Qu'est-ce que tu veux ? Ma perte ? Je suis mariée, maintenant. Va-t'en, s'il te plaît...*

Elle m'avait poussé sans ménagement hors de la chambre, hors de sa vue, hors de sa vie...

Je ne représentais plus rien pour elle, sauf peut-être une source potentielle de scandale.

Je m'étais alors souvenu de l'offre de DeStefano et je m'étais surpris à frapper à la porte de son écurie, rue Wagram.

Il n'y avait pas mieux qu'un ring pour s'autoflageller.

II. Aïda

1.

La rue Wagram tanguait sous les braillements des mioches shootant dans un ballon en chiffon. Il était une heure de l'après-midi ; le soleil tapait dur. L'écurie de DeStefano se trouvait en contrebas de la chaussée, tournée vers la porte du Ravin, le fronton orné de quatre chiffres, 1847, date de sa construction. C'était une énorme bâtisse, laide et lézardée, qui avait servi autrefois à un haras avant de se transformer en *makhzen* vers la fin du siècle dernier. Menacée par un glissement de terrain, elle fut évacuée par les militaires, cadenassée et livrée à l'usure et aux rats avant d'être réinvestie, à partir des années 1910, par des amateurs de boxe. Le coin sentait la crotte de cheval et les rigoles qui se perdaient dans les herbes sauvages du goulet.

Terrassé par la fournaise, un marchand d'oublies sommeillait à l'ombre de son panier en forme de tambour africain. En face de lui, deux moutards faméliques, emmaillotés dans des sortes de serpillières mitées, se tenaient assis sur le trottoir, les yeux aussi vides que le ventre, pareils à deux chiots guettant un morceau de sucre. Non loin, une ménagère déversait ses rinçures devant sa porte, la robe retroussée par-dessus les genoux. Plus bas, une bande de galopins importunait un chat de gouttière sous le regard impassible d'un vieux poivrot ébaudi.

Le marchand d'oublies se réveilla en m'entendant

arriver et se mit aussitôt sur la défensive. Je lui fis signe de se calmer.

Les battants de l'écurie étaient ouverts sur une grande salle de sport affligeante. Des fuseaux de lumière giclaient des trous dans la toiture et des fenêtres sans volets, ricochaient sur un parterre dallé et crasseux. Sur la droite du portail, une petite table montait la garde, des restes de nourriture à côté d'un verre souillé et d'une bouteille de Paloma remplie d'eau. À gauche, quelques affiches de boxeurs se gondolaient sur les murs. Un vieux ring tenait difficilement sur son estrade, les cordes ramollies. Derrière, un sac de frappe avachi pendait à son gibet. Au fond, un box se décomposait dans la pénombre. On entendait deux hommes qui palabraient, l'un en colère, l'autre conciliant.

L'endroit me déplut d'emblée. Il empestait le moisi et la débâcle.

Au moment où j'allais me retirer, un grand échalas surgit des cabinets en sautillant sur une jambe de bois.

— Tu cherches après qui ? me fit-il en regagnant la table à l'entrée.

— DeStefano…

— Il est occupé. C'est à propos de quoi ?

— Il m'a demandé de passer le voir.

— C'est DeStefano qui a demandé après toi et pas quelqu'un d'autre ?

Je ne répondis pas. Les portiers s'accordent souvent une autorité qui les dépasse et dont ils abusent sans modération.

Il me désigna un banc.

— Tu as choisi le mauvais moment, mon gars. À cette heure, ou on bouffe, ou on roupille.

Il s'affaissa sur sa chaise et se mit à mordre dans son sandwich.

Les deux hommes dans le box continuaient de discuter.

— Pourquoi il me traite de guenon ? s'emportait l'un. Est-ce qu'il m'a cueilli d'un arbre ?

Je reconnus la voix de DeStefano lorsqu'il dit :

— Tu sais comment ils sont, au *Petit Oranais*. Ce ne sont pas des journalistes, mais des fous furieux, des racistes. Ils détestent les métèques. En plus, c'est des jaloux.

— T'es sûr que c'est parce qu'ils sont jaloux, et pas parce que j'suis portugais ?

— Absolument. Le monde est ainsi fait : il y a ceux qui font la légende, et ceux qui font du tapage puisque toutes les autres musiques leur ont manqué.

Le portier ingurgita sa dernière bouchée qu'il accompagna d'une lampée d'eau, libéra une formidable éructation, s'essuya la bouche sur le revers de sa main et me confia à voix basse :

— Rodrigo est zinzin. Il n'est jamais monté sur un ring. Il s'est inventé un personnage de champion et s'est complètement substitué à lui. Quand il est rattrapé par sa crise, il vient nous casser les pieds. Il raconte partout que la presse lui fait des misères, qu'il en a assez, et tout et tout, et DeStefano lui fait croire qu'il compatit et s'amuse à lui remonter le moral…

J'acquiesçai par courtoisie.

— M'est avis que ça l'arrange un chouia, DeStefano, poursuivit le portier. Il se voit pour de vrai remonter le moral à un champion et ça lui donne le sentiment d'être important. C'était un boss, DeStefano, avant. Il avait un tas de poulains prometteurs sous la main. Puis ça s'est tassé, et il a chopé la nostalgie. Alors, il garde Rodrigo sous le coude pour ne pas perdre le fil, et il attend le retour des vieux jours…

La petite porte du réduit s'ouvrit sur un énergumène dégingandé aux yeux pâles. Il portait un pull Jacquard pourri et un pantalon tirebouchonné. Il traversa la salle en roulant des mécaniques, salua au passage l'affiche d'un champion et sortit dans la rue sans nous accorder d'attention.

DeStefano écarta les bras pour m'accueillir.

— Tu t'es enfin décidé…

Dans la rue, Rodrigo se mit à déblatérer des menaces.

— C'est Rodrigo, me dit DeStefano. Un ancien champion (derrière lui, l'échalas me fit non du doigt)… Alors ? Que me vaut cette belle visite, Turambo ?

— Tu m'as demandé de passer, je suis là.

— Bravo ! Je te promets que tu ne le regretteras pas.

— Je ne vois personne, ici…

— C'est pas encore l'heure. La majorité de nos boxeurs travaillent pour joindre les deux bouts. Mais, le soir, c'est la foire à la maison, je te garantis… (Il s'adressa au portier :) Tu as remis le paquet, Tobias ?

— Pas encore. Y a personne pour garder la boîte.

— Vas-y maintenant. Tu sais comment il est, Toni. Il n'aime pas qu'on le néglige. Prends Turambo avec toi. Comme ça, au retour, il trouvera quelques poulains sur le ring. Et dis au boulanger de m'envoyer un casse-croûte. Je prends la relève, tâche de ne pas traîner dans les rues, s'il te plaît.

Tobias s'apprêta à débarrasser la table, DeStefano lui promit de s'en occuper et lui montra le paquet dans un coin.

— Tu peux le porter pour moi ? me demanda le portier. Il n'est pas lourd, mais avec ma prothèse…

— Aucun problème, lui dis-je en ramassant le paquet.

Tobias marchait vite ; sa prothèse cognait sur la chaussée et le faisait cahoter sur le côté.

— Tu as perdu ta jambe dans un accident ?

— Dans un jardin, ironisa-t-il. J'ai marché sur une graine, la graine s'est incrustée dans la plante de mon pied et au matin, à mon réveil, une jambe de bois a poussé sous ma cuisse.

Nous traversâmes plusieurs pâtés d'immeubles en silence. Tobias était très connu. Partout où nous passions, les gens le saluaient. Il lançait des quolibets aux uns, des boutades aux autres, et il rejetait la tête en arrière dans un rire glapissant. Il était bel homme, très propre sous ses vieilles fringues ; sans son infirmité, il aurait passé pour un commis voyageur ou un postier.

— J'ai laissé ma patte sur un champ de bataille, à Verdun, me confia-t-il soudain.

— Tu as été à la guerre ?

— Comme des millions de crétins.

— Et c'est comment, la guerre ?

Il s'essuya le front sur son avant-bras et me pria de marquer une pause à cause de la prothèse qui commençait à le torturer. Il s'assit sur un muret pour reprendre son souffle.

— Tu veux savoir comment c'est, la guerre ?

— Oui, lui dis-je, dans l'espoir de saisir un peu ce qui était arrivé à mon père.

— Je ne peux pas te faire de comparaison. Elle ne ressemble à rien, la guerre. Ça tient un peu de tous les cauchemars, et aucun cauchemar ne la résume. Tu es en même temps à l'abattoir, dans l'arène aux fauves, au musée de l'horreur, au fond des chiottes, en enfer, sauf que tu n'es jamais au bout de tes peines.

— Tu as des enfants ?

— J'en avais deux. J'ignore où ils sont. Leur mère a foutu le camp pendant que je me démerdais à la boyauderie.

— Tu n'as pas cherché à les retrouver ?

— J'suis trop fatigué.

— J'avais un parent. C'était quelqu'un de bien. Au retour de la guerre, il a laissé tomber les siens. Il leur a faussé compagnie une nuit en les abandonnant dans la boue.

— Ouais, c'est fréquent, ce genre de réactions. La guerre, c'est une drôle d'excursion. Tu y vas au son des clairons, puis tu reviens dans la peau d'un fantôme, la tête pleine de bruits, et tu sais plus quoi faire de ta putain de vie après.

Il me montra un monument derrière nous et une statue équestre dans un square au coin de la rue.

— Toutes ces stèles nous parlent de la folie des hommes. En les fleurissant le jour des commémorations, on ne fait en vérité que se voiler la face et se mentir. On n'honore pas les morts, on les dérange. Regarde un peu la statue du général, là-bas. Que raconte-t-elle ? Elle dit simplement qu'on a beau ruer dans les brancards et brûler des villes et des campagnes, massacrer des gens en criant victoire et faire des larmes des veuves de l'eau pour son moulin, les héros finissent sur des socles en marbre pour que les pigeons viennent leur chier dessus…

Il retroussa son pantalon sur sa prothèse qu'il ajusta. Une ride lui balafra le front.

— J'ai jamais compris comment on se laisse avoir à chaque génération. Paraît que la patrie, c'est plus important que la famille. Eh bien, moi, j'suis pas d'accord. Tu peux avoir autant de patries que tu veux, si tu n'as pas de famille, tu n'es personne.

Il rabattit d'un geste sec son pantalon. La ride lui creusa davantage le front.

— Étonnant, n'est-ce pas ? Tu mènes ton petit train-train, tranquille, tu cultives ton potager, tu ranges en lieu sûr tes maigres économies et tu construis dans un coin de ta tête des projets aussi menus qu'un fétu de paille. Tu veilles sur tes gosses, persuadé que ça va être ainsi jusqu'à ce que la mort vous sépare. Puis, d'un coup, d'illustres inconnus, que t'as jamais croisés sur ton chemin, décident de ton sort. Ils confisquent tes petits rêves et t'installent dans leurs grands délires. C'est la guerre. Tu ignores pourquoi elle est là ; mais tu tombes dedans comme un cheveu dans la soupe. Le temps de réaliser ce qui se passe, l'orage est fini. Quand la lumière revient, tu ne reconnais plus ce qui a été.

Il se donna un coup de reins pour se remettre debout.

— La guerre est une épopée pour les nigauds qui croient qu'une médaille vaut la vie. Je n'étais pas le roi du monde avant, mais je ne me plaignais pas. J'étais cheminot, j'avais un foyer et des raisons d'espérer. Puis une mouche m'a piqué, j'ai tout lâché pour brandir l'étendard et cadencer mon pouls sur le roulement des tambours. Forcément, j'ai déréglé le cours normal de mon existence. J'en veux à personne. C'est comme ça, et c'est tout. Si c'était à refaire, je coulerais de la cire dans mes oreilles pour n'entendre ni les clairons, ni les ordres, ni les canons... Rien ne vaut la vie, mon garçon. Ni la gloire ni les pages d'Histoire, et aucun champ d'honneur n'égale le lit d'une femme.

À notre retour, l'écurie s'était animée. Quelques jeunes gens en caleçon s'adonnaient à des exercices de musculation. DeStefano s'entretenait avec un garçon trapu qu'il congédia à notre arrivée. Il demanda à Tobias si Toni n'avait pas rechigné. Tobias lui avoua que le bonhomme en question avait râlé pas mal, mais que le malentendu avait été résolu. DeStefano grommela deux mots avant de me prendre à part.

— Monte sur le ring, me dit-il.

— J'ai pas de tenue, et pas de gants.

— C'est pas grave. Monte comme tu es, sans te déchausser.

Je m'exécutai. Le garçon trapu me rejoignit sur l'estrade. Il avait enfilé des gants et des espadrilles de sport. Il se campa devant moi, fit craquer son cou, procéda à des génuflexions, recula de deux pas. Je m'attendais à des explications. Il n'y en avait pas. Le garçon m'envoya une série de coups sur la figure. Sans crier gare. Je perdis mes repères, ne sachant plus si je devais riposter ou subir. Mon adversaire me travailla au corps. J'avais le sentiment qu'un piston cherchait à me démolir les flancs. Le plancher se déroba sous mes pieds. Le garçon continua de sautiller sur place pendant que j'étais au tapis.

— Relève-toi, me cria DeStefano. Et défends-toi.

À peine debout, je dus me retrancher derrière mes bras pour contenir l'assaut effréné de mon adversaire. Mes rares ripostes se perdaient dans le décor. Le garçon était agile, insaisissable ; il esquivait mes gnons, me repoussait quand je tentais de m'accrocher à lui, me feintait, la tête jamais au même endroit plus d'une seconde.

Il me jeta de nouveau au tapis.

DeStefano ordonna au garçon de se retirer, et à moi de descendre du ring.

— Maintenant, tu sais que la boxe n'a rien à voir avec les bagarres de rue, me dit-il. Sur terre, tu n'es qu'*une* personne, et personne à la fois. Sur un ring, on exige de toi d'être un dieu. La boxe est une science, un art et une ambition… J'aimerais que tu te souviennes de ce jour, mon garçon. Il te permettra de mesurer le parcours que tu auras accompli le soir de ton sacre. C'est tout un programme, et il va falloir que tu l'appliques à la lettre. Achète-toi un sac marin, un short, un maillot de corps et des espadrilles de sport. Pour les gants, la maison t'en offre une paire. Tobias t'expliquera le tableau des séances d'entraînement. À partir de demain, je veux te voir pointer tous les jours ici.

— Je dois trouver du travail.

— C'est ce que j'entends par tableau des séances. Il y a trois horaires, tu choisiras celui qui t'arrange. Les membres de mon club triment, eux aussi. Il faut avoir quelque chose à se mettre sous la dent avant de chercher à casser celles des autres.

Les premières semaines, je ne fus pas autorisé à remonter sur le ring. DeStefano attendait que je mérite ce *privilège*. Il commença par me soumettre à des épreuves de *décrassage* et d'endurance : je devais dévaler et escalader les collines du Ravin, courir jusqu'à la pinède des Planteurs, gravir les flancs du Murdjadjo en m'agrippant aux arbustes, écouter mon corps, lui soutirer un maximum d'efforts, discipliner mon souffle, cadencer ma foulée en terrain accidenté et m'imposer des sprints en fin de parcours. Je rentrais à la maison sur les rotules, la langue ballante et la gorge en feu. Mekki, qui voyait d'un mauvais œil le calvaire que je m'infligeais, chercha à savoir ce que je fricotais, soupçonnant une embrouille ou une dérive similaire. Comme je ne pouvais pas lui avouer que j'avais opté pour la boxe, nos tête-à-tête se terminaient très mal, et Gino, pour mettre un terme à mes accès de rébellion, m'invita à loger chez lui, ce que je fis sans hésitation.

Je me sentis beaucoup mieux, boulevard Mascara. N'ayant de compte à rendre à personne, je me consacrai pleinement à ma nouvelle vocation.

Les dimanches, Gino m'accompagnait à l'écurie où nous retrouvions Filippi le mécanicien qui bossait avec nous dans le garage de Bébert. À ses heures perdues et pendant ses congés, Filippi venait entretenir sa forme chez DeStefano. Il avait boxé dans ses jeunes années, sans grand triomphe, et continuait de fréquenter l'écurie et de veiller sur son corps d'athlète. Il était enthousiaste, crâneur, et il savait me motiver. Tous les trois, nous partions à l'assaut des collines et des sentiers. Gino abandonnait souvent à mi-parcours, incapable de suivre le rythme que nous nous imposions, mais Filippi, malgré son âge, se surpassait et m'insufflait une verve du tonnerre.

À la maison, boulevard Mascara, Gino et moi nous

avions fabriqué des outils de musculation à partir de bouts de ferraille et de bidons métalliques cimentés ; nous étions fiers d'exhiber nos pectoraux aux jeunes filles qui étalaient leur linge sur les terrasses voisines.

Le sport s'avéra être une excellente thérapie pour Gino et moi. Mon ami avait à faire le deuil de sa mère, et moi celui de mon amour… Ah ! Nora, qu'elle était belle. Elle était menue comme un coquelicot, en avait la grâce et la fragilité, et, lorsqu'elle souriait, elle rendait aux promesses l'ensemble de leur éclat. Nous avions un cœur pour deux, me semblait-il. Je la croyais à moi, si fort qu'à aucun moment je n'avais conçu les lendemains sans elle… Hélas, les lendemains se font et se défont malgré nous. Nous n'avons ni emprise ni droits sur eux, et ils seront encore là lorsque nous aurons disparu.

Le soir, après une bonne transpiration et un bain chaud, nous sortions en ville faire une noce de tailleur. Il n'y a pas mieux que le chahut pour supplanter les mauvaises voix qui nous interpellent du tréfonds de nos tourments, et pas mieux que les foules pour semer nos absents.

Les nuits d'Oran résorbaient nos hantises tel un buvard. Nous n'avions pas les moyens de nous payer grand-chose, mais nous nous offrions du bon temps ; il nous suffisait de nous laisser emporter par nos pas. Tout était joli à voir, à Oran, les fiacres au même titre que les automobiles, les soûlards ainsi que les funambules, et tout était à prendre à bras-le-corps sans être forcés d'y toucher, comme lorsqu'on contemple les belles choses derrière les vitrines. Les cinémas illuminés *a giorno* attiraient autant de noctambules qu'une lanterne les insectes. Les cabarets arboraient avec zèle leurs enseignes au néon dont les éclaboussures bigarrées s'écrasaient sur les façades d'en face. Les bistrots ne désemplissaient guère, saturés de brouhaha et de tabagie.

Nous étions les preux arpenteurs de la nuit, Gino et

moi. Après avoir fait le tour des guinguettes ou bien au sortir d'un film burlesque, nous nous rendions sur le front de mer observer les lumières du port et les dockers qui s'affairaient autour des cargos. La brise du large berçait nos silences ; il nous arrivait même de rêvasser, les coudes sur le parapet et les joues au creux de nos mains. Une fois las de compter les bateaux, nous prenions place sur une terrasse et nous dégustions des créponés acidulés en contemplant les filles qui se déhanchaient sur l'esplanade, superbes dans leurs robes en guipure. Quand un poseur leur lançait une taquinerie, les demoiselles se tournaient vers lui et, rieuses, elles s'éloignaient telles des volutes de fumée. Le poseur alors jetait son mégot d'une chiquenaude et leur collait au train en se dandinant avant de retourner à son poste, bredouille mais décidé à tenter sa chance encore et encore jusqu'à ce qu'il n'y ait plus personne dans les rues.

C'étaient des gens bizarres, les poseurs. Gino était certain qu'ils étaient plus habités par la passion des appâts que par les prises, que leur bonheur n'était pas dans la conquête, mais dans la drague elle-même. Nous avions examiné de près l'un d'eux, une fois ; pour ce qui est du baratin, il n'avait pas son pareil, mais lorsqu'une fille mordait à l'hameçon, notre tombeur s'apercevait qu'il était à court d'idées et il restait bête devant l'effrontée, ne sachant quoi lui proposer.

À défaut de nous dégotter une âme sœur pour la soirée, Gino et moi nous rabattions sur les bas quartiers pour voir les prostituées. Elles surgissaient de l'ombre, semblables à des hallucinations, nous montraient leurs gros seins boursouflés de succions anonymes et nous disaient des cochonneries en claquant l'élastique de leurs culottes. Ça nous faisait rire, Gino et moi ; nous riions surtout pour surmonter nos appréhensions et repousser ces voix de rogomme qui résonnaient en nous comme des sommations.

Le jour, c'était la croix et la bannière. Gino parti à son boulot, je retombais au rebut. Je n'aimais rien de particulier. Nora m'ayant rendu mon cœur, je ne savais quoi en faire. Il n'avait battu que pour elle. Le soleil me virait du lit comme un malpropre, les rues me faisaient tourner en rond jusqu'à choper la berlue et, à l'heure des bilans, j'étais persuadé de m'être encore une fois trompé d'histoire.

Il me fallait une corvée pour tromper la faim.

À force de cavaler à droite et à gauche, je rejoignais DeStefano à l'écurie, éreinté et furieux. Je m'entraînais à fond pour exorciser le sort, impatient de monter sur le ring. DeStefano faisait exprès de me maintenir à terre. L'honneur de longer les cordes se méritait. Deux mois durant, je me limitais aux exercices physiques, au footing, à la gestion de mon souffle et au tronc commun de la boxe. Je devais assimiler la tactique des différentes positions de mes bras et de mes poings, coordonner mes réflexes et mes pensées, feinter et cogner dans le vide, me défoncer sur le sac de frappe. DeStefano m'accordait plus d'attention qu'aux autres. Je lisais dans ses yeux une jubilation qu'il avait du mal à dissimuler. Quand bien même il estimait que mon agressivité avait encore du chemin à faire, il reconnaissait que je progressais vite, que ma danse et ma souplesse avaient *quelque chose* et me trouvait élégant dans mes assauts et replis.

J'avais l'*instinct* du champion, qu'il disait.

Rodrigo revenait parfois nous sortir son numéro de victime expiatoire, tantôt en brandissant un journal *ennemi*, tantôt en s'inventant des conspirations mortelles. Il était plus que toqué, Rodrigo, il était dément. D'aucuns, à l'écurie, n'excluaient pas qu'un de ces quatre le pauvre diable finirait par buter quelqu'un ou par mettre le feu au siège d'un journal. Tobias était persuadé que cette histoire de dédoublement de la personnalité allait mal tourner. Parfois, exaspéré, il se chargeait lui-même de fiche le Portugais dehors. Rodrigo continuait son cirque dans la rue, en ameutant la marmaille et les chiens, dans l'espoir de voir DeStefano venir le calmer, sauf que DeStefano n'avait plus besoin de remonter le moral à personne maintenant qu'il avait la conviction que ses vieux jours étaient en train de se refaire une beauté.

Lorsque enfin, après des mois d'impatience, je fus autorisé à monter sur le ring et à affronter un sparring-partner, c'était comme si d'un coup je renaissais à une foi secrète enfouie dans mon inconscient. J'étais sur un piédestal, réclamant à cor et à cri des lauriers mille fois plus grands que ma tête. Je sus immédiatement, alors que mon adversaire ne savait plus comment esquiver mes coups, que j'étais conçu pour la boxe. Mon crochet du gauche faisait déjà parler de lui alors que je n'avais pas encore négocié mon premier combat.

2.

Je livrai mon premier combat, le troisième dimanche de février 1932.

Je me souviens, il n'y avait pas un flocon de nuage dans le ciel.

Nous avions pris l'autocar pour Aïn Témouchent très tôt le matin, DeStefano, Francis le pianiste qui s'occupait de la paperasse de l'écurie, Salvo le soigneur, Tobias et moi. DeStefano n'avait pas autorisé Gino à nous accompagner.

J'étais nerveux. Je grelottais un peu, probablement à cause des quatre jours de hammam que je m'étais imposés pour perdre mes kilos de trop. Sur le siège devant moi, une vieille femme voilée tentait de calmer deux poulets turbulents au fond d'un panier. Quelques paysans enturbannés étaient du voyage, silencieux et moroses. À l'avant se tenaient des roumis dont l'un empuantissait de sa pipe l'atmosphère déjà polluée par le relent du carburant.

J'avais ouvert la vitre pour aérer et je regardais défiler le paysage.

La campagne toute verte et transpirante de rosée étincelait de millions de flammèches sous le soleil levant. De part et d'autre, les orangeraies de Misserghine évoquaient des arbres de Noël.

DeStefano feuilletait un illustré. Il se voulait confiant, mais je le sentais tendu, agrippé à son magazine, le dos voûté et la figure opaque. Son silence parlait pour lui. Cela faisait deux ans qu'il attendait de voir enfin un de ses poulains sur un ring qui compte. Lui qui ne croyait en Dieu qu'en cas de force majeure, je l'ai vu se signer avant de monter dans le bus.

Nous étions à quelques kilomètres de Lourmel lorsque je *l'ai vue*…

Splendide sur son cheval, les cheveux au vent, *elle* galopait ventre à terre sur l'arête de la colline, amazone surgie de l'aube flamboyante courant cueillir le jour à sa source. Sa silhouette élancée, dessinée à l'encre de Chine, s'imprimait nettement sur l'horizon bleu pâle, semblable à un motif magique sur un écran.

— C'est Irène, me souffla DeStefano dans l'oreille, la fille d'Alarcon Ventabren, un as du ring aujourd'hui cloué sur une chaise roulante. Ils ont une ferme derrière la futaie, là-bas. Certains boxeurs cotés vont parfois s'oxygéner chez eux avant les grands combats… N'est-ce pas qu'elle est belle ?

— Elle est trop loin pour se faire une idée.

— Ah ! Je te garantis que c'est de la dynamite, l'Irène. Jolie et sauvage comme une perle d'eau douce.

La cavalière remonta un mamelon et disparut derrière une enfilade de cyprès.

Ce fut comme si, d'un coup, la campagne perdait son grain de beauté.

Longtemps après sa disparition, l'image de la cavalière continua de trotter dans ma tête, sécrétant en moi une étrange sensation. Je ne connaissais rien d'elle, hormis un prénom soufflé par DeStefano au milieu des gargouillis de l'autocar. Était-elle jeune, brune ou blonde, grande ou petite, mariée ou pas ? Pourquoi s'était-elle substituée à la campagne, supplantant le jour et le reste ? Que signifiait cette persistance née d'une fulgurance et qui refusait de disparaître ? Si je l'avais rencontrée sur mon chemin, si j'avais eu son visage sous les yeux, j'aurais attribué le frisson qui me traversa à une sorte de coup de foudre et trouvé une explication au vertige qui s'ensuivit. Or, ce n'était qu'une ombre fugitive et lointaine qui s'en allait à vive allure vers je ne savais quoi.

Plus tard, je comprendrais pourquoi une cavalière inconnue m'avait, sans raison apparente, soumis à tant d'interrogations.

Mais ce jour-là, en ce matin du troisième dimanche de février 1932, j'étais à mille lieues de deviner que je venais de croiser mon destin.

Le ring était dressé au milieu d'un terrain vague débroussaillé, à l'entrée de la ville. L'échafaudage laissait à désirer, mais les organisateurs avaient transformé l'endroit en une aire de fête. Des centaines de fanions et de drapeaux tricolores froufroutaient sur des cordes et autour de mâts érigés pour la circonstance. De l'autocar, on pouvait voir des ouvriers se dépêcher d'installer les dernières guirlandes avant le match prévu à 13 heures. Un petit comité d'accueil nous intercepta à la descente du bus. On nous dirigea rapidement sur une cabane de garde champêtre isolée, non loin du « stade ». DeStefano n'était pas content. On lui avait promis l'hôtel, des photographes et des journalistes ainsi qu'un bon repas avant la confrontation, et ce fut à peine si on ne nous cachait pas. Un gros personnage engoncé dans un costume austère essaya de nous expliquer que les instructions du maire étaient claires et qu'il ne faisait que les appliquer. DeStefano refusait de s'en laisser conter, menaçait de rentrer à Oran sur-le-champ. Quelqu'un partit en courant chercher un responsable. Ce dernier rappliqua, un large sourire en travers de la figure. Il prit DeStefano à part et lui parla dans l'oreille en lui passant un bras sur les épaules. DeStefano manifesta sa colère, tapa du pied sur le sol pour appuyer ses menaces, ensuite, lorsque le responsable lui glissa une enveloppe dans la poche, il baissa le ton et ses gestes se firent de moins en moins tranchants.

— Encore un coup fourré, soupira Francis le pianiste qui n'en perdait pas une miette.

DeStefano nous revint, faussement indigné. Il nous ordonna d'entrer dans la cabane nous préparer et retourna débattre avec le responsable.

La cabane sentait le cercueil putrescent. Il y avait une armoire métallique efflanquée dans un coin, une table d'écolier avec le banc encastré et le trou de l'encrier rongé sur le pourtour, deux tabourets et un lit de camp dépareillé. La fenêtre sans carreaux donnait sur un sentier qui menait à une butte chauve où un vieux chien tirait la langue en regardant de tous les côtés. Pour un jour historique, c'était déprimant.

— Tu ferais mieux de te changer, me conseilla Salvo le soigneur. Et essaye de mettre le fauve KO au premier round, s'il te plaît. J'ai pas envie de moisir ici.

Salvo aussi s'attendait à un accueil chaleureux. Natif d'Oran, il ne tolérait pas d'être traité de la sorte par des provinciaux.

Tobias n'était pas ravi, lui non plus. Quelque chose le tarabustait. Il n'avait pas apprécié que DeStefano se dégonfle à cause d'une enveloppe qu'il n'avait même pas ouverte pour voir ce qu'elle contenait.

De son côté, DeStefano feignait de rechigner, mais il manquait cruellement de crédibilité. Le responsable, conscient de son ascendant sur son interlocuteur, était plus détendu ; il parlait d'un air affecté, les mains dans les poches, et, pour un oui ou un non, il rejetait la tête en arrière dans un rire hennissant, ravi de voir les premiers spectateurs converger sur le « stade » sanglés dans leur costume du dimanche, le canotier vissé au crâne.

Je défis mon sac pour me changer.

Tobias se mit à s'agiter sur le lit de camp. Il se pencha sur le soigneur et lui confia :

— J'ai de plus en plus de problèmes avec les femmes.

— Des problèmes de quelle nature ? lui fit Salvo en se grattant derrière l'oreille.

— Tu le sais bien, voyons.

— Je n'habite pas dans ta tête.

Tobias se pencha davantage pour lui chuchoter :

— Avant de me rendre au boxon, j'suis en rut et, dès que j'suis dans la piaule avec la pute, c'est la douche froide.

— T'es pas obligé de prendre n'importe laquelle.

— J'ai essayé avec plusieurs et ça n'a pas marché.

— Et qu'est-ce que tu veux que ça me fasse, Tobias ? Si tu n'arrives pas avec ta bite, utilise ta jambe de bois, comme ça, tu prendras ton pied pour de vrai.

— Je ne plaisante pas. C'est très sérieux… T'es un bon soigneur. Je me suis dit que t'as peut-être des astuces, ou des philtres, enfin des trucs dans ce genre. J'ai testé pas mal de recettes, et j'suis toujours au point mort.

Salvo joignit ses deux mains sous le nez pour réfléchir, afficha un air grave. Après avoir médité à la manière d'un bonze, il leva les yeux sur Tobias.

— As-tu essayé la méthode hindoue ?

— Je connais pas.

Salvo dodelina doctement de la tête et dit :

— Eh bien, selon un fakir vénéré, pour obtenir une érection optimale, il faut s'asseoir sur son doigt.

— Comme c'est amusant. Et tu te crois drôle avec ça ?

Fâché, Tobias sortit dans la cour, poursuivi par le rire sardonique du soigneur.

Un gamin en culottes courtes arriva sur sa bicyclette, avec un panier plein de fruits, de bouteilles de soda et de sandwiches. Avant de repartir, il me demanda si j'étais le boxeur et me souhaita bonne chance. DeStefano le remercia à ma place et le poussa gentiment vers la sortie. Nous avions mangé en silence. Dehors, on entendait le chahut de la foule en train d'assiéger le ring.

Salvo me pansa les poings, ficela mes gants et s'aperçut qu'il avait oublié mon protège-dents. DeStefano haussa les épaules et pria tout le monde de nous laisser seuls, rien que lui et moi.

— Il faut y aller mollo, mon brave, me dit-il gêné. Il s'agit d'un match amical.

— C'est-à-dire ?

— Qu'il n'y a pas d'enjeux compétitifs. Ce qui importe, c'est le spectacle, pas la victoire. Les gens sont là pour passer du bon temps. Donc, ne t'énerve pas et laisse durer le plaisir en gardant ton crochet du gauche pour le prochain match.

— C'est quoi, cette histoire ? Je croyais que c'était du sérieux.

— Je le croyais aussi. Le maire d'Aïn Témouchent m'a menti.

— Dans ce cas, pourquoi ne pas annuler et rentrer chez nous ?

— Je ne veux pas de problèmes avec l'Administration, Turambo. Et puis, ce n'est pas la fin du monde. Ça reste un combat. Ça te permet d'affronter l'hostilité des spectateurs, de te familiariser avec. Tu en as pour huit rounds. Ce sont les organisateurs qui l'ont décidé. Tâche d'aller jusqu'au bout. Tu n'es pas obligé de finir ton adversaire avant. D'ailleurs, il ne faut pas. Ça gâcherait la fête.

— La fête ?

— Je t'expliquerai.

Il s'essuya le visage dans un mouchoir et me pria de le suivre à l'extérieur. Il était si peiné pour moi que j'avais renoncé à protester.

Le « stade » était partagé en deux par un grillage Zimmerman. À l'intérieur, la partie en tuf du terrain vague disparaissait sous la foule. Il n'y avait que des hommes en costume et chapeau blanc ; certains portaient leurs gosses sur les épaules. Derrière le grillage se tenaient quelques poignées d'Araberbères en burnous et des *yaouled* perchés à hauteur des barbelés pour regarder par-dessus les têtes.

J'attendis vingt bonnes minutes sur le ring avant de voir arriver mon adversaire. Et quelle arrivée ! Le héros de la ville s'amena à bord d'une calèche, la fanfare tonitruante ouvrant la marche. La foule en liesse s'écarta devant le cortège dans un tonnerre d'ovations. Debout sur son siège, mon adversaire levait les bras en saluant ses supporters. C'était un grand gaillard blond, la tête tondue sur les tempes, avec une longue mèche drue qui lui tombait sur la figure. Il en faisait des tonnes en boxant dans le vide, flatté par les fanions qui s'agitaient avec frénésie autour de lui. Des domestiques l'aidèrent à descendre de son char et à me rejoindre sur l'estrade. La clameur redoubla lorsqu'il brandit de nouveau ses gants. Il ne m'accorda qu'une œillade rapide avant de recommencer à se donner en spectacle.

DeStefano fuyait mon regard, embarrassé.

L'arbitre nous invita à nous approcher, mon adversaire et moi. Il nous rappela la conduite à tenir et nous renvoya chacun dans notre coin. À l'instant où le gong résonna, l'énorme masse de muscles, qui me dépassait d'une tête, se rua sur moi et entreprit de me débourrer, galvanisée par les hurlements enjoués de la foule. Mon adversaire n'avait aucune technique, il misait sur sa force. Sa frappe était brouillonne ; il cognait, et c'est tout. Je laissai passer la bourrasque et parvins à le repousser. Mon premier crochet du gauche le fit reculer de plusieurs pas. Secoué, il observa quelques secondes de perplexité avant de recouvrer ses sens. Il ne s'attendait pas à ma contre-attaque. Après m'avoir jaugé en me tournant autour, il me coinça dans un angle et me couvrit de son corps de videur. DeStefano me criait d'utiliser ma droite, histoire de me rappeler ses consignes qui consistaient à « faire durer le plaisir ». J'étais dégoûté. Mon adversaire négligeait sa garde ; je pouvais l'assommer à n'importe quel moment. À la fin du troisième round, il commença à se fatiguer. Je suppliai DeStefano de me laisser le finir. Je ne supportais plus de n'être qu'une caisse à résonance pour un gros lard infatué. DeStefano ne céda pas. Il m'avoua, tandis que Salvo me rafraîchissait, combien il regrettait la tournure qu'avaient prise les choses, me promit que ça ne se reproduirait pas, et qu'il me fallait, pour cette fois, *jouer le jeu* à fond car il avait donné sa parole aux organisateurs.

La vacherie me resta en travers de la gorge. J'avais beau évacuer les idées noires, le dépit reprenait le dessus et je cognais pour faire mal. Mon adversaire réagissait de façon surprenante. Lorsque mes coups l'ébranlaient, il faisait mine de tituber d'une corde à l'autre quand il ne se pliait pas en deux en tortillant son derrière et en feignant de dégueuler sur l'arbitre. Visiblement, il était là pour amuser la galerie. Aucune tension sur la figure, aucun doute dans le regard, juste une agressivité théâtrale, grotesque, ridicule. Une seule urgence m'importait : que le cirque s'arrête ! Ce n'était pas mon jour ; ce foutu dimanche n'avait rien d'historique. Et dire que la veille, je n'avais pas réussi à fermer l'œil tant j'appréhendais cette toute première confrontation… J'étais si outré que je me surprenais à décocher mon gauche qui freinait net les ruades clownesques de mon adversaire. Ce dernier observait les mêmes secondes de perplexité, comme si d'un coup il ne me remettait pas, ensuite, il reprenait ses abordages, tapait n'importe comment avant de reculer, content de lui, et d'exécuter des singeries à l'adresse de son public. Il faisait le pitre, plus attentif à l'hilarité de la foule qu'à mes ripostes.

La mascarade se poursuivit jusqu'au sixième round. Contre toute attente, l'arbitre décida d'arrêter le match et déclara d'office mon adversaire vainqueur. La foule exultait. Je cherchai DeStefano. Il s'était retranché derrière notre coin. Mon adversaire se pavanait sur le plancher, les bras dressés dans le ciel, les yeux exorbités d'une joie puérile… Ce ne fut que sur le chemin du retour, dans l'autocar, que j'appris que le héros du jour s'appelait Gaston, qu'il était le fils aîné du maire d'Aïn Témouchent, qu'il ne pratiquait pas la boxe et qu'il venait de livrer son premier combat pour fêter l'anniversaire de son père, et que l'année prochaine, il s'offrirait peut-être un concours de natation ou bien un match de football au cours duquel ses coéquipiers s'arrangeraient pour qu'il marque le but de la victoire après que monsieur l'arbitre eut refusé ceux de l'équipe adverse.

DeStefano avait essayé de m'amadouer dans l'autocar. Je changeai de place chaque fois qu'il venait s'installer près de moi. De guerre lasse, il retourna s'asseoir au fond du bus et je sentis son regard posé sur ma nuque jusqu'à notre arrivée à Oran.

— Je te dis que je regrette, bon sang ! explosa-t-il à la descente du bus. Tu veux que je me jette à genoux devant toi ou quoi ? Je te jure que je n'étais pas au courant. Je croyais sincèrement que le boxeur était un champion local. Les organisateurs me l'avaient certifié.

— La boxe, c'est pas la messe, attesta Francis le pianiste pressé de voir DeStefano sortir l'enveloppe que le gars de la municipalité lui avait glissée dans la poche. Les chemins de la gloire sont pavés de trappes et de peaux de bananes. Là où il est question de pognon, le diable n'est jamais bien loin. Il y a des combats commandés, des combats truqués, des combats perdus d'avance, et, quand on est arabe, la seule façon de dissuader l'arbitrage partisan est de jeter au tapis son adversaire de façon qu'il ne se relève pas.

— C'est une affaire entre moi et mon champion, le coupa DeStefano, et on n'a pas besoin d'interprète.

— Entendu, fit Francis en posant un regard significatif sur la poche du coach.

DeStefano sortit l'enveloppe, en extirpa une liasse de billets de banque, fit le compte et distribua à chacun sa part. Tobias et Salvo filèrent aussitôt, contents de ne pas rentrer bredouilles malgré ma « défaite ». Francis resta sur place, peu satisfait de la somme qui lui revenait.

— Tu veux ma photo ? lui fit DeStefano.

Francis battit aussitôt en retraite.

— Les yeux plus gros que le ventre, ce Francis, maugréa DeStefano. J'ai partagé équitablement, et lui, parce qu'il sait ranger la paperasse et faire le dactylo, il croit mériter plus que nous autres.

— Je ne veux pas de ton argent, DeStefano. Tu peux le donner à Francis.

— Pourquoi ? C'est cinquante francs, bordel. Y en a qui vendraient leur belle-mère pour moins que ça.

— Pas moi. L'argent *haram*, ce n'est pas ma tasse de thé.

— Comment ça, *haram* ? Tu ne l'as pas volé.

— Je ne l'ai pas mérité, non plus. Je suis boxeur, pas comédien.

Je le laissai planté au milieu de la rue et filai rejoindre Gino, boulevard Mascara.

Gino affichait une mine des mauvais jours. Il n'avait pas levé la tête en m'entendant arriver. Attablé dans la cuisine, en tricot de peau et pieds nus, il trempait un bout de pain dans une omelette qu'il venait de retirer du feu. Depuis la mort de sa mère, mon ami multipliait les sautes d'humeur et ne faisait plus la sourde oreille lorsqu'on le provoquait. Son langage avait durci, son regard aussi. Par moments, j'avais le sentiment de le déranger, d'être de trop dans sa maison. Quand je claquais la porte pour retourner chez ma mère, il n'essayait pas de me rattraper. Le lendemain, c'était lui qui venait m'intercepter à la sortie de l'écurie. Il ne s'excusait pas de sa conduite de la veille et faisait comme si de rien n'était.

— Tu ne me demandes pas comment ça a été, à Aïn Témouchent ?

Gino haussa les épaules.

— Il ne manquait que Buster Keaton et un pianiste dans la salle.

— Je m'en fiche, dit Gino en s'essuyant la bouche dans une serviette.

— Tu me fais la gueule ?

Il cogna avec hargne sur la table.

— Comment as-tu osé laisser cette andouille me traiter de la sorte ? Je ne suis pas un chien. Tu aurais dû lui clouer le bec et exiger que je t'accompagne.

— C'est lui le patron, Gino. Qu'est-ce que je pouvais faire ? Tu as bien vu que je n'étais pas content.

— Je n'ai rien vu du tout. Cet étron m'a barré la route, et toi, tu as baissé la tête. Tu aurais dû insister pour qu'il m'autorise à t'accompagner à Aïn Témouchent.

— Je ne savais pas comment ça se passe. C'est la première fois que je livre un combat. J'ai pensé que DeStefano était dans son droit.

Gino voulut protester ; il renonça et repoussa son repas.

J'étais suffisamment en rogne pour ne pas tolérer les états d'âme de Gino. Je pivotai sur mes talons et dégringolai à toute vitesse l'escalier. J'avais besoin de me décrasser au hammam et de mettre de l'ordre dans mon esprit. Cette nuit-là, je la passai chez ma mère.

Je séchai les entraînements trois jours durant.

DeStefano chargea Tobias de me raisonner ; ce dernier n'avait pas besoin de se casser la tête ; bien au contraire, il me permit de ne pas perdre la face car je commençais à trouver le temps long et monotone. Je repris les chemins de l'écurie. Je montais sur le ring comme un cancre au tableau, ne m'appliquais guère pour me venger de la vacherie d'Aïn Témouchent. DeStefano mesurait le mal que son laxisme m'avait causé. Il m'en voulait de me conduire en idiot mais, craignant de compliquer les choses, il gardait sa peine pour lui. Pour se racheter, il négocia à droite et à gauche et parvint à me dénicher un adversaire sérieux, un gars de Saint-Cloud qui commençait à faire parler de lui. Le combat eut lieu dans un bourg, au milieu d'un champ rocailleux. Ce ne fut pas la grande foule, à cause d'un soleil caniculaire, mais mon adversaire avait ramené une bonne partie de son village. Il s'appelait Gomez et il me mit KO à la troisième reprise. Lorsque l'arbitre finit de compter, DeStefano jeta par terre son canotier et le piétina. Ce fut Tobias qui se proposa de me tirer les oreilles. Il vint me trouver dans la baraque où Gino m'aidait à me rhabiller.

— Tu es content de toi, maintenant ? me fit-il, les mains sur les hanches. Voilà où ça mène quand on sèche les entraînements. DeStefano t'a accordé plus d'attention que tu ne mérites. S'il avait jeté son dévolu sur Mario, nous n'en serions pas là.

— Qu'est-ce qu'il a de plus que moi, Mario ?

— De la retenue. De l'humilité. C'est quelqu'un qui réfléchit, Mario. Il connaît son affaire. Il a des idées, lui. Des idées tellement énormes que, lorsqu'il en a deux à la fois, l'une doit tuer l'autre pour pouvoir tenir dans son crâne.

— Parce que tu trouves que j'en ai pas, moi, des idées ?

— Si, mais elles sont si maigres qu'elles fondent d'elles-mêmes dans ta cervelle de moineau. Tu crois que t'es en train de punir DeStefano en perdant ton match ? Tu te goures, mon petit bonhomme. T'es en train de plomber ton horizon. Si t'as envie de retourner dans ton souk voir les ânes se faire bouffer par les mouches, c'est pas un problème. Tu fais ce que tu veux à condition de ne pas revenir te plaindre des mouches qui, cette fois, seront pour toi. DeStefano, lui, il finira bien par mettre la main sur un champion. Il n'y aura qu'un perdant, et ce ne sera pas lui.

Gino me tint le même langage une fois rentré à la maison. « Ce n'est pas honteux de perdre, me dit-il. Le scandale est de ne rien faire pour gagner. »

Je savais que j'avais eu tort, mais à quelque chose, malheur est bon. Ma cuisante défaite face à Gomez m'éveilla à moi-même. Touché dans mon orgueil, je me promis de me rattraper. Ce n'était plus DeStefano qui me courait après, mais l'inverse. Je m'entraînais deux fois par jour. Le dimanche, Gino m'emmenait sur la plage et me faisait cavaler sur le sable jusqu'au vertige.

Vers la mi-juillet, un boxeur militaire de la base navale de Mers el-Kébir accepta de m'affronter. On érigea le ring sur un quai, à l'ombre d'un gigantesque navire de guerre. Le parterre était jonché de matelots. Les officiers sanglés dans leurs uniformes de cérémonie occupaient les premiers rangs. La nuit tombée, des projecteurs illuminaient l'aire comme en plein jour. Le caporal Roger se présenta dans un peignoir blanc, un foulard tricolore autour du cou. Son arrivée déclencha l'hystérie. C'était un balaise tondu aux muscles saillants, l'épaule droite ornée d'un tatouage romantique. Il exécuta des pas de danse, salua la marée humaine qui le lui rendit fort bien. Le gong n'avait pas fini de vibrer qu'une avalanche de coups s'abattit sur moi. Le caporal voulait me mettre KO d'entrée. La main en entonnoir, ses camarades lui hurlaient de me tuer. Il y eut un terrible silence lorsque mon gauche l'atteignit à la tempe. Coupé net dans sa frénésie, le caporal chancela, le regard soudain vide. Il ne vit pas arriver ma droite et tomba à la renverse. Après un moment d'hébétude, des

« relève-toi » fusèrent çà et là avant de se répandre à travers la base navale. Trônant au milieu de sa caste, le commandant était à deux doigts de manger sa casquette. À la grande joie des militaires, le caporal s'arc-bouta contre le plancher et parvint à se relever. Le gong m'empêcha d'en finir avec lui.

Salvo glissa un tabouret sous mon séant et entreprit de me rafraîchir. La minute de pause se prolongea. Il y avait du monde dans le coin adverse, et l'arbitre faisait exprès de ne pas le déranger ; il laissait le caporal récupérer. DeStefano consultait ostensiblement sa montre pour rappeler son devoir au type qui s'occupait du gong. Le combat reprit lorsque le caporal daigna enfin s'arracher à son siège.

Hormis sa charge de buffle qui l'envoyait valdinguer dans les cordes, le caporal n'avait rien d'un foudre de guerre. Sa droite était molle, son gauche brassait du vent. Il avait compris qu'il ne faisait pas le poids et tentait de gagner du temps en me soumettant à des corps à corps éreintants. Je le mis KO au bout du quatrième round.

Bons perdants, les officiers nous convièrent au mess où un banquet nous attendait. Le festin était destiné à la victoire du champion local, que l'on croyait acquise d'office, et l'orchestre qui devait se produire ce soir-là laissa sur place ses instruments et ne se manifesta nulle part. La fête fut bien terne.

DeStefano planait. Notre querelle d'ego n'était plus qu'un lointain mauvais souvenir. Je repris les entraînements avec une détermination féroce, enchaînais avec succès deux combats en l'espace d'une quarantaine de jours, le premier à Médioni, contre un illustre inconnu, le second contre Bébé Rose, un beau garçon de Sananas qui s'écroula au troisième round, terrassé par une crise d'appendicite.

Dans la rue Wagram, les gosses commençaient à se

découvrir un héros ; ils me guettaient à la sortie de l'écurie pour m'acclamer. Les boutiquiers me saluaient en portant leur main à la tempe. Je n'avais pas encore ma photo sur le journal, mais, à Médine Jdida, une légende se ramifiait à travers les venelles, exagérée d'une bouche à l'autre jusqu'à friser le surnaturel.

3.

Gino m'annonça qu'un groupe de Gitans venu d'Alicante allait se produire à la Scalera et que pour rien au monde il ne raterait l'événement. Il me prêta une veste légère pour la soirée et nous sortîmes pour nous rendre au plus vite dans le Vieil Oran. Les tonneliers regagnaient leurs caves et les marchands ambulants remballaient leur arsenal. La nuit avait pris de revers la ville pendant que les badauds mettaient leurs pieds dans les pas du jour qui leur faussait compagnie. Ça a toujours été ainsi en hiver. Les Oranais s'habituaient aux longues journées d'été, et quand ces dernières s'écourtaient sans crier gare, ils perdaient un peu les pédales. Certains rentraient chez eux, machinalement, d'autres s'attardaient dans les troquets, faute de mieux, ensuite la nuit délivrait son monde à elle, et les rares ombres qui traînaillaient encore çà et là devenaient suspectes.

Nous avions traversé le Derb d'une seule foulée et rejoint la Casbah en empruntant des raccourcis. Gino était surexcité.

— Tu vas voir, c'est un sacré groupe. Il danse le meilleur flamenco de la terre.

Nous gravîmes plusieurs ruelles en escalier. Dans cette partie de la ville, il n'y avait pas de becs de gaz. Hormis les vagissements des bébés qui retentissaient par moments, le quartier paraissait mort. Puis, au bout du tunnel, un semblant de lumière ; une lanterne enfin crucifiée au fronton d'une masure rabougrie. Nous escaladâmes d'autres ruelles en escalier. Par intermittence, entre les échancrures des habitations, on apercevait les feux du port. Un chien aboya sur notre passage avant de se faire engueuler par son maître. Plus loin, un accordéoniste aveugle torturait son joujou à l'abri d'un auvent, debout dans son malheur telle une stèle. À côté de lui, veillant sur ses putains tapies dans l'ombre, un barbeau ventru, la vareuse ouverte sur le cran d'arrêt, dansait la polka. Petit à petit, la vie reprenait par endroits, et nous arrivâmes devant une sorte d'étable désaffectée où s'entassaient des familles entières venues assister au spectacle des gitans. La soirée avait commencé. Le groupe de musiciens occupait une estrade au fond de la salle tandis qu'une créature sublime moulée dans une robe rouge et noir, castagnettes aux doigts et chignon austère, martelait le sol de ses talons péremptoires. Il n'y avait pas de chaises vacantes, et les rares bancs qui s'alignaient au-devant de la scène croulaient sous leur monde. Nous prîmes place, Gino et moi, sur une bosse pour voir par-dessus les têtes et… que vis-je, là, sur un bout de terre battue, en train de singer la danseuse ? Je dus me frotter les yeux à plusieurs reprises pour être sûr que je n'hallucinais pas. Et c'était bien lui, tapant le sol à coups de talon frénétiques, remuant les hanches et les fesses dans des contorsions grotesques, bourré mais encore lucide, la chemise ouverte sur son torse d'ébène et la casquette à damier rabattue sur la figure… Sid Roho ! En chair et en os, toujours ravi de se donner en spectacle ! Il n'en crut pas ses yeux lorsqu'il me vit lui adresser de grands signes. Nous nous jetâmes dans les bras l'un de l'autre. Le chahut de nos retrouvailles fit tourner les spectateurs vers nous ; le doigt sur les lèvres et les sourcils froncés, ces derniers nous sommèrent de nous taire.

Sid Roho m'entraîna dehors et nous nous remîmes à nous embrasser dans des accolades homériques.

— Qu'est-ce que tu fiches par ici ? me demanda-t-il.

— J'habite Médine Jdida. Et toi ?

— J'ai une case à Jenane Jato. Pour le moment.

— Et tu t'en sors ?

— Je suis au four et au moulin, parfois dans le pétrin, mais je me débrouille.

— Tu te plais à Jenane Jato ?

— Tu parles ! C'est un coin dangereux. Un peu Graba, version citadine. Des castagnes à la pelle, et des meurtres de temps en temps.

Il parlait vite, Sid. Trop vite. Ses paroles se bousculaient dans sa bouche.

Il poursuivit, aigri :

— C'était moins risqué, à mon arrivée. Mais depuis qu'un ex-bagnard y parade au milieu d'une clique de chacals, la vie est devenue infernale. El Moro, qu'il s'appelle. Une gueule balafrée et laide à faire avorter une baleine. Tout le temps en train de chercher des poux aux chauves. Et si tu n'es pas content, il te saigne avec son Laguiole.

Soudain, il se ragaillardit :

— Je me suis taillé une légende. Eh oui ! Ton frangin, c'est pas un vitrier. Il faut qu'il marque son passage. On me surnomme le Djinn bleu… Et toi, qu'est-ce que tu deviens ? Tu as plutôt bonne mine et t'es costaud, dis donc. Tu bosses chez un boucher ?

— Je touche à tout, sans m'accrocher à rien. Tu as des nouvelles de Ramdane et de Gomri ?

— Ramdane n'a plus donné signe de vie. Il est retourné dans son douar et il a baissé le rideau derrière lui. Quant à Gomri, j'étais parti avant toi. J'ignore où il en est… Tu t'rappelles sa fiancée ? Il était le seul à lui trouver du charme. Une souris sous l'hypnose d'un serpent, qu'il était, Gomri. On l'aurait pincé au sang qu'on l'aurait pas réveillé. Il l'a peut-être épousée, après tout.

Après un silence, nous nous jetâmes de nouveau dans les bras l'un de l'autre. Grand, la figure ascétique, Sid Roho n'était plus qu'un squelette et son haleine avinée trahissait son naufrage. Il avait beau rire aux éclats, ses yeux ne suivaient pas. Il avait l'air d'une bête errante livrée aux coups bas du quotidien. Sans famille et sans repères, il se fiait à ses instincts, et c'est tout, à l'instar de ces loubards hagards qui filaient la comète à l'ombre des pertuis.

Je lui demandai s'il avait des projets, ce qu'il comptait faire de sa vie. Il s'était marré un bon coup avant de me confier qu'un gars comme lui n'avait pas plus de destin qu'un mouton sacrificiel et que, s'il se laissait aller au gré des saisons, c'était parce qu'il était un peu comme un arbre qui se dénude en hiver, ne se parant au printemps que pour amuser la galerie au lieu d'avancer dans la vie.

— Tu fais un rêve dans lequel tu es roi, fit-il amer. Au matin, quand tu reviens sur terre, la première chose qui te saute aux yeux fout en l'air ta couronne. Ton palais n'est qu'un taudis où les rats se font passer pour des animaux fabuleux. Tu te demandes si ça vaut la peine de te lever puisque ce que tu as connu la veille t'attend dehors, mais tu n'as pas le choix. Il faut débarrasser le plancher. Alors, tu sors et tu te perds dans la nullité.

— Je te connaissais plus coriace.

— Possible. À l'usure, on ne couillonne que soi-même. Le dieu qui m'a créé n'avait pas une idée précise sur mon cas. Il m'a rangé dans un placard et je n'en peux plus de prendre la poussière.

— Tu retombais toujours sur tes pattes avant ?

— Oui, mais je ne suis plus un enfant. J'ai atteint l'âge des vérités, et elles ne sont pas bonnes à regarder en face. J'ai rencontré une fille, me raconta-t-il brusquement. Une

Tlemcenienne de chez nous, blonde comme une boucle de soleil. J'étais prêt à me ranger, je te jure. Elle s'appelait Rachida. Elle a dit à sa cousine : « Sid apporte de la lumière dans mon existence. » Sa cousine a ri en s'écriant : « Et quand tu éteins, tu fais comment pour retrouver ton Noir dans le noir ? Surtout s'il ferme les yeux ? »… Je n'ai plus revu Rachida.

— Tu as eu tort.

— C'est des paroles qui vandalisent tout en toi, Turambo.

— Je te croyais plus fort.

— Seules les bêtes de somme sont fortes. Parce qu'elles ne savent pas se plaindre.

Il m'avoua qu'il n'attendait rien des lendemains, que les dés étaient jetés et que, s'il feignait de s'amuser comme ce soir, c'était simplement pour faire contre mauvaise fortune bon cœur.

— Chawala disait : « La vie n'est rien du tout, c'est à nous d'en faire quelque chose », lui rappelai-je.

— Chawala était un désaxé, il n'avait même pas de vie à lui.

Son ton était imprégné de dépit chagrin et ses gestes ponctuaient ses propos de réflexes acérés.

Un ivrogne, que nous n'avions pas remarqué dans l'obscurité, montra le bout de son nez dans un rai de lumière et s'adressa à Sid, la voix pâteuse :

— Excuse-moi, p'tit. J'écoute pas aux portes, mais j'suis pas sourd. Tes histoires me font de la peine sauf que t'as un atout dans la manche : la jeunesse. Crois-moi, ce sont ceux qui en bavent jeunes qui vieillissent aguerris. À mes trente ans, je roulais sur l'or. Aujourd'hui, à soixante balais, je patauge dans la merde. Rien n'est tout à fait acquis, et aucune misère n'est insurmontable. La belle vie, c'est du bluff. On rigole en se mentant, on se la coule douce en sombrant, et on se fout des autres comme on se fout de soi. Mais la dèche, c'est du sérieux. Tu en prends plein la gueule, et ça te tient en éveil. Si tu dis pouce ! personne ne t'entend. Tu apprends à ne compter que sur toi.

Sid Roho n'était pas convaincu. Il maugréa :

— J'ai vu vivre les rupins, moi. De loin, c'est vrai, mais je les ai vus s'en mettre plein les poches et danser autour de leur festin. Eh bien, sauf ton respect, je donnerais l'ensemble de mes jeunes années pour une seule de leur nuit.

Nous étions restés longtemps assis sur une dalle, à sauter du coq à l'âne. Derrière nous, le groupe de gitans cassait la baraque. On entendait des acclamations, des applaudissements, mais quelque chose nous empêchait, Sid et moi, de savourer la fête.

Gino nous rejoignit un peu plus tard. Ne me voyant pas revenir dans la salle, il avait imaginé le pire. Il fut soulagé de me trouver sain et sauf. Je lui présentai Sid. Et, tous les trois, nous décidâmes que c'était l'heure de rentrer.

En chemin, Sid taquina quelques putains avant de céder aux propositions d'une grosse racoleuse aux mamelles débordantes. Nue sous son voile de tulle, il lui avait suffi de montrer une tranche de son postérieur éléphantesque pour que Sid nous largue sur place en me donnant rendez-vous au café *Haj Ammar*, à l'entrée du marché arabe.

Je revis Sid le lendemain, et les semaines suivantes. Nous passions nos journées à vadrouiller dans les faubourgs ou bien à écumer les marchés aux puces. Parfois, il m'accompagnait à l'écurie, chez DeStefano, sauf qu'il n'était pas là à la fin de mes entraînements. Il ne vint pas, non plus, à mon match contre Sollet dont l'entraîneur fut forcé de jeter l'éponge au cinquième round. DeStefano avait convié du monde pour fêter ma sixième victoire d'affilée, et Sid avait refusé de se joindre à nous en prétextant des affaires urgentes. En réalité, il n'aimait pas beaucoup que je fréquente les roumis. Il n'osait pas me le reprocher ouvertement et avait attendu de se bourrer un soir pour me déclarer : *Un type qui a le cul entre deux chaises finit à l'usure par choper une fissure anale.* J'étais loin de soupçonner que l'allusion m'était destinée.

Au début, Sid donnait l'impression de n'avoir pas changé d'un iota. Il était drôle, un peu écervelé, mais attachant, par moments fascinant… Je ne tardai pas à déchanter. Sid n'était plus le même. Oran l'avait rendu plus timbré encore. Il me rappelait de moins en moins le môme que j'avais adoré à Graba, le fameux LeBouc qui riait à propos de n'importe quoi, y compris de ses déconvenues, qui trouvait le mot juste pour me remonter le moral et qui avait une longueur d'avance sur nous tous. Ce Sid-là, c'était de l'histoire ancienne. Le nouveau Sid avait le feu au derrière, le feu dans les yeux et le feu sur le bout de la langue. J'ignorais s'il avait mûri ou bien s'il s'était avarié ; dans les deux cas de figure, il me tracassait.

— Pourquoi tu t'es mis à boire ? l'avais-je apostrophé une nuit tandis qu'il sortait d'un tripot, dépoitraillé et chavirant.

— Pour avoir le courage de me regarder dans une glace, avait-il répondu du tac au tac. Lucide, je me détourne vite.

Je n'étais pas d'accord avec ce qu'il était en train de devenir. Je lui avais rappelé qu'il était musulman, et qu'un homme se doit de rester sobre pour ne pas perdre pied. Sid avait fulminé contre moi en hurlant alors que nous étions dans un quartier arabe :

— Dieu ferait mieux de dresser l'inventaire des saloperies sur terre au lieu d'espionner un raté qui se noie dans un verre.

J'avais dû lui mettre mes deux mains sur la bouche pour le museler car ce genre de propos était capable de déclencher une tornade dans nos quartiers. Sid m'avait mordu pour se libérer et avait continué de blasphémer à tue-tête sous le regard torve des badauds. J'avais bien cru qu'on allait nous lyncher sur place.

Je l'avais plaqué contre un mur et lui avais dit :

— Trouve du boulot et trace-toi une voie saine dans la vie.

— Tu crois que je n'ai pas essayé ? La dernière fois, j'ai frappé à la porte d'un grossiste. Tu sais comment il m'a accueilli, ce fils de pute de grossiste ? Est-ce que tu as la moindre idée sur comment il m'a accueilli, ce porc gras et cramoisi ? Il s'est signé ! Il m'a sorti sa bondieuserie de signe de la croix comme une bigote qui croise un chat noir sur son chemin la nuit ! Tu t'rends compte, Turambo ? Avant même que j'aie franchi le seuil de son magasin, il s'est signé. Et quand j'ai proposé mes services, il les a balayés de la main et il m'a dit que c'était déjà une chance que je n'aie pas de chaînes aux pieds et un os en travers les naseaux. Tu te rends compte ? Je lui ai dit, au grossiste, que j'étais fils d'un imam et fils de mon pays. Il a rigolé, le grossiste, et il a dit : « Qu'est-ce qu'il sait foutre, ton négro de géniteur, à part engrosser ta mère et torcher les chiens de ses maîtres ? » Et il a ajouté qu'il n'avait pas de bonniche à marier, et pas de chiens chez lui. Il était fier de sa formule. La trouvaille du siècle. D'où est-ce qu'il connaît mon père, hein ? Il en serait mort sur le coup, mon père, s'il avait entendu ça, tellement il était pieux, et tellement il avait de la considération pour ma mère. Tu vois ? Turambo. On ne vaut pas tripette, de nos jours. On nous insulte et on s'étonne que ça nous fasse mal comme si on n'avait pas droit à un gramme d'amour-propre. Si c'est pour essuyer des crachats pareils, je préfère garder mes distances. Il n'y a rien pour moi, Turambo. Ni sur terre ni au ciel. Alors je prends ce qui appartient aux autres.

— Il y en a qui ont réussi, parmi les nôtres. Des médecins, des avocats, des hommes d'affaires…

— Ah oui ! Écarte tes œillères, mon gars. Vise-moi ces

masses qui gueusent autour de toi. Tes héros n'ont même pas droit à la citoyenneté. C'est notre pays, la terre de nos ancêtres, et on nous traite en étrangers et en esclaves ramenés des savanes. Tu ne peux même pas te rendre sur une plage sans qu'on te plaque à la figure un panneau qui te signale que l'endroit est interdit aux bicots. J'ai vu un caïd révéré dans sa tribu se faire traiter de bougnoule par un simple guichetier blanc. Il faut savoir faire la part des choses, Turambo. Les évidences crèvent les yeux. Tu as beau les maquiller, leur vérité transperce leur camouflage… Je refuse de n'être qu'une souffrance. Un bicot ne bosse pas, il se fait emmancher sec jusqu'à la gorge, et je n'ai pas le trou du cul assez élastique. Puisque personne ne me fait de cadeau, je m'invente des fêtes là où ça m'arrange. La faim et le dénuement m'ont éveillé à cette philosophie : vis comme ça vient, et si ça ne vient pas, va chercher, Rex !

J'avais le sentiment de flirter avec un pyromane.

Sid avait choisi un chemin qui n'était pas le mien. Il m'épouvantait. Un soir, il s'était tout bonnement déguisé en fille (il avait enfilé un *haïk*) et il s'était faufilé dans un hammam pour mater les femmes à poil. Après s'être chargé les batteries à bloc, il était parti dans les immeubles chercher une vierge à inverser dans la buanderie. C'était de la pure folie. Il aurait pu se faire massacrer dans une cage d'escalier. À Médine Jdida, on se faisait zigouiller pour des étourderies vénielles. Mais Sid Roho refusait de s'assagir. L'air de la ville lui montait à la tête comme une bouffée d'opium, sauf que LeBouc ne dégrisait point. Il ne voyait les choses qu'à travers ses « prouesses », mettant ainsi au même niveau le vol d'un fruit et l'honneur des gens. Son assurance morbide l'aveuglait au point où plus il effleurait la catastrophe, plus il la réclamait à cor et à cri. Il buvait là où il ne fallait pas, ce qui constituait un outrage aux mœurs musulmanes, volait au su et au vu de tout le monde, osait aller draguer dans les quartiers hostiles aux étrangers, aigri et suicidaire, constamment prêt à se mettre en danger. Je me demandais si Rachida et sa cousine ainsi que le grossiste n'étaient que de vilains prétextes qu'il s'était inventés, de grosses pierres qu'il s'était attachées aux pieds pour couler profond sans espoir de remonter. Il paraissait à son aise dans sa descente aux enfers, à croire qu'il éprouvait un malin plaisir à se venger de lui-même en se rangeant du côté de son malheur. Il avait assurément un tas de raisons pour se conduire de la sorte, mais qu'est-ce qu'une raison sinon, parfois, un tort qui nous arrange ?

Ne tenant pas à être témoin de son lynchage imminent, certain que tôt ou tard il se prendrait à son propre piège, je me mis à décliner ses « invitations » et à espacer nos retrouvailles.

Sid Roho ne tarda pas à s'en apercevoir.

Un matin, il m'intercepta à hauteur du lycée des filles. J'aurais mis ma main au feu que mon cher compagnon n'était pas là par hasard.

— Tiens, Turambo, feignit-il. J'étais justement en train de penser à toi.

— J'ai rendez-vous avec le patron d'un dépôt. Il va me mettre à l'essai. Gino est déjà sur place pour m'introduire.

— Ça t'ennuierait si je partageais une trotte avec toi ?

— À condition de ne pas me ralentir. Je suis en retard.

Nous nous dépêchâmes vers la place de la Synagogue. Sid Roho me dévisageait du coin de l'œil. Mon allure et mon silence le turlupinaient.

Arrivés devant une mercerie, place Hoche, il me stoppa de la main.

— Tu me reproches quelque chose, Turambo ?

— Pourquoi cette question ?

— Depuis quelques semaines, tu te débrouilles pour m'esquiver.

— Tu te fais des idées, mentis-je. Je cavale après un job, c'est tout.

— C'est pas une raison. On est amis, non ?

— Tu resteras toujours mon ami, Sid. Mais j'ai une famille, et j'ai honte de vivre à ses crochets. Je marche sur mes vingt-deux ans, tu comprends ?

— Je vois.

— Je suis en retard.

Il opina du chef et ôta sa main de mon épaule.

Sous la statue du général, un aveugle jouait de l'orgue de Barbarie. Sa musique conférait à la détresse de mon ami quelque chose d'irréversible.

Un pâté de maisons plus loin, de nouveau tarabusté par mon silence, Sid revint à la charge :

— Sûr que tu me reproches quelque chose, Turambo. Je veux savoir quoi.

Je le regardai droit dans les yeux. Il paraissait déconcerté.

— Tu veux la vérité, Sid ? Tu es en train de marcher à côté de tes pompes.

— J'ai longtemps marché pieds nus.

— Justement. Tu n'as pas l'air de t'en rendre compte.

— Me rendre compte de quoi ?

— Qu'il est temps pour toi de te ranger.

— Pourquoi galérer quand on peut se servir, Turambo ? J'ai tout ce qu'il me faut. Il me suffit de tendre la main.

— On finirait par te la couper.

— Je m'offrirais une prothèse.

— Je vois que tu as réponse à tout.

— Il suffit de demander.

— Ma mère dit que lorsqu'on a réponse à tout, il ne nous reste plus qu'à mourir.

— Mon père disait à peu près la même chose, sauf qu'il est mort sans avoir trouvé de réponse à quoi que ce soit.

— D'accord. Apparemment, je perds ma salive à ce dialogue de sourds. Il faut que je rejoigne Gino, maintenant.

— Gino, Gino… Qu'est-ce que tu lui trouves d'intéressant, à ce Dji-i-no ? Il n'est même pas drôle, cet enfoiré, et il rougit quand son regard tombe par mégarde sur le derrière d'une roulure.

— Gino est quelqu'un de bien.

— Ça ne l'empêche pas d'être chiant.

— Laisse tomber, Sid. Un ami n'est pas forcé de déconner pour mériter d'être considéré comme tel.

— Tu crois que je déconne pour cette raison ?

— Je n'ai pas dit ça. Gino m'a beaucoup aidé. Des types comme lui, c'est une denrée rare, et je tiens à la conserver.

— Holà ! Je ne suis pas en train de te remonter contre lui.

— Je n'en doute pas une seconde, Sid, pas une seule petite seconde. Personne ne peut me remonter contre Gino.

Il s'arrêta net.

Je continuai mon chemin. Sans me retourner. Loin de me douter que c'était la dernière fois que je prenais congé de lui.

Un malaise s'ancra en moi. En essayant de raisonner Sid, je l'avais blessé. Je m'en rendais compte au fur et à mesure que je m'éloignais. Je me surpris à ralentir l'allure, puis à marquer le pas tous les dix mètres avant de m'arrêter au coin de la rue. Pas question de se séparer sur un malentendu, me dis-je. Sid ne m'avait jamais rien refusé, et il avait toujours été à mes côtés.

Je rebroussai chemin en courant…

Le Djinn bleu s'était volatilisé.

J'avais cherché Sid à Jenane Jato, à Médine Jdida, dans les zincs où il avait ses habitudes sans retrouver sa trace.

Au bout d'une semaine, je laissai tomber. Sid Roho était sûrement quelque part à faire le malin, nullement affecté par ma dernière sortie. Il ne savait pas tenir rigueur à quelqu'un, encore moins à un ami. Il finirait bien par se manifester, et même si ce n'était pas ce qu'il souhaiterait, je lui demanderais pardon. Il balaierait mes excuses du revers de la main et, roublard impénitent, il m'entraînerait dans son sillage à travers mille satanées dérives.

Les choses se passèrent autrement pour mon ami.

J'appris, plus tard, que je n'étais pas la cause de la disparition du Djinn bleu. Quelqu'un lui avait lancé un défi, et Sid l'avait saisi au vol. Il avait promis de chiper son poignard à El Moro en plein jour et au beau milieu du souk. L'ancien bagnard aimait plastronner sur la place, le poignard sous le ceinturon. Il l'exhibait comme un trophée. Et Sid rêvait de l'en déposséder.

Il fut pris la main sur la garde.

Il eut droit à une épouvantable raclée, ensuite, il fut traîné derrière le fourré et violé par le bagnard et trois de ses sbires à tour de rôle.

À cette époque, l'honneur d'un homme rejoignait la virginité chez la fille en ce verdict sans appel : on le perdait une seule fois, et pour toujours.

Depuis, plus personne ne revit Sid.

4.

Nous étions dans le box à discuter de mon prochain combat quand Tobias poussa la petite porte cartonnée. Il n'eut pas le temps d'annoncer les visiteurs. Ces derniers, deux individus tirés à quatre épingles, le bousculèrent et investirent le réduit.

— C'est toi, DeStefano ? demanda le plus grand.

DeStefano ôta ses pieds du bureau pour corriger son attitude. Les visiteurs ne lui disaient rien, cependant il était clair qu'ils n'étaient pas n'importe qui. Le grand devait avoir la cinquantaine. Il était mince, le visage en lame de couteau et le regard froid. L'autre, court sur pattes, paraissait sur le point de faire voler en éclats son costume de monarque ; il portait une énorme chevalière au doigt et tétait un imposant cigare.

— Qu'est-ce que je peux faire pour vous ? s'enquit DeStefano.

— Ne te donne pas cette peine, grogna l'homme au cigare. D'habitude, c'est moi qu'on sollicite.

— Et vous êtes monsieur… ?

— Tu peux m'appeler Dieu le Père si ça t'amuse. Je crains que ça ne suffise pas à t'absoudre de tes péchés.

— Dieu est clément et miséricordieux.

— Seulement celui des musulmans.

Il nous dévisagea tous les trois – Francis, DeStefano et moi, Tobias s'étant retiré – l'un après l'autre, dans un silence d'avant la tempête. Il était difficile de savoir à qui on avait affaire, à des gangsters ou bien à des banquiers. DeStefano avait du mal à rester assis sur sa chaise. Il se leva sans gestes brusques, les yeux aux aguets.

L'homme au cigare retira brusquement sa main de sa poche et la tendit à DeStefano, le prenant de vitesse. DeStefano se jeta en arrière avant de comprendre qu'on ne le braquait pas.

— Mon nom est Michel Bollocq.

— Et qu'est-ce que vous faites dans la vie, monsieur Bollocq… ?

— La pluie et le beau temps, grogna l'autre individu visiblement agacé que le nom de son compagnon ne nous dise rien.

— Ce n'est pas une mince affaire, ironisa DeStefano.

— Je ne te le fais pas dire, dit Michel Bollocq. J'ai rancard et je suis pressé. Allons vite à l'essentiel : je viens traiter avec vous. J'ai assisté au dernier match, et ton poulain m'a laissé une excellente impression. Jamais vu un gauche aussi rapide et percutant. Une vraie torpille.

— Vous êtes dans la boxe, monsieur ?

— Entre autres.

Il me considéra de guingois, mordilla dans son cigare et s'approcha de moi.

— Je vois que tu t'intéresses plus à mon costard qu'à mes propos, Turambo.

— Vous êtes très chic, monsieur.

— Rien que le pardessus, il coûte la peau des fesses, mon gars. Mais tu peux te l'offrir un jour. Ça ne dépendra que de toi. Peut-être même que tu peux t'en offrir plusieurs, de différentes couleurs, et taillés sur mesure chez le meilleur couturier d'Oran, ou de Paris, si ça te chante, bien que nous n'ayons pas grand-chose à envier à personne… Tu aimerais un couturier d'Oran ou de Paris, toi ?

— Je ne sais pas, monsieur. Je ne connais pas Paris.

— Eh bien, moi, je te l'apporterais sur un plateau, tout grand Paris qu'il est. Et tu pourrais t'y balader dans un costard comme celui-là, avec une fleur rouge à la boutonnière assortie à la cravate en soie, des boucles de manchettes en or incrusté de diamants, une chevalière de cent grammes au doigt, et des chaussures en peau de serpent tellement classe que n'importe quel lèche-cul se ferait un bonheur de passer la langue dessus.

Il alla à la fenêtre contempler l'arrière-cour, les mains derrière le dos et le cigare au bec.

Le deuxième visiteur se pencha sur DeStefano et lui dit de façon à être entendu par nous tous :

— M. Bollocq est le Duc.

DeStefano pâlit. Sa pomme d'Adam joua au yoyo dans sa gorge. Il bredouilla, la voix à peine audible, presque rampante :

— Je suis sincèrement navré, monsieur. Je n'ai pas cherché à vous manquer de respect.

— Ce serait trop con, l'avertit le nabab sans se retourner… Et si on parlait de choses sérieuses ? D'après ce que je viens de constater à l'instant, c'est pas la joie par ici. Même un fugitif avec la mort aux trousses renoncerait à se planquer dans ton foutu chapiteau. Ton écurie bat de l'aile, tes coffres sont de toute évidence pleins de toiles d'araignées, et ton ring laisse à désirer…

— Nous manquons de fonds, monsieur, intervint Francis, mais nous avons de l'ambition à ne savoir où l'engranger.

— Voilà qui compense bon nombre de misères, admit le nabab en soufflant sa fumée sur la vitre criblée de chiures de mouches. J'aime bien les paumés qui pataugent dans la merde en gardant la tête dans les nuages.

— Je n'en doute pas, monsieur, dit DeStefano en décochant un regard noir à Francis.

— On cause affaires, maintenant ?

— Je suis tout ouïe ! s'écria presque DeStefano en

poussant un fauteuil à tubes chromés dans la direction du nabab.

J'avais entendu parler du Duc. C'est le genre de nom que l'on n'est pas forcé de retenir puisqu'il évoluait en hautes sphères, c'est-à-dire dans un monde abstrait pour les gens de notre condition, mais qui, une fois perçu, s'imprime dans le subconscient et y reste tapi à la manière des agents dormants. À la première évocation, il revient au galop. Dans le milieu, on baissait la voix quand on le citait au hasard des conversations. Par instinct. Le Duc était une huile de premier choix ; il possédait des actions dans tout ce qui rapportait à Oran et suscitait autant de crainte que d'admiration. La nature exacte de ses affaires, ses lieux de prédilection, ses fréquentations, c'était selon. Pour beaucoup, le Duc était une escale éphémère dans les verbiages oiseux, à l'image du préfet, du gouverneur ou du pape, une sorte de personnage de fiction qui alimentait la rumeur ou le fait divers et qu'on n'était pas près de croiser un jour sur son chemin. Le voir en chair et en os me fit un curieux effet. Les manitous dont on parle ressemblent rarement à l'idée que l'on se fait d'eux. Lorsqu'ils descendent de leur nuage et atterrissent à vos pieds, ils vous déçoivent un peu. Trapu, les épaules voûtées et la brioche sur les genoux, le Duc rappelait le bouddha que j'avais entrevu chez un brocanteur, place Sébastopol. Il en avait le même air grave et grognon. Son visage rond et luisant, sans doute pommadé, retombait sur les côtés en bajoues ramollies avant de se relever en menton volontaire presque insolite dans la masse de graisse. Ses mains velues posées sur le devant des accoudoirs évoquaient des tarentules à l'affût d'une proie et ses yeux, à peine perceptibles par-dessus les pommettes trop hautes, jetaient des éclairs qui vous traversent comme des fléchettes de sarbacane. Cependant, le voir assis dans un fauteuil crevé, dans notre réduit délabré, rue Wagram où les gens de bonne famille ne s'aventuraient guère, c'était pour nous un immense privilège. Notre écurie n'était pas cotée. Elle ne produisait plus de champions depuis des lustres et les amateurs de la boxe la snobaient en la qualifiant de « fabrique de têtes à claques ». Le fait qu'un notable de la stature du Duc l'honore de sa présence constituait, à lui seul, une réhabilitation.

Le Duc tira sur son cigare et envoya la fumée au plafond.

Son regard autoritaire se posa sur moi.

— Ça veut dire quoi au juste, Turambo ? C'est pas un blaze de chez nous… J'ai demandé à des amis instruits, et personne ne m'a expliqué.

— C'est le nom de mon village natal, monsieur.

— Jamais entendu parler. C'est en Algérie ?

— Oui, monsieur. Du côté de Sidi Bel Abbes, sur la colline des Xavier. Mais il a disparu depuis. Une crue l'a emporté, il y a sept ou huit ans.

L'autre visiteur, qui n'avait pas bougé de sa place depuis qu'il était entré, étira les lèvres en se grattant le menton.

— Je crois savoir de quoi il s'agit, Michel. Il veut sûrement parler d'Arthur-Rimbaud, une bourgade qui a été engloutie par un glissement de terrain au début des années vingt du côté de Tessala, non loin de Sidi Bel Abbes. La presse de l'époque en avait parlé.

Le Duc considéra son cigare, le fit tourner entre le pouce et l'index, un rictus au coin de la bouche.

— Arthur-Rimbaud, Turambo… quel raccourci ! Je comprends maintenant pourquoi, avec les Arabes, on ne frappe jamais à la bonne adresse.

Il s'adressa à DeStefano :

— J'ai assisté aux trois derniers combats de ton poulain. Lorsqu'il a étalé Luc au deuxième round, j'ai dit que Luc avait pris de l'âge et qu'il était temps pour lui de raccrocher. Puis ton poulain a dégommé Miccellino en une minute vingt. Je n'ai pas très bien pigé. Miccellino est un dur à cuire. Il avait remporté ses sept derniers combats. Avait-il été cueilli à froid ? Peut-être… Mais j'avoue que j'ai été impressionné. J'ai voulu en avoir le cœur net et j'ai tenu à assister au match contre le Bègue. Et là encore, ton poulain m'a laissé bouche bée. Le Bègue n'a pas tenu trois rounds. C'est énorme. C'est vrai, il a trente-trois ans, il touche aux putes et à l'alcool, et il sèche les entraînements, mais ton poulain n'en a fait qu'une bouchée, j'ai été sur le cul. Alors, mon conseiller Frédéric Pau, ici présent (il montra son compagnon d'une main révérencieuse), m'a proposé de miser sur ton poulain, DeStefano. Il est persuadé que c'est un bon placement.

— Il n'a pas tort, monsieur.

— Le problème, j'ai horreur de me tromper sur la marchandise et je déteste perdre.

— Vous avez raison, monsieur.

— Voilà ce que je propose. À ma connaissance, ton champion va affronter le Rojo dans trois semaines à Perrégaux. Rojo est jeune, puissant, sérieux. Il vise le titre de champion d'Afrique du Nord, ce qui n'est pas une sinécure. Il s'est déjà débarrassé de Dida, Bernard Holé, Félix, et ce sacré concasseur de Sidibba le Marocain. J'étais à deux doigts de le parrainer, mais Turambo s'est illustré ces derniers mois et je me suis dit que la prochaine confrontation décidera de mon choix. Si Turambo gagne, il sera mon protégé. Sinon, ce sera le Rojo. Me suis-je bien fait comprendre, DeStefano ?

— Je serais ravi de travailler pour vous, monsieur.

— Pas si vite, mon vieux. Le ring n'a pas encore tranché.

Le Duc jeta son cigare par terre, se leva et sortit, talonné de près par son conseiller.

Nous restâmes sans voix pendant deux longues minutes

avant que DeStefano ne se mette à s'éponger dans un mouchoir.

— Tu sais ce qu'il te reste à faire, me dit-il. Si le Duc nous prenait sous son aile, le sort lui-même ne pourrait pas nous atteindre. Ce type est une manne céleste. Quand il mise sur un chat, il en fait un tigre. Ça te botterait de te saper comme un nabab, Turambo ?

— Ça me changerait bigrement des guêtres qui s'écaillent sur ma peau.

— Alors, botte-moi le cul de ce fanfaron de Rojo.

— Je vais me gêner. La chance ne sourit qu'une fois, et je n'ai pas l'intention de la laisser me filer entre les doigts.

— C'est la plus sage résolution que j'aie entendue de toute ma putain de vie, me confia-t-il en me serrant dans ses bras.

Gino me trouva sur la terrasse d'un café, à Médine Jdida, une théière coiffée de menthe fraîche sur la table. Il prit place à côté de moi, se versa trois doigts de thé dans mon verre qu'il porta avec désinvolture à ses lèvres. En face de nous, sur l'esplanade, des acrobates marocains en caleçon s'adonnaient à des pirouettes stupéfiantes.

— Devine qui nous a rendu visite aujourd'hui.

— J'ai un peu de migraine, me fit-il avec lassitude.

— Le Duc.

Cela le réveilla tout à fait.

— Waouh !

— Tu le connais ? Il paraît qu'il est plein aux as.

— Pour ça, il n'y a pas de doute. Il est tellement riche qu'il engage des gens pour crotter à sa place.

— Il est venu me dire que si je gagnais contre le Rojo, il me prendrait sous son aile.

— Alors, il faut gagner… Mais fais gaffe, s'il te propose un contrat, ne signe rien sans ma présence. Tu n'es pas instruit et ce gars pourrait te passer une laisse que même un chien ne voudrait pas.

— Je ne signerai rien sans toi, je te le promets.

— Si les choses aboutissaient pour toi, je quitterais l'imprimerie pour m'occuper de tes affaires. Tu commences à devenir important. Tu aimerais que je sois ton manager ?

— Je t'engage tout de suite, et on partagera moitié-moitié.

— Un simple salaire suffirait… disons dix pour cent.

Nous nous serrâmes la main pour conclure et éclatâmes de rire, amusés par nos fantasmes.

Le Duc tint à ce que nous arrivions à Perrégaux frais et en pleine forme. Il nous envoya un taxi, rue Wagram. Nous nous y entassâmes à cinq, Francis et Salvo sur les strapontins, Gino, DeStefano et moi sur la banquette arrière. Le chauffeur était un petit bonhomme coincé, la casquette enfoncée jusqu'aux oreilles, tellement minuscule derrière son volant que l'on se demandait s'il voyait la route. Il conduisait lentement, roide et sinistre, à croire qu'on se rendait à un enterrement. Lorsque Salvo tentait de détendre l'atmosphère en racontant des gaudrioles, le chauffeur se tournait vers lui et, d'un regard glacé, l'invitait à plus de retenue. Ignorant s'il s'agissait du chauffeur attitré du Duc ou bien d'un « taxieur » ordinaire, DeStefano ne voulait pas prendre de risque, mais il n'appréciait guère que l'illustre inconnu nous apprenne les bonnes manières.

C'était un beau jour de mai. L'été précoce n'avait pas tout à fait déballé son paquetage que déjà les collines déroulaient leurs carpettes blondes. Les fermes étincelaient sous le soleil. Les champs et les vergers annonçaient en grande pompe la couleur : les vaches seront bien grasses cette année. Nous avions pris la route de Saint-Denis-du-Sig en passant par Sidi Chami, au grand dam de Francis qui ne comprenait pas pourquoi on devait faire un tas de détours alors que la voie était toute tracée à partir de Valmy. Le chauffeur nous précisa que c'était là l'itinéraire arrêté par le Duc lui-même… Il était 9 heures du matin. Une cohorte de femmes voilées escaladait un sentier de chèvres en direction d'un marabout, la marmaille en file indienne clopinant loin derrière. Je levai les yeux sur le tombeau du saint dressé au sommet d'un mamelon et fis un vœu en mon for intérieur. Je n'avais pas bien dormi malgré les tisanes de ma mère. Mon sommeil avait été entrecoupé de rêves tourmentés et de grosses suées ; à mon réveil, j'avais la tête dans un chaudron.

En face de moi, Francis jubilait, les prunelles en fête. En catimini, il se frottait le pouce contre l'index en battant des sourcils pour m'amuser. Il ne pensait qu'à l'argent, Francis, mais le voir excité de cette façon tempérait l'angoisse qui me tenaillait. Gino contemplait le paysage, les poings crispés. J'étais certain qu'il était en train de prier pour moi. Quant à DeStefano, il fixait obstinément la nuque tailladée du chauffeur comme s'il cherchait à la faire fondre du regard.

Perrégaux apparut à un virage. C'était un gros village vautré au milieu de sa plaine matelassée de vergers. Au loin, çà et là, des flaques de marécages nacrés miroitaient. Sur le bord de la route jalonnée de ficus, des charretiers arabes proposaient leurs cueillettes tandis que des gamins, des bidons remplis d'escargots, attendaient patiemment des acheteurs. À l'intérieur d'un champ, une fontaine thermale glougloutait, enveloppée de vapeurs blanches. Un gros colon flanqué d'un molosse observait un âne en train de tourner autour d'une bourrique en chaleur. J'avais le sentiment de retrouver une à une les fulgurances de ma campagne natale.

Le taxi ralentit à l'entrée du village, cahota sur la voie ferrée avec une prudence telle qu'il manqua de caler.

DeStefano consulta sa montre ; nous avions une heure de retard.

Frédéric Pau, le conseiller du Duc, nous guettait sur le perron de la mairie. Lui aussi extirpa sa montre de la pochette de son gilet et regarda dedans significativement lorsqu'il reconnut notre taxi. Il était à la fois en rogne et soulagé de nous voir enfin arriver. Le trottoir était encombré de voitures jusqu'à la poste. Le chauffeur choisit de se ranger sous les palmiers de la place de France, à proximité du marché couvert. Des curieux vinrent nous reluquer de près. Quelqu'un cria : « C'est lui, le boxeur d'Oran. Il va se faire déboulonner en moins de temps par notre Rojo. » Deux agents de l'ordre, dépêchés par on ne savait qui, nous frayèrent un passage dans la ribambelle de mioches qui s'était mise à criailler à notre descente du véhicule.

— Je commençais à me faire du mauvais sang, s'écria Frédéric Pau. Où étiez-vous passés, bon sang ? On vous attend depuis plus d'une plombe.

— C'est à cause du conducteur, dit DeStefano, le pouce par-dessus l'épaule. Vous l'avez recruté dans une pompe funèbre ?

— C'est le boss qui a insisté pour qu'il vous ramène ici en entier, mais il ne faut pas exagérer. Bon, dépêchons, on s'impatiente à l'intérieur.

Le Duc se prélassait dans un fauteuil, face au bureau du maire, le cigare vissé au coin de la bouche. Il portait un costume en lin blanc, un chapeau et des mocassins de la même couleur. Il ne se leva pas pour nous accueillir et se contenta de tendre le bras vers l'homme assis derrière le bureau.

— Je vous présente M. Tordjman, le saint patron de la ville.

— N'exagérons pas, Michel, dit le maire sans bouger de sa place, je ne suis que l'humble serviteur de ces lieux. Et si on allait manger, maintenant ?

— À condition de nous prêter un goûteur assermenté, lui dit le Duc en soulevant sa carcasse. Je ne tiens pas à ce qu'un cuistot malintentionné indispose mon champion avant le combat.

— Notre Rojo n'a pas besoin de ce genre d'assistance, Michel. Il n'en fera qu'une bouchée de votre petit rat de la ville. Ce n'est pas par flagornerie si on nous appelle les Perrégaulois.

— C'est ce qu'on va voir, Maklouf, c'est ce qu'on va voir.

Le maire offrait une « modeste collation » dans la propriété d'un colon ; en vérité, il s'agissait d'un festin pharaonique. Le banquet s'étirait sur plusieurs mètres, recouvert de nappes blanches et hérissé d'un assortiment de plateaux et de paniers de fruits. Nous étions une quarantaine de convives assis de part et d'autre, en majorité des colons et des fonctionnaires ainsi que des notables venus de Sig ; au centre du dispositif festif se tenait le maire, face au Duc. Aucune femme n'était dans les parages ; rien que des hommes aux moustaches fournies et aux ventres débordants, les pommettes écarlates et la bouche ruisselante de jus, qui rigolaient à propos de broutilles et qui saluaient chaque pertinence du maire comme si elle relevait d'une parole prophétique. Salvo gloutonnait, les joues cabossées et les yeux sautant d'un plat à l'autre avec une fiévreuse rapacité. Francis lui donnait des coups sous la table pour l'inviter à plus de retenue ; le soigneur grognait comme un fauve que l'on dérange et remettait les bouchées doubles sans se soucier du reste. DeStefano, lui, jaugeait le Rojo assis à la droite du maire. Le champion local mangeait tranquillement, l'air de rien, sourd au brouhaha alentour. Il était grand et large comme un panneau de réclame, le visage cuivré, la mâchoire carrée, le nez si aplati qu'on aurait pu repasser une chemise dessus. Pas une fois il n'avait levé ses yeux sur moi. Des bravos fusèrent lorsque des domestiques en djellaba s'amenèrent avec le méchoui, des agneaux entiers rôtis servis sur de grands plats tapissés de feuilles de laitue et de rondelles d'oignons. À cet instant, le Rojo leva la tête ; il me gratifia d'une moue énigmatique et profita de la curée pour se retirer discrètement.

Le match eut lieu en plein air, sur une aile dégagée du jardin public. Une foule en goguette se bousculait autour du ring. Alors que je m'apprêtais à rejoindre l'arbitre sur le plancher, un Araberbère drapé dans une gandoura me souffla dans l'oreille avec un accent kabyle : *Montre-leur que nous ne sommes pas que des bergers*. Les clameurs tonnèrent lorsque le Rojo enjamba les cordes. Il salua ses supporters, simplement, et regagna son coin d'un pas mesuré. On le débarrassa de son peignoir. Il s'arc-bouta contre une corde, entreprit des génuflexions, se redressa, les muscles torsadés et la figure inexpressive. Les trois premiers rounds furent équilibrés. Le Rojo frappait juste et fort et encaissait mes coups avec un calme olympien. Il était correct et poli, un vrai gentleman, attentif aux recommandations de l'arbitre ; conscient de son habileté, il gérait le combat en bon technicien. Ses feintes et ses esquives enchantaient la foule. DeStefano me hurlait de tenir la distance, de ne pas trop m'exposer aux rallonges foudroyantes de mon adversaire. Chaque fois que je faisais mouche, il tapait sur le plancher à se déboîter le poignet. « Harcèle-le, qu'il me criait… Relève ta garde… Ne t'accroche pas à lui. Surveille sa droite. Reviens, reviens vite… » Le Rojo gardait son sang-froid. Il avait un plan et cherchait à me faire tomber dedans, l'air de me connaître par cœur – dès que j'armais ma « torpille », il s'arrangeait pour se déporter sur le côté opposé de façon à me gêner. Le quatrième round, pendant que j'évitais de me laisser acculer dans un coin, il me surprit avec sa gauche. Mon protège-dents gicla de ma bouche et je vis le ciel et la terre s'entremêler. Le plancher se déroba sous mes jambes. La voix de DeStefano me parvenait à travers une succession de cloisons. « Relève-toi… Debout… » La figure grimaçante de Salvo ressemblait à un masque de carnaval. J'avais du mal à réaliser ce qui se passait. L'arbitre comptait, le bras en machette. Les hurlements de la foule dispersaient mes marques. Je parvins à m'accrocher à une corde et à me remettre debout, les mollets branlants. Le gong me sauva… « Qu'est-ce qui t'a pris ? pestait DeStefano pendant que Salvo me passait une serviette gorgée d'eau sur le visage et la nuque. Je t'ai dit de garder la distance. Ne le laisse pas te pousser dans le coin. C'est pas sa droite qu'il faut craindre, mais sa gauche. Travaille-le sur les flancs. Je crois qu'il n'aime pas qu'on touche à cette partie de son corps. Dès qu'il recule, envoie tout ton jus… Il était en train de douter, putain ! Tu peux l'avoir… » Le cinquième round fut un calvaire pour moi. Je n'avais pas récupéré. Le Rojo ne m'accorda pas de répit. Je me retranchai derrière mes gants et subis sa furie avec un stoïcisme qui faillit terrasser DeStefano d'une apoplexie. Les minutes s'éternisaient. Les coups résonnaient en moi comme des déflagrations. Je suffoquais, déshydraté et assoiffé. Entre deux esquives, je cherchais Gino dans la foule comme si le moindre signe de sa part allait me tirer d'affaire ; je ne voyais que la moue navrée du Duc que le maire taquinait vertement. À partir du septième round, exaspéré par mon endurance, le Rojo commença à négliger sa défense. Ses coups étaient de moins en moins précis et sa danse avait perdu de sa souplesse. Je profitai d'un corps à corps mal négocié pour lui envoyer une série de coups qui le catapulta contre les cordes. Au moment où il chargea, je l'accueillis avec mon gauche juste sur la pointe du menton. Il se décrocha et s'abattit sur le ventre. Un silence tétanisa le jardin public. L'arbitre se mit à compter. « Reste à terre, criait-on à Rojo. Reprends tes forces… » À huit, le Rojo se remit sur ses jambes. Son regard était trouble et sa garde approximative. Il chercha à reculer pour s'appuyer sur les cordes, je le poursuivis avec une averse de coups qui le désarçonna. Il n'en pouvait plus d'esquiver, cognait dans le vide, s'accrochait à moi, littéralement dérouté. Quand le gong vint à sa rescousse, le champion de Perrégaux ne savait plus où se trouvait son coin. DeStefano exultait ; il me criait des choses dans l'oreille, mais je ne comprenais pas un mot de ce qu'il disait. J'avais les yeux fixés sur mon adversaire. Il était au bout du rouleau, et moi aussi. Il me fallait trouver une faille dans son dispositif, une faille définitive. J'étais ébranlé, laminé, certain de ne pas tenir longtemps. Le Rojo négocia vaillamment les deux rounds suivants. Je menais aux points ; il le savait et tentait de rattraper son retard. Au onzième round, alors que mes forces étaient en train de s'effilocher, mon crochet du gauche partit au plus profond de mon être puiser l'ultime sève de son efficacité et fendit l'air. Je crus entendre les vertèbres cervicales du Rojo craquer. Mon poing s'écrasa sur sa tempe avec une puissance telle que je sentis une douleur atroce exploser dans mon poignet ; son onde de choc me parcourut le bras et m'enflamma l'épaule. Le Rojo tournoya sur lui-même avant de soulever la poussière du plancher dans sa chute. Il ne se releva pas. DeStefano, Salvo, Francis et Gino investirent le ring et se jetèrent sur moi, fous de joie. J'eus le vague sentiment d'être en apesanteur.

Le Duc nous retrouva dans les vestiaires en train de remballer nos affaires. Il me serra la main sans se défaire de son cigare.

— Bravo, mon gars. Ça a été dur, mais tu as tenu.

— Merci, monsieur. C'est la première fois que je me bats avec un vrai champion.

— Ouais, j'aime beaucoup sa technique. (S'adressant

à toute l'équipe :) Pour ne rien vous cacher, j'aurais aimé que le Rojo gagne. C'est un grand artiste.

Il y avait un regret dans sa voix. DeStefano se gratta sous son canotier, intrigué par l'attitude du Duc.

— Turambo n'a pas démérité, monsieur.

— J'ai pas dit ça. Il a été parfait.

— Vous n'avez pas l'air satisfait, monsieur.

Le Duc jeta son cigare par terre et l'écrasa avec la pointe de sa chaussure.

— Il faut que je réfléchisse encore. Turambo est un bon encaisseur, mais le Rojo est plus agile, plus élégant et plus technique.

DeStefano s'empara de son mouchoir pour se tamponner la figure. Sa pomme d'Adam coinçait dans sa gorge. Il dut déglutir à plusieurs reprises pour la dégager.

— Vous voulez réfléchir à propos de quoi, monsieur ?

— Disons que ton poulain ne m'a pas convaincu.

— Mais, monsieur, paniqua Francis, Turambo n'en est qu'à ses débuts. Au même stade de la compétition, le Rojo passait la majorité de ses combats collé à ses adversaires comme un poulpe.

— J'ai dit que je vais réfléchir, trancha le Duc. C'est moi qui vais miser gros, pas toi. C'est de mon fric qu'il s'agit, et je ne le ramasse pas dans la rue. Je veux mon champion à moi et je suis prêt à mettre le paquet pour l'avoir. Mais il me faut des garanties. Turambo ne les a pas toutes rassemblées, aujourd'hui. Je l'ai trouvé moins bon, inconstant et il a manqué de détermination.

DeStefano ne l'entendit pas de cette oreille. Il s'estimait trahi. Sa figure congestionnée était sur le point de se désintégrer. Il prit son courage à deux mains et osa se mettre en face du nabab.

— Turambo a gagné, non ? C'était votre condition, monsieur. Le Rojo compte seize combats professionnels, et c'est la première fois qu'il reste au tapis.

DeStefano pouvait apporter tous les arguments de la terre, le Duc ne céderait pas. Il fit signe à Frédéric Pau de le suivre et nous laissa plantés dans le box.

Nous n'eûmes pas droit à un taxi, au retour.

Nous rentrâmes à Oran en car, au milieu de paysans brouillons, de couffins remplis de volaille caquetante et de ballots qui sentaient le fumier.

5.

DeStefano avait nourri un tas de rêves depuis que le Duc lui avait fait miroiter une aide financière. Il pensait pouvoir retaper l'écurie, s'offrir un nouveau ring, des sacs de frappe et l'arsenal qui va avec, recruter des champions potentiels et relancer sa carrière. C'était trop beau, mais comment ne pas y croire après tant de vœux pieux. Cela faisait des années qu'il priait la chance de lui tendre la perche sans à aucun moment baisser les bras. Avait-il le choix ? L'écurie était toute sa vie ; il était tombé dedans avant d'apprendre à tenir sur ses jambes. Il avait connu des hauts à friser le nirvana et des bas à ras les paillassons, et pas une fois il ne s'était imaginé en train de raccrocher. Pour lui, il n'y avait rien après la boxe, ni rente ni convalescence, juste un blanc sidéral. Avec le Duc en guise de parrain, il était certain de forcer la main au destin. Déjà, dans le milieu, on s'était mis à le jalouser. Lui-même ne se gênait pas pour raconter partout que le Duc était venu le voir pour discuter affaires et tracer avec lui les contours d'une gloire qui marquerait des générations entières. Le soir, dans les estaminets, il rassemblait autour de sa table une grappe de copains pour les soûler avec ses projets faramineux. Pour leur prouver que ce n'étaient pas des élucubrations, il leur offrait des tournées générales ; son ardoise ressemblait à un casse-tête chinois, et le barman ne se faisait guère supplier, convaincu que l'écurie de la rue Wagram renaissait à un monde meilleur.

Une semaine après notre retour de Perrégaux, tous les jours, DeStefano passait la presse à la loupe. Il espérait tomber sur un article encensant ma victoire sur le Rojo et susceptible de ramener le Duc à la raison. Ni *L'Écho d'Oran* ni le journal du soir *Le Petit Oranais* n'avaient consacré le moindre papier à mon combat. Pas un entrefilet. DeStefano en était outré. C'était comme si les dieux se liguaient contre lui.

Je ne mesurais pas vraiment la portée des enjeux. Je dirais même que le désarroi de DeStefano ne m'atteignait pas. Je savais que les roumis avaient une mentalité bizarre, qu'ils se compliquaient l'existence à cause du *mektoub* auquel ils ne croyaient pas trop. Pour moi, les choses obéissaient à des impératifs qui n'étaient pas de mon ressort ; il fallait m'en accommoder. S'insurger contre la fatalité, loin de la conjurer, exposerait le mutin à des peines plus sévères qui s'acharneraient sur lui jusque dans sa tombe… Je m'entraînais matin et soir, avec une verve grandissante, certain que l'embellie avait jeté son dévolu sur moi et que mon salut était au bout de mes gants. Si la presse m'ignorait, le téléphone arabe s'en donnait à cœur joie, corsant mes matches et m'érigeant des stèles à chaque coin de rue. À Médine Jdida, pas un cafetier n'acceptait que je paye mes consommations. Les enfants m'acclamaient, les *chibanis* cessaient d'égrener leur chapelet sur mon passage pour m'accompagner de leur *baraka* partout où je me rendais.

J'invitai Gino à dîner chez ma mère. Mes dernières victoires m'ayant rapporté une petite fortune, je tenais à fêter cela en famille. Mekki s'était joint à nous, sans enthousiasme. Il n'aimait pas le boxeur que j'étais devenu, mais il ne m'en tenait pas rigueur outre mesure. Je n'étais plus un enfant.

Ma mère nous prépara un superbe souper. Au menu, *chorba* aux pois chiches, volaille rôtie fourrée aux topinambours, brochettes de foie d'agneau grillé, fruits de saison et deux grandes bouteilles de soda Hamoud Boualem achetées chez un épicier algérois.

Avant de passer à table, je la priai de ne pas raviver le chagrin de Gino. Ma mère avait la manie de se lamenter sur la défunte chaque fois que l'orphelin venait partager nos repas, ce qui gâchait nos retrouvailles. Ma mère exécuta un signe maraboutique et promit d'éviter les sujets qui affligent. Elle tint parole. À la fin du repas, tandis qu'elle s'apprêtait à débarrasser pour nous servir le thé, je sortis un boîtier enrobé de caftan de ma sacoche et le lui offris.

— Qu'est-ce que c'est ? fit-elle.

— Ouvre.

Elle prit avec précaution le présent, défit les rubans. Ses yeux s'écarquillèrent à la vue du kholkhal en or massif dans son écrin.

— Il n'est pas aussi beau que le tien, mais il est pesant. J'ai cherché chez tous les bijoutiers arabes, et c'est le meilleur que j'ai trouvé.

Ma mère était pétrifiée.

— Ça a dû te coûter la prunelle de tes yeux, haleta-t-elle.

À son tour, Mekki se leva, alla dans sa chambre et revint avec un torchon sévèrement ficelé qu'il défit en s'agenouillant devant ma mère. Il posa sur la table le kholkhal aux têtes de lion.

— Je n'ai pas osé le vendre ou le mettre au clou, dit-il. Je l'ai gardé pour toi car il t'appartient. Pour rien au monde je ne l'aurais cédé à quelqu'un.

Émue, tremblante de tout son être, ma mère lui bondit au cou ensuite, elle me sauta dessus pour m'embrasser. Je sentis son cœur battre contre ma poitrine et ses larmes glisser sur mon cou. Gênée par la présence de Gino, elle cacha son visage avec son foulard et courut se réfugier dans la cuisine.

Je raccompagnai Gino chez lui. La nuit était splendide, encensée d'ambre et de menthe. Le ciel étincelait de millions de constellations. Un groupe de jeunes se bidonnaient sous un bec de gaz. Nous marchâmes en silence jusqu'au boulevard Mascara qu'un tramway vide remontait. Je me sentais léger, frais ; une joie franche emplissait mes poumons. J'étais fier de moi.

— Je dors chez ma mère ce soir, dis-je à Gino sur le pas de sa porte. Je monte juste déposer ma sacoche.

Gino alluma dans l'escalier et grimpa devant moi.

Arrivé dans la chambre de sa mère, transformée en salon, il accusa un soubresaut. Sur la commode trônait un phonographe à pavillon flambant neuf à côté d'une pile de disques dans leurs jaquettes.

— C'est mon cadeau pour toi, lui dis-je.

— Il ne fallait pas, fit-il un caillot dans la gorge.

— Il te plaît ?

— Et comment !

— Tu as le répertoire de toute la musique judéo-andalouse. Comme ça, tu ne seras pas obligé de t'aventurer dans les coupe-gorge à des heures impossibles.

Gino feuilleta la pile des disques.

— Tu les as achetés chez qui ?

— Dans une boutique grand chic au centre-ville, lui précisai-je.

Gino éclata de rire.

— Eh bien, grand chic ou pas, on t'a roulé dans la farine. Il n'y a, ici, que des morceaux de la fanfare militaire.

— Non, fis-je estomaqué…

— Je t'assure que c'est la vérité. Regarde, c'est pourtant bien écrit sur les pochettes.

— L'escroc ! Comment a-t-il su que je ne savais pas

lire ? J'étais sapé comme un jeune premier, et j'avais de la brillantine dans les cheveux. Je te jure que j'ai insisté. Je voulais des disques judéo-andalous, je lui ai dit que c'était pour un féru du genre… Le saligaud ! En plus, ça m'a coûté la peau des fesses. Dès demain matin, j'irai lui toucher deux mots.

Gino repartit de son rire de gosse, attendri par ma déception.

— Ce n'est pas grave, voyons. Ça m'évitera d'aller dans les kiosques à musique écouter la clique des garnisons, c'est tout.

Il vint vers moi, me serra contre lui.

— Merci… du fond du cœur.

Deux semaines plus tard, DeStefano m'intercepta sur le pas de l'écurie. Son visage rayonnait d'une joie intenable. Le Duc avait *réfléchi* ! « C'est dans la poche », m'annonça Francis en se frottant les mains. Frédéric Pau s'appuyait d'une fesse sur le rebord du ring, les jambes croisées, les pouces sur les bretelles. Il souriait d'une oreille à l'autre. « Tope là, mon garçon, me fit-il. Désormais, on est associés. » Il m'informa que son patron nous invitait, DeStefano et moi, chez lui pour conclure l'affaire. Je l'avertis que je ne signerais rien sans la présence de Gino, au grand dam de Francis dont le visage s'assombrit aussitôt. Frédéric me dit que nous n'en étions pas encore là et qu'il s'agissait juste d'une rencontre conviviale. L'après-midi, une voiture étincelante se rangea devant la mercerie, boulevard Mascara. Nous étions sur le balcon, Gino et moi, à siroter une orangeade. Filippi descendit du véhicule, sanglé dans une tunique de groom, une casquette vissée au crâne. Il se mit au garde-à-vous et nous adressa un salut militaire.

— Bébert t'a viré de son garage ? lui cria Gino.

— Non.

— Alors qu'est-ce que tu fabriques dans cet uniforme de troufion endimanché ?

— Je suis chauffeur de maître. Le Duc cherchait un conducteur. DeStefano lui a parlé de moi, et le Duc m'a pris sur-le-champ. Il s'y connaît en affaires, le Duc. Pour le prix d'un employé, il s'est offert un chauffeur doublé d'un mécanicien... J'ai quelque chose pour Turambo.

— Monte donc, c'est ouvert.

Filippi sortit un paquet de la banquette arrière, avec délicatesse, et nous rejoignit à l'étage. Il y avait deux costumes sous emballage, l'un noir et l'autre blanc, deux chemises et deux cravates.

— Le patron te les envoie, me dit-il. Il veut te voir beau, ce soir. Va te décrasser au hammam. Je passerai te prendre à 7 h 30. Et attention, le Duc est à cheval sur la ponctualité.

Filippi revint au coucher du soleil. J'avais pris mon bain et j'avais enfilé le costume noir. Gino m'avait aidé à nouer la cravate. Je me tenais devant la glace de l'armoire, peigné, parfumé... et pieds nus. Je n'avais pas de souliers convenables. Filippi me proposa ses propres chaussures, pas celles qu'il portait, mais celles qu'il avait chez lui, à Delmonte. C'était sur notre chemin. Nous fîmes un crochet pour récupérer DeStefano et, à 8 heures pile, nous sonnâmes à la porte du nabab.

Le Duc habitait une grande villa, au sud de Saint-Eugène, plus exactement un manoir majestueux au milieu d'un vaste jardin luxuriant. Un gardien arabe nous ouvrit la grille hérissée d'un chardon couleur or et nous dûmes parcourir une bonne trentaine de mètres d'une allée recouverte de cailloutis escortée de part et d'autre d'hortensias et de frêles arbustes joliment taillés en cube avant d'atteindre le perron à marquise donnant sur la demeure.

Frédéric Pau nous attendait sur la dernière marche, engoncé dans une redingote anthracite qui lui conférait une silhouette de héron. Il ajusta la cravate de DeStefano, le pria de laisser son canotier sur le côté, ensuite il me passa au peigne fin, arrangeant par-ci un pli sur ma veste, par-là un cheveu dans ma mèche.

Du beau monde bavardait dans une grande salle au plafond haut orné d'un lustre colossal. Il y avait des dames élégantes, les mains gantées jusqu'aux coudes, flanquées de messieurs distingués aux moustaches fantaisistes. À ma vue, le Duc écarta les bras en s'exclamant : *Ah ! voilà notre héros.* Il ne me serra pas contre lui, ne me tendit pas la main ; il se contenta de me présenter sommairement à ses convives qui me dévisagèrent, certains avec intérêt, d'autres avec curiosité, avant de m'ignorer et de reprendre leur brouhaha feutré. Ils étaient tous d'un certain âge, femmes et hommes, probablement des couples mariés empestant les affaires prospères et les hautes fonctions. DeStefano me souffla dans l'oreille que le gros bonhomme au nez boursouflé était le maire et le sieur filiforme aux tempes argentées était le préfet. En retrait sur la véranda, un dignitaire parisien, en haut-de-forme et queue-de-pie, feignait de prendre l'air pour se démarquer de la faune locale et donner plus de gravité à son aura métropolitaine.

Un domestique passait au milieu des invités, un plateau chargé de verres sur la main. DeStefano bondit sur une coupe de champagne ; je ne pris rien, intimidé par le faste alentour, la toilette sophistiquée des dames et la morgue souveraine de leurs compagnons.

Une jeune adolescente s'approcha de moi, pimpante et sautillante, les mains enchevêtrées dans le dos, rosissant d'un trouble fait de gêne et de curiosité.

Elle était mignonne, avec ses tresses blondes et ses grands yeux azurés.

— Je suis Louise, la fille de M. Bollocq…

Je ne sus quoi lui répondre.

De loin, DeStefano m'adressa un clin d'œil qui me déplut pour je ne sus quelle raison.

— Papa est persuadé que vous serez champion du monde.

— C'est vaste, le monde.

— Quand papa dit une chose, ça se réalise toujours.

— …

— J'adore la boxe. Papa refuse de m'emmener voir les matches, alors je les suis attentivement à la radio. Les combats de Georges Carpentier sont extraordinaires. Mais je ne l'acclamerai plus comme avant maintenant que papa a son propre champion…

Elle se dressa timidement sur la pointe de ses souliers. Sa langue passait et repassait sur ses lèvres fragiles.

— Comment vous faites pour supporter des coups pendant des rounds et des rounds ? C'est à peine si le speaker ne tombait pas dans les pommes quand il décrivait toutes ces avalanches de gnons que vous vous échangiez sur le ring.

— On s'entraîne beaucoup pour tenir.

— Et ça fait mal, la boxe ?

— Pas autant qu'une rage de dents.

Une dame raffinée vint couper court à notre entretien. Elle devait avoir dans les quarante ans et était d'une majesté agressive. En m'effleurant du regard, elle saisit la fille par le bras et l'éloigna de moi.

— Louise, ma chérie, tu devrais laisser ce jeune homme tranquille. Nous allons bientôt passer à table.

C'était Mme Bollocq.

Louise se retourna plusieurs fois pour me gratifier d'un sourire contrarié avant de disparaître parmi les invités.

À table, le Duc prononça un discours solennel dans lequel il promit qu'Oran aurait bientôt son champion d'Afrique du Nord – en l'occurrence, moi –, que cette belle ville mériterait de brandir des idoles au nez d'Alger la « snobinarde » et qu'il était impératif d'œuvrer tous ensemble, Administration, hommes d'affaires et mécènes pour redonner son lustre à la plus émancipée des villes d'Algérie. Il consacra une longue minute à vanter mes potentialités et mes performances, insista sur la nécessité de m'accompagner jusqu'à l'apogée des consécrations, remercia vivement le maire, le préfet et les notables qui avaient accepté de se joindre à lui pour faire de cette soirée le commencement d'une nouvelle ère enguirlandée de trophées, de titres fracassants et d'athlètes emblématiques. À la fin de son speech, il leva son verre à tous ceux qui, de près ou de loin, par calcul ou par chauvinisme, avec leur argent ou simplement avec leur cœur, contribuaient à l'essor de la merveilleuse cité des deux lions.

Durant tout le dîner, tandis que les messieurs-dames s'empiffraient en riant aux anecdotes d'un Duc au sommet de son art d'amuseur, Louise n'arrêta pas de m'observer et de me décocher des signes amicaux du fond du banquet.

Gino vint me trouver dans ma chambre. Il ne comprenait pas pourquoi je n'avais pas éteint, ni pourquoi je restais couché tout habillé sur mon lit, les yeux rivés au plafond. Il s'assit sur une chaise, près de moi, s'alluma une cigarette et souffla la fumée dans ma direction.

— Qu'est-ce qui ne va pas ?

— J'ai l'air de me plaindre ?

— Non, mais tu es intrigant. Ton silence me préoccupe, et ton insomnie aussi. Tu as signé quelque chose dans mon dos ?

— Je me suis déjà entendu avec DeStefano. C'est toi, et toi seul, qui t'occuperas de mes affaires.

— Alors, pourquoi tu ne dors pas ? Tu as deux entraînements demain, et ton prochain combat est dans trois semaines.

Je me tus un long moment avant de lui avouer :

— Je crois que je suis amoureux.

— Si vite ?

— Vous appelez ça « coup de foudre », vous, non ?

— Ça dépend de la teneur de la tuile que l'on reçoit sur la tête. Tu es sérieux ?

— Puisque je n'arrive pas à trouver le sommeil.

— Et qui est l'heureuse élue ?

— Elle s'appelle Louise. C'est la fille du Duc. Le problème, elle n'a que quatorze ou quinze ans.

— Es-tu sûr que ça soit là le seul problème ?

— Je suis un homme, maintenant. Il me faut une femme, des enfants.

— Arrête de te mettre des bâtons dans les roues. Tu n'as aucunement besoin de te compliquer l'existence avec ça. Tu es trop jeune pour te passer la corde au cou. Chasse cette idée de ta tête, et fissa. Un champion a besoin d'un bon sac de frappe et de liberté. Et puis, le Duc t'arracherait la peau des fesses s'il apprenait que tu as le béguin pour sa fille.

— Qu'est-ce que t'en sais, toi ?

Le lendemain, à mi-chemin de l'écurie, je fis demi-tour et sautai dans le premier tramway qui se présenta à moi. Chez un fleuriste de Saint-Eugène, j'achetai un joli bouquet de pivoines roses et me surpris à carillonner devant la grille des Bollocq. L'Arabe me demanda ce que je voulais. Je lui montrai mon bouquet de fleurs. Il me pria de le suivre jusqu'au perron du manoir et attendit les instructions de Madame. Cette dernière ne parut pas ravie de me revoir. Je lui dis que j'apportais un cadeau pour sa fille. Elle me dit que c'était gentil de ma part, mais que ce n'était pas nécessaire, et pria le gardien de me raccompagner. Je n'eus pas le temps d'entrevoir Louise.

Vers midi, Frédéric Pau m'informa que le Duc voulait me parler. Tout de suite. Je descendis du ring et partis me changer. Frédéric piaffait dans la voiture. Il me conduisit directement au bureau du nabab, sur le front de mer.

Le Duc congédia son conseiller et referma la porte derrière lui. Nous étions seuls dans une grande salle ornementée de tableaux de maîtres et de figurines.

— Il paraît que tu es passé à la maison, me fit-il en pêchant un gros cigare dans un boîtier en os posé sur une commode dans le vestibule.

— C'est exact, monsieur. J'étais dans le coin et je m'étais dit…

— J'ai un bureau, Turambo, me coupa-t-il en reposant le cigare pour me foudroyer du regard.

— C'était pour offrir des fleurs à Louise.

— Elle a tout un jardin, tu n'as pas remarqué ?

Je m'attendais à signer des papiers ou à négocier des matches, et la sortie du nabab me déroutait. J'ignorais où il voulait en venir, mais je voyais bien qu'il me reprochait quelque chose.

Avec son doigt, il m'intima l'ordre de le suivre. Nous traversâmes son bureau aux murs boisés et sortîmes sur le balcon qui donnait sur une cour intérieure au milieu de laquelle se dressait un gigantesque platane. Le Duc s'accouda contre la balustrade en fer forgé, huma l'air, remua la figure dans les rayons du jour, ensuite, sans se tourner vers moi, il me montra le platane.

— Tu vois cet arbre, Turambo… Il était là bien avant mon arrière-grand-mère. Probablement avant que les premiers civilisés viennent s'installer sur ces contrées barbaresques. Il a survécu aux conquêtes et à un tas de batailles. Souvent, en le contemplant, je me demande combien d'amours sont nées à son pied, combien de confidences se sont échangées dans son ombre, combien de complots ont germé sous ses branches… Il en a vu défiler, des générations… Et pourtant, il reste là, imperturbable, presque taciturne, comme si de rien n'était… Sais-tu pourquoi il a survécu aux époques, et pourquoi il nous survivra ? Parce qu'il est obstinément à sa place. Il ne va jamais piétiner les plates-bandes des autres arbres. Et il a raison. S'il est bien là où il est, peinard et sage, c'est pour qu'aucun autre arbre ne vienne lui faire de l'ombre.

— Je ne comprends pas, monsieur.

— Il faut que tu saches ceci, petit bonhomme. Tu n'es rien d'autre qu'un investissement pour moi. Tu n'es pas un membre de ma famille, ni un ami ni un proche. Tu es un cheval de course sur lequel j'ai misé pas mal de pognon, et, si je te ménage et te chouchoute, il ne s'agit pas d'affection, c'est pour que tu ne me déçoives pas au change. Cependant, quelle que soit la satisfaction que tu me donneras, tu demeureras le petit Arabe du souk qui ferait mieux de ne pas prendre pour argent comptant les faveurs qu'on lui fait. Est-ce que tu me suis ?

— Pas vraiment, monsieur.

— Je m'en doutais un peu. Je vais tâcher d'être moins pédant… (Il martela la rampe de son doigt.) Je ne veux plus que tu sonnes à ma porte sans que tu sois invité et je t'interdis de t'approcher de ma fille. Nous ne sommes pas du même rang, encore moins de la même race. Aussi reste à ta place, comme cet arbre, et personne ne viendra te marcher dessus… Me suis-je bien fait comprendre, Turambo ?

Mes mains avaient laissé des plaques d'humidité sur le rebord de la balustrade. Le soleil me brûlait les yeux. Une douche froide ne m'aurait pas électrocuté avec autant de violence.

— Il faut que j'aille m'entraîner, monsieur, m'entendis-je balbutier.

— Excellente idée.

J'essuyai mes mains moites sur le devant de mon pantalon et regagnai la porte de sortie.

— Turambo, m'appela-t-il.

Je m'arrêtai au milieu de la salle, sans me retourner.

Il dit :

— Dans la vie, comme dans la boxe, il y a des règles.

J'acquiesçai de la tête et poursuivis mon chemin.

Ce jour-là, je me défonçai sur le sac de frappe à me faire rentrer les bras dans les épaules.

6.

— Le Duc t'offrirait la lune si tu le lui demandais, me dit Frédéric Pau, mais pas question d'écraser une mouche sans sa permission. Il est intransigeant avec tout le monde. Nous nous connaissons depuis que nous étions gamins à courir pieds nus dans les rigoles, lui et moi. Nous avons maraudé dans le même verger et nous nous sommes baignés dans le même abreuvoir. N'empêche, je lui obéis au doigt et à l'œil. Parce qu'il est le patron… Je reconnais qu'il a été dur avec toi. Il l'admet lui-même. Mais n'en fais pas un plat. Il voulait juste que tu saches qu'il y a des lignes à ne pas dépasser. Je t'assure qu'il a énormément d'estime pour toi. Il veut faire de toi une légende. Il te hissera au sommet, je te le garantis. Sauf qu'il veille sur certains principes, tu me suis ? Sinon, comment veux-tu qu'il impose le respect ?

Il était minuit passé. Nous dormions, Gino et moi, lorsqu'on a frappé à la porte. En descendant ouvrir, je fus surpris de trouver Frédéric Pau en train de tirer sur une cigarette dans la rue. Il s'excusa de nous déranger. De toute évidence, il n'était pas là par hasard. Sa façon de fumer trahissait une nervosité que je ne lui connaissais pas. Je m'étais écarté pour le laisser monter. J'avais pensé que le Duc l'aurait viré ; je me trompais. M. Pau était venu me faire la leçon…

Gino nous a rejoints en caleçon dans le salon qu'éclairait chichement un vieux quinquet à cause d'une panne d'électricité. À peine assis, M. Pau est entré d'emblée dans le vif du sujet. Il était chargé de dissiper le malentendu de cet après-midi, suite aux propos que le Duc m'avait tenus dans son bureau. Gino, encore ensommeillé, ne saisissait pas grand-chose de la discussion. Ses yeux sautaient de ma bouche crispée aux mains conciliantes de Frédéric Pau, cherchant en vain à saisir de quoi il retournait. Je ne lui avais pas parlé de l'incident en question. Le Duc m'avait profondément blessé et j'avais préféré garder ma rancœur pour le Sigli, mon prochain adversaire, un fanfaron qui n'arrêtait pas de crier sur les toits qu'il allait me dégommer dès le premier round. Aussi étais-je furieux contre Pau. Il était en train de tout déballer sans réaliser l'embarras dans lequel il me mettait. J'avais beau lui décocher des regards incisifs dans l'espoir de l'éveiller à son indiscrétion, il continuait de jaser.

Un fracas nous parvint du fond du couloir. À mon grand soulagement, Pau se tut enfin. Il tourna la main pour demander à Gino ce que signifiait le bruit. Gino le rassura qu'il ne s'agissait pas d'un esprit frappeur et que c'était peut-être un rat qui venait de renverser quelque chose dans la cuisine.

Je profitai de cette interruption inespérée pour dévier la conversation :

— Quand va-t-on signer le contrat, monsieur Pau ?

— Quel contrat ?

— Comment ça, quel contrat ? Je travaille pour votre patron, maintenant, non ?

— Le Duc ne m'a pas parlé de contrat.

— Eh bien, il est temps de s'asseoir autour d'une table et de tirer les choses au clair. Dans trois semaines, j'affronte le Sigli. Je ne monterai pas sur le ring avant d'avoir réglé les détails concernant ma carrière. Le Duc veut que je respecte les règles. Qu'il en fasse autant. Et attention, ce n'est plus Francis qui gère mes affaires, mais Gino ici présent. À partir d'aujourd'hui, c'est avec lui qu'il va falloir négocier.

— Entendu. Je vais voir ce que je peux faire.

— Et maintenant, rentrez chez vous, monsieur. Demain, très tôt, DeStefano passera me prendre pour Kristel.

Pau ramassa son chapeau posé sur la table. Sa main tremblait.

— Que dois-je dire au Duc ?

— À propos de quoi ?

— De ce qui s'est passé dans son bureau, cet après-midi ?

— Il ne s'est rien passé dans son bureau, cet après-midi.

Pau était confus. Il ne savait pas comment interpréter mon attitude. Je le poussai gentiment jusqu'à la rue, en l'aidant à ne pas manquer de marche dans l'escalier noyé d'obscurité, et refermai d'un coup sec la porte derrière lui.

— C'est quoi, cette histoire ? s'enquit Gino.

— Quelle histoire ? lui fis-je en regagnant ma chambre.

Le lendemain, à mon retour de Kristel, Gino m'apprit que Filippi était venu le chercher pour l'emmener chez le Duc et que, bien qu'il n'ait pas signé de documents, la situation se présentait mieux qu'il ne l'espérait. Il m'informa que M. Pau passerait me prendre le soir pour enterrer définitivement le « malentendu » et que, pour ce faire, je devrais prendre un bon bain et enfiler mon costume d'apparat.

— Tu m'accompagnes ?

— Pas cette fois. La donne a changé. Désormais, quand tu es invité, tu n'es pas autorisé à traîner ta tribu avec toi. Tu fais ce qu'on te dit, point à la ligne. Mais ne t'inquiète pas, je veillerai sur tes intérêts de près ou de loin.

Le soir, la voiture conduite par Filippi se rangea devant la mercerie. Frédéric Pau m'ouvrit en personne la portière. Du balcon, Gino m'adressa un petit signe de la main. Je lus sur ses lèvres *amuse-toi bien*.

Le front de mer fourmillait de monde en chemise ample, les glaciers débordaient de vacanciers. Des dames se baladaient sur l'esplanade, les cheveux au vent. Appuyés contre la rambarde donnant sur le port, de jeunes gens contemplaient le couchant dont l'incendie contrastait violemment avec la silhouette du Murdjadjo. Surplombant la montagne, Santa Cruz veillait sur la ville, les mains jointes et les ailes déployées. À Oran, l'été se voulait une fête, et les enseignes au néon des tours de magie.

La voiture s'arracha au chahut des rues et glissa lentement dans le silence épais de la campagne. Un filament de bitume gravissait les hauteurs de la Cueva del Agua. De ce côté de la ville, on tournait le dos aux splendeurs de la nature. L'heure n'était pas à la contemplation. La misère n'y avait pas plus d'excuse que le malheur – on les subissait tous les deux comme un fait accompli. Un cloaque avorté se recroquevillait autour de sa malédiction comme la trace d'un crime dont on ne connaîtrait pas le meurtrier. Des huttes en toile de jute claquaient dans la brise chargée de poussière. Sur une colline d'ordures, des gamins haillonneux apprenaient à escalader leurs peines sous l'œil chassieux d'un vieux chien triste… Plus loin, un panneau annonça l'entrée du village de Canastel. Filippi emprunta une piste et s'engouffra dans une futaie peuplée de stridulations. Nous passâmes devant de petits chalets embusqués derrière des claies en roseau, traversâmes une clairière déserte avant d'atteindre la grille d'une demeure cossue nichée sur un belvédère donnant sur la mer.

Filippi se rangea dans une courette et se précipita pour ouvrir la portière à M. Pau. Ce dernier attendit que je descende le premier avant de mettre pied à terre.

— On est où ? lui demandai-je.

— Quelque part entre l'enfer et le paradis.

Je levai les yeux sur la grande maison au toit recouvert d'ardoises. De hautes fenêtres flanquées de rideaux austères dardaient leur lumière tamisée sur les alentours. Pau m'invita à gravir les trois marches du perron.

— Filippi ne vient pas avec nous ? fis-je, un peu dépaysé.

— Filippi est chauffeur de maître. Il est très bien là où il est.

Un Arabe habillé en eunuque abbasside – turban épinglé sur le front, *kamis* moiré par-dessus un sarouel bouffant, babouches cornues et large ruban autour de la taille – se prosterna presque à la vue du Français sur le palier.

— Larbi, dis à Madame Camélia que M. Pau vient d'arriver.

— Tout de suite, sidi, chuchota le valet avant de s'éclipser par un passage camouflé.

La salle, baignée dans un imperceptible mélange de parfum et de tabac, était deux fois plus vaste que celle de la maison des Bollocq. À cette époque, il m'était impossible de mettre un nom sur le mobilier pharaonique qui la décorait. Les murs tendus d'étoffes froides étaient ornés de fresques crépusculaires, de tableaux représentant des odalisques nues, d'appliques sophistiquées, de glaces biseautées et de trophées de chasse. Sur les commodes pansues, des statuettes en bronze faisaient de l'ombre à des figurines en porcelaine, encadrées par des candélabres hiératiques. En face du vestiaire que hantait une vieille dame blême, un comptoir lambrissé, d'un grenat sanguinolent, s'appuyait contre un argentier rempli d'objets en cristal. Un garçon fringant, le menton relevé par un nœud papillon, actionnait à tour de bras le levier d'une machine chromée. Il nous salua d'un léger hochement du menton avant d'être interpellé par un client à deux doigts de sombrer dans un coma éthylique. Des tourtereaux se becquetaient sur des sofas, à l'abri d'alcôves revêtues de mosaïques florentines, nullement dérangés par les regards indiscrets. Leur insouciance me choqua plus que l'impudence de leurs cajoleries. Je pensais que ce genre d'effronteries n'avait cours que dans des bars à putes interlopes entre deux rengaines de matelots déplumés et une bagarre générale ; le retrouver, en ces lieux opulents et feutrés, pratiqué avec l'audace la plus répugnante par des cols blancs et des starlettes de bastringue, me surprit grandement. Je croyais les gens distingués jaloux de leur apparence...

Un escalier en marbre déroulait son tapis rouge jusque sur le palier supérieur où une grosse rombière se tenait en faction sur une chaise, les tétines en l'air et la cigarette au bout d'une longue pipe. Elle surveillait un assortiment de jeunes filles en jarretelles, reins cambrés et fesses rondelettes, juchées sur les hauts tabourets du comptoir, un verre à la main. Un peu partout, sur des banquettes matelassées habillées de brocart, d'autres femmes éméchées bavardaient avec des messieurs tirés à quatre épingles, certaines sur les genoux de ces derniers, d'autres volontiers offertes à des attouchements hardis.

— Viens, je vais te présenter un futur champion du monde, me secoua Frédéric Pau pour me ramener sur terre.

Il me conduisit au fond de la salle où un grand Noir sanglé dans un costume trois-pièces se prélassait sur un canapé, serré de près par deux courtisanes à peine nubiles. L'homme était une force de la nature. Il dégustait un verre d'alcool, les genoux croisés, écrasant de son bras libre une blonde qui se trémoussait d'aise. Les deux jeunes filles étaient fardées avec soin et enveloppées dans une lingerie satinée qui laissait transparaître leurs seins fermes et leurs culottes à volants. Elles paraissaient captivées par l'homme.

— C'est vrai que tu as cogné Jacquot ? demanda la brune aux cheveux coupés court, les yeux à moitié cachés par des franges bouclées.

— C'était un malentendu, grogna l'hercule d'une voix paresseuse.

— Je l'ai croisé au casino, poursuivit la brune, je ne l'ai pas reconnu. Tu l'as cogné avec quoi ? Son tarin était complètement aplati. Le pauvre n'avait plus de profil.

— Je tiens pas à revenir là-dessus.

— S'il te plaît, raconte-nous pourquoi tu l'as cogné, s'excita la blonde en se lovant davantage contre l'homme.

Le grand Noir posa son verre sur une table devant lui, engloutit sous son aisselle la petite blonde et laissa courir son autre main sur les cuisses de la brune.

— J'étais en train de m'entraîner à fond quand Jacquot a lancé à Gustave : « Il a du chien, ton poulain. » Alors, je lui ai foutu mon poing dans la gueule.

— Mais, c'est pas une insulte, ça, s'écria la blonde, c'est même un compliment. Ça veut dire que tu es en grande forme.

— Ouais, soupira le grand Noir, sauf qu'avant, je ne connaissais pas l'expression. Gustave me l'a expliquée par la suite. Je lui ai rétorqué que Jacquot n'avait qu'à trouver une autre formule pour me flatter…

Les deux filles se turent en nous découvrant par-dessus leur tête. Intrigué par le silence subit de ses compagnes, le grand Noir pivota du cou, les sourcils bas.

Il retroussa ses lèvres sur une rangée de dents en or.

— Tu écoutes aux portes, maintenant, Frédo ?

— Pas du tout, le rassura Frédéric Pau. Je tenais à te présenter notre nouveau champion.

Le grand Noir me toisa de la tête aux pieds.

Je lui tendis la main ; il la considéra avec dédain.

— J'ai pas mis mes gants blancs, *moutcho* ? grogna-t-il, infatué et discourtois.

— Il me semble qu'on s'est rencontrés, hasardai-je.

— En rêve, p'tit, me fit-il en nous tournant le dos.

Pau se mordit la lèvre, vexé, avant de lui murmurer par-dessus l'épaule :

— *Avoir du chien* est une expression destinée aux femmes. Elle consiste à vanter leur grâce.

— T'es sûr ? sursauta le colosse, une flamme meurtrière dans le regard.

— Croix de bois, croix de fer.

Pau m'attrapa par le bras et me poussa devant lui.

— Qui c'est, cette brute ?

— Il s'appelle Mouss, me confia-t-il à voix basse. Il boxe dans la catégorie des poids lourds. Normal si tu as cru le connaître. Il a ses affiches sur les murs et ses photos dans les journaux.

— Vous avez vu comment il nous a traités ?

— Il a un sale caractère. Très imbu de sa personne. Un jour, quelqu'un lui a demandé : « Qui es-tu ? » Il lui a répondu : « Je suis Moi. – Tu as bien un nom ? » Et Mouss a répliqué : « Je n'en ai pas besoin puisque je suis unique au monde. » Tu imagines un peu le bonhomme… Je pensais qu'il serait ravi de faire la connaissance d'un indigène prometteur issu de sa communauté. J'ai eu tort. Mais ne laissons pas ce mégalomane décérébré gâcher notre soirée.

Une dame aux allures de prêtresse, un grain de beauté artificiel sur la joue et les yeux bleus hérissés de faux cils, vint à notre rencontre. Le chignon haut, la démarche altière, elle portait sa soixantaine comme on porte un sceptre. Elle était belle, d'un charme indéfinissable, mais imposant ; son arrogance trempée m'intimida d'emblée.

— Quel bonheur de vous revoir, monsieur Pau, dit-elle en chassant d'une main excédée le laquais qui trottait dans son sillage.

— Aucun bonheur n'est entier s'il n'est pas partagé, chère Camélia.

Elle m'effleura sommairement d'un œil souverain.

— N'est-ce pas le jeune homme dont m'a parlé M. Bollocq ce matin ?

— C'est exact.

Pressée de se débarrasser de moi, elle envoya un signe codé à la rombière assise à l'étage et m'invita à la rejoindre. Comme j'hésitais, ne comprenant pas ce qu'on me voulait, Frédéric m'encouragea :

— Qu'est-ce que tu attends ? Vas-y donc.

La dame passa sa main gantée sous le bras de mon compagnon et l'entraîna vers le bar.

— Allons boire un verre, cher Frédéric. Les gens de votre correction se font de plus en plus rares par ici. Dites-moi, comment va votre charmante épouse ? Vous fait-elle encore marcher à la trique ?

Ils m'abandonnèrent sur place.

Je gravis les marches d'un pas incertain. Quelque chose de désagréable froissait mon estomac. La rombière-bonne écrasa sa cigarette dans un cendrier et s'empara d'un éventail qu'elle agita sur sa figure peinturlurée, la chemisette ouverte sur les bourrelets de son ventre au nombril grand comme la gueule d'un mousqueton. Elle me promena à travers un corridor dédaléen au sol lustré. De part et d'autre, des portes donnaient sur des chambres. On entendait des éclats de rire, des bruits d'ébats et des gémissements orgasmiques. Mon malaise s'amplifiait au fur et à mesure que j'avançais. La rombière poussa une porte au bout du couloir et je vis une jeune femme à l'intérieur d'une pièce douillette, assise face à une jolie coiffeuse, en train de se peigner, ses longs cheveux noirs lâchés dans le dos jusqu'au fessier. Le regard qu'elle me jeta me glaça.

— Aïda, lui annonça la bonne avant de se retirer, le jeune homme que tu attendais est là.

Aïda me sourit. Du doigt, elle me pria d'entrer. Comme je restais cloué dans l'embrasure, elle se leva, m'attira doucement à l'intérieur et referma la porte. Elle sentait bon. Ses grands yeux de biche me couvèrent avec une acuité qui m'oppressa. Mon cœur s'affolait dans ma poitrine ; je transpirais à grosses gouttes, un caillot dans la gorge.

— Quelque chose ne va pas ? me demanda-t-elle.

Je ne parvins pas à déglutir.

Elle m'examina, amusée par ma confusion, s'approcha d'une table basse encombrée de bouteilles d'alcool.

— Je vous sers un verre ?

Je fis non de la tête.

Elle revint vers moi, un peu déconcertée cette fois.

— Je présume que les préliminaires sont une perte de temps pour les petits Arabes.

D'un geste mystique, elle défit la ganse de sa chemisette et le mince voile en mousseline qui la couvrait glissa silencieusement par terre, dévoila un corps parfait, à la poitrine haute, aux hanches pleines et aux jambes fuselées. La brutale nudité de cette femme me désarçonna tout à fait. Je pivotai sur mes talons et sortis de la chambre en courant presque. Il me fallut plusieurs détours pour retrouver mon chemin.

La bonne fronça les sourcils en me voyant battre en retraite.

Une fois dans la courette, je m'arc-boutai contre mes genoux et respirai à pleins poumons pour évacuer mon malaise qui, maintenant, se muait en vertige nauséeux. La brise du dehors me rafraîchit un peu.

Filippi descendit de la voiture.

— Ça va ?

De la main, je le priai de ne pas trop m'approcher. J'avais besoin de reprendre mes esprits. Frédéric nous rejoignit, complètement pris au dépourvu par ma réaction. J'exigeai de lui de me ramener à la maison sur-le-champ. Il me pria de me calmer et de lui expliquer ce qui s'était passé.

— Vous auriez dû me mettre au courant, lui reprochai-je.

— Te mettre au courant de quoi ?

— Qu'on allait dans une maison close.

— Pourquoi ? Tu es claustrophobe ?

— Je n'étais pas préparé.

— Il ne s'agit pas d'un match de boxe, Turambo. Tu ne vas pas me dire que tu n'as jamais couché avec une fille…

Filippi s'esclaffa :

— C'est pour ça que tu es chamboulé ?

— Filippi ! le somma Frédéric, tu retournes à ton volant et tu la mets en veilleuse.

— C'est pas vrai, s'exclama le Corse. Le tombeur des géants flanche devant un joli con frisé. *Je n'étais pas préparé,* me singea-t-il d'une voix de crécelle. Je suppose qu'il te fallait d'abord t'entraîner dans les cabinets.

Frédéric me passa son bras autour du cou et m'éloigna du chauffeur.

— Désolé. J'ignorais que tu étais puceau. C'est le Duc qui a insisté. *Le Camélia* est le plus prestigieux lupanar de la région. On n'y reçoit que les gens de la haute. Les filles sont saines, savent tenir la conversation et elles sont suivies par des médecins. En plus, tu n'as pas à débourser un sou. Tout est pris en charge par M. Bollocq.

Il me tourna vers lui pour me regarder dans les yeux.

— Tu es encore jeune, Turambo. À ton âge, quand on se lance dans une carrière qui s'annonce mirobolante, on ne doit songer qu'aux victoires. Je sais, chez vous, on se marie très jeune. Mais tu n'appartiens plus à ta tribu, désormais. Tu as une épopée à bâtir. Oran, ses dignitaires et ses larbins, ses dames et ses catins sont derrière toi, le

Duc en tête. Tu veux une épouse ? Nous t'offrons des concubines à la pelle. Chez Camélia, pas de scènes, pas de tracas, ni cadi ni dote. Le repos du guerrier. Tu viens, tu prends ton pied, et au revoir et merci… Imagine que tu as à négocier un combat capital et que ta femme s'apprête à accoucher, imagine que tu joues le titre le soir où ton gosse se plaint d'une appendicite, imagine qu'en montant sur un ring on t'apprend que ta fille a fait une chute dans l'escalier, tu ferais quoi ? Tu enfiles tes gants ou bien tu sautes dans un taxi pour rentrer à la maison ?… Donc, fiancées, mariages et grand bazar, tu mets une croix dessus. Tu as des montagnes à gravir, des titres et des trophées à mériter. Pour y parvenir, commence d'abord par te débarrasser de ce qui pourrait te ralentir ou te déconcentrer.

Il était clair que Gino était derrière ce « traquenard ». Il m'avait tenu le même langage, l'autre jour, quand je lui avais parlé de Louise. Furieux, j'arrachai les mains de Pau de mes épaules et lui dis :

— Je veux rentrer à la maison, et tout de suite.

Gino m'attendait tranquillement dans la cuisine, des rondelles de saucisson casher dans son sandwich, une serviette autour du cou, les bretelles décrochées. Une mèche pendouillait sur son front, ajoutant à son charme une singulière quiétude. Ma façon de claquer la porte derrière moi et de gravir quatre à quatre les marches l'escalier en pestant n'eut pas raison de son sourire goguenard, un peu lointain. Il semblait plus attentif au phonographe qui ronronnait dans le salon qu'à ma mauvaise humeur.

— À quoi tu joues ? lui hurlai-je.

Il me refroidit avant que j'aie fini de sortir de mes gonds. « Tu m'as choisi pour gérer tes affaires, me rappela-t-il. Alors, tu exécutes et tu te tais. »

Le lendemain soir, c'est lui-même qui me raccompagna

chez Madame Camélia. En vérité, j'avais envie de retourner dans la maison close. Je m'en voulais de n'avoir pas su garder mon sang-froid et opérer une esquive honorable. Le rire sarcastique de Filippi, qui n'en ratait pas une pour brocarder son monde, continuait de résonner à mes tempes. Je me devais de rectifier l'affront que je m'étais fait à moi-même…

Aïda me reçut avec une prévenance exagérée. Malgré ses efforts pour me mettre à l'aise, je n'arrivai pas à me détendre. Elle me parla d'elle, me questionna sur ma vie, sur mes projets, me raconta des cocasseries naïves qui m'arrachèrent à peine un semblant de rictus, ensuite, après m'avoir débarrassé de ma veste, elle m'allongea sur le lit et m'*effeuilla* avec infiniment de précautions en me chuchotant dans l'oreille : « Laisse-moi faire. Je vais arranger ça. »

J'étais dans une sorte d'ébriété lorsque je regagnai la voiture dans laquelle Gino et Filippi me guettaient en riant sous cape. Le Corse ravala son gloussement et courut donner un coup de manivelle à son auto. Gino passa sur la banquette arrière pour m'intercepter.

— Ça a été comment ? me fit-il.

— Du tonnerre ! exultai-je, vidé de l'ensemble de mes toxines.

Trois jours avant mon combat, ne sachant pas au juste si c'était pour surmonter la pression que me mettait le Sigli avec ses déclarations tonitruantes ou simplement pour retrouver une parcelle du paradis dans les bras d'Aïda, je pris mon courage à deux mains et retournai chez Madame Camélia. Seul comme un grand. Avec l'intime conviction d'avoir franchi un cap et d'être en mesure de ramener tous les horizons à moi. J'étais décidé à prendre les opérations en main. En empêchant Aïda de me déshabiller, je tins à lui prouver que j'étais capable de le faire moi-même. Aïda n'y vit pas d'inconvénient.

J'avais défait son corsage, admiré le vallonnement de ses hanches, suivi du doigt le renflement voluptueux de sa poitrine, embrassé ses lèvres frémissantes de désir, ensuite, après avoir éteint dans la chambre pour que mes sens soient entiers et réduire le monde à mon strict toucher, je l'avais portée dans mes bras et posée sur le lit comme on dépose une gerbe au pied d'un monument. Je ne voyais que ses yeux qui brillaient dans l'obscurité et n'en demandais pas plus.

Ainsi naquis-je au doux et irrépressible tourment de la chair.

Le Duc avait tenu à marquer l'événement de sa propre griffe. Il mobilisa les meilleurs photographes et sensibilisa un tas de journalistes pour faire de mon match le combat de l'année. Sa photo figurait à la une de *L'Écho d'Oran* depuis plusieurs jours. Pour frapper fort, il loua une immense salle au centre-ville que l'Administration destinait aux grandes occasions et aux galas. À mon arrivée sur les lieux, la chaussée pullulait de curieux. Des flashes explosaient de partout, les gens de la presse se bousculaient pour m'arracher une impression ou une déclaration à chaud. Gino et Filippi jouaient des coudes pour me frayer un passage dans la cohue. Sur le trottoir d'en face, un groupe d'Araberbères vociférait en gesticulant dans l'espoir d'attirer mon attention. Ils étaient tous sur leur trente et un, cravate en exergue et raie dans les cheveux.

— Hey ! Turambo, me lança l'un d'eux. Pourquoi on ne nous laisse pas entrer ? Nous avons des sous pour acheter nos billets.

— C'est pas juste, renchérit un autre. Tu dois boxer pour nous aussi. Tu es notre fleuron.

— C'est toi le champion, reprit le premier. Impose-toi. Insiste pour qu'ils nous laissent assister au match. Nous sommes venus te soutenir. Il n'y a que tes ennemis autour du ring.

Un gros rougeaud en faction devant le portail de l'établissement me pria de regagner les vestiaires sans tarder.

— Pourquoi ne les laisse-t-on pas entrer ? lui demandai-je.

— On n'a pas prévu de peaux de bêtes dans la salle, me rétorqua-t-il, et ces macaques ne savent pas se tenir correctement sur des chaises.

Gino me ceintura pour m'empêcher de cogner et me poussa à l'intérieur d'un hall où un comité d'accueil s'agitait. De la salle nous provenait un brouhaha épais. Frédéric Pau me dirigea immédiatement sur les vestiaires. Salvo et DeStefano étaient déjà là, nerveux et en sueur.

— Toute la crème de la ville est ici, me signala Frédéric. À toi de la mettre dans ta poche. Si tu gagnes, la voie royale sera toute tracée pour nous.

Frédéric n'exagérait pas. La salle était bondée et surchauffée. Aux premiers rangs s'alignaient les dignitaires, les journalistes, les arbitres et un personnage surexcité penché sur des micros pour une retransmission en direct à la radio. Derrière, une marée de visages cramoisis de jubilation en train de se rafraîchir à coups d'éventail et de journaux. Il n'y avait que des roumis en costume qui s'interpellaient, sautillaient sur leurs sièges ou se cherchaient dans le désordre. Pas un tarbouche, pas un fez en vue. Je me sentis brusquement seul au milieu d'un peuple hostile.

Au moment où je montai sur le ring, des huées fusèrent, vite noyées dans la sourde clameur d'une foule qui se prépare à festoyer. Des projecteurs écrasaient le ring sous une lumière féroce. Je crus reconnaître Mouss dans un coin, mais les feux aveuglants de la rampe m'obligèrent à me détourner. Des applaudissements partirent de l'aile gauche de la salle avant de se répandre en crescendo à travers l'enceinte. Aux ovations claironnantes s'ajoutèrent le grincement des chaises et les sifflements. Le Sigli surgit de l'ombre, fendit la cohue, enserré dans un peignoir blanc. C'était un grand blond au crâne rasé sur les tempes, aux jambes grêles. Je l'avais vu combattre deux ou trois fois et il ne m'avait pas laissé une bonne impression. La tête à l'abri de son mètre quatre-vingt-dix, il utilisait sa rallonge juste pour tenir à distance ses adversaires, ses punchs relevant beaucoup plus d'un réflexe que d'une réelle agressivité. Je savais qu'il n'était qu'un encaisseur médiocre, et rares étaient ceux qui donnaient cher de sa peau. Cependant, tous espéraient un miracle et priaient pour que quelqu'un clouât le bec du « bicot » dont la fulgurante ascension commençait à agacer. Le Sigli leva le bras pour saluer ses supporters, exécuta un rapide pas de danse avant d'enjamber les cordes dans un tonnerre d'applaudissements. Au pied du ring, cigare au bec, le Duc me montra son pouce en signe de soutien. Salvo me donna à boire avant d'ajuster mon protège-dents. « Tu le laisses venir, me recommanda DeStefano dans l'oreille. Tu le promènes un peu et puis tu envoies ta droite pour l'exciter. C'est un fou furieux. Si tu le touches le premier, il va ruer dans les brancards pour rendre coûte que coûte ton coup, et c'est là qu'il dégarnira sa défense. » L'arbitre invita les soigneurs à évacuer les planches et Sigli et moi à nous approcher. Il commença par nous déclamer les consignes. Je ne l'entendais pas. Je voyais les muscles de mon adversaire frémir, ses mâchoires rouler dans sa figure tendue, son souffle cafouiller, et je sentis qu'il avait la peur au ventre et que toutes ses déclarations fracassantes n'étaient qu'une piètre diversion censée l'aider à surmonter ses doutes.

Le Sigli plia du premier coup. Il mit genou à terre en se pressant le flanc, la bouche grimaçante de douleur. Les gens se levèrent dans la salle, hébétés par ma « procédure éclair ». Des huées déferlèrent sur le ring. Le Sigli se remit sur ses jambes en chavirant. Ce que je lus dans ses yeux était un mélange de terreur et de rage. Il savait qu'il ne faisait pas le poids, espérait tenir trois ou quatre rounds. Il fonça sur moi dans un élan désespéré. Mon gauche l'accueillit sur la pointe du menton. Il s'effondra sur le plancher, décidé à y rester jusqu'au bout du compte. Le combat avait duré moins d'une minute. L'assistance manifesta son mécontentement et se mit à évacuer la salle en renversant les chaises et en sifflant de dépit. Même le Duc était déçu. « Tu aurais dû faire durer le plaisir, me dit-il dans les vestiaires. Quand on se déplace en masse pour apprécier un spectacle, on veut en avoir pour son argent. Surtout si la place coûte la peau des fesses. Tu as été trop rapide. Les retardataires n'ont pas eu le temps de rejoindre leur siège. »

Je n'en avais cure.

J'avais gagné, le reste, je m'en contrefichais. Je n'avais qu'une urgence : courir me jeter dans les bras d'Aïda.

À peine mon sac bouclé et mon costume enfilé, je m'excusai auprès de mes camarades de ne pouvoir fêter ma victoire avec eux comme prévu, sautai dans la voiture de Filippi et fonçai chez Camélia m'offrir le repos du guerrier.

7.

La place d'Armes exultait. Les tramways déversaient leurs passagers par contingents, les fiacres vacillaient sous le poids de leurs occupants. Les quelques agents de l'ordre ne savaient où donner de la tête dans le carrousel des automobiles et des badauds. Sous les gigantesques arbres quadrillant le jet d'eau, des familles au grand complet prenaient l'air, les messieurs avec leur veste sur le bras, les dames sous leurs ombrelles, les enfants clopinant derrière en poussins récalcitrants. Sur les marches du théâtre, une nuée de spectateurs guettait l'ouverture des guichets, inattentive aux *yaouled* voltigeant autour d'elle. Des soldats en tenue de sortie disputaient à de jeunes garçons excentriques les faveurs des demoiselles, chacun déployant son art de la séduction avec une précaution d'artificier. C'était une belle journée colorée, comme seul Oran savait en improviser, adoucie par la brise remontant du port et embaumée de senteurs délicates venues des jardins du Cercle militaire. Nous étions attablés sur la terrasse d'une brasserie, DeStefano, Salvo, Tobias, Gino et moi, à déguster qui de l'anisette, qui de la citronnade bien glacée. Gino me racontait la fête de la veille à laquelle furent conviées de nombreuses personnalités locales. Salvo, lui, me vantait dans les moindres détails la succulence des plats servis au banquet.

— Tu n'aurais pas dû te défiler, me reprocha DeStefano. C'était ta victoire qu'on célébrait. Beaucoup d'invités étaient navrés de ne pas te trouver au restaurant.

— Tu n'es plus un vendeur à la sauvette, mais un champion, renchérit Tobias.

— Le Duc n'a pas digéré ton absence. Il a engueulé Frédéric à cause de toi.

— J'étais fatigué, dis-je.

— Fatigué ? fit Gino. Ce n'est pas une excuse. Il y a des usages.

— Quels usages ? J'ai le droit de me reposer après un combat, non ?

— On te fêtait, me rappela Tobias. C'est important, les honneurs. Les gens qui avaient l'habitude de te tendre leurs chaussures étaient venus te tendre la main, bon sang ! Te féliciter. T'acclamer. Et toi, tu cours te jeter dans les bras d'une putain.

— Et alors ?

— Et alors, dit calmement DeStefano, c'est une conduite déraisonnable. (*Inadmissible,* précisa Tobias.) Il est temps pour toi d'apprendre les bonnes manières, Turambo. Quand on te célèbre, la moindre des choses est d'être présent à la cérémonie.

— C'était juste un dîner, dis-je. Amélioré, mais un dîner. En plus, il y avait de la charcuterie et du vin au menu.

— Est-ce qu'il t'arrive de réfléchir deux secondes ? s'énerva Gino. Essaye de comprendre ce qu'on t'explique au lieu de t'écouter parler. Tu es devenu quelqu'un, Turambo, un héros de la ville. Et les honneurs, ça ne se négocie pas. Quand on organise une soirée pour te célébrer, la soirée tourne au gâchis si tu n'es pas là. Est-ce que tu me suis ? Il y avait des gens de la haute qui s'étaient déplacés pour toi, le maire en personne était en avance, et toi, tu étais introuvable.

— Ce n'est pas la fin du monde, dis-je, pressé que l'on change de sujet.

— Peut-être pas la fin du monde, mais attention, ça pourrait être la fin des haricots pour toi. Un champion ne doit pas snober son monde, surtout s'il dépend de lui. Et il ne doit pas, non plus, n'en faire qu'à sa tête…

— Encore faut-il qu'il en ait une, soupira Tobias.

— Parce que tu en as une, toi ? lui rétorqua Salvo.

Tobias ne mordit pas à l'hameçon que lui lança le soigneur. Les prises de bec avec Salvo tournant souvent à l'avantage de ce dernier, Tobias ne tenait pas à se donner en spectacle. Les quelques piques qu'il m'avait décochées n'étaient que pures manœuvres de diversion. En vérité, il s'ennuyait dans son coin, la mine sombre. Il n'arrêtait pas de fixer le broc devant lui, sans y toucher.

— Tu n'as pas été à la fête, toi ? lui demandai-je, pressé de passer à autre chose.

— Si, grommela-t-il par-dessous ses sourcils collés l'un à l'autre comme deux grosses chenilles velues.

— Il est furax parce que Félicie a refusé de lui accorder une danse, dit Salvo. Elle avait peur qu'il lui plante son pieu dans le pied ?

— Faux. Félicie me fait la gueule parce que je ne lui ai pas offert de bijou pour son anniversaire. Je lui ai offert des fleurs. C'est plus romantique, non ?

— Possible, supposa Salvo, sauf que ça ne fait pas le compte.

Tobias se gratta derrière l'oreille. Il maugréa :

— Toi, tête d'œuf, occupe-toi de tes fesses, d'accord ? J'aime pas tes insinuations.

Les deux hommes se regardèrent en chiens de faïence.

— Qu'as-tu fait de ta bague, vicelard ? Tu l'as oubliée dans le fion d'une bique ?

— Attention, Tobias, j'ai pas été grossier, moi.

— Surtout ne te donne pas cette peine. Ça risque de faire encombrement.

— T'es en forme, dis donc, le boiteux. T'as bouffé quoi, ce matin ?

— C'est toi qui sens mauvais. Quand tu ouvres ta bouche d'égout, c'est la ville entière qui schlingue. Des types de ton espèce, ça ne peut sortir que d'un trou du cul.

DeStefano émit un rire bref qui fit tressauter sa bedaine.

— T'as de la chance, cache-forêt, marmonna Salvo. J'ai pas mon couteau sur moi.

— Je te prêterais volontiers le mien, le défia Tobias. Tu me ferais quoi avec ? Me circoncire ?

Gino et moi, nous nous tordions de rire.

Francis nous rejoignit, les narines palpitantes de colère et d'indignation. Il brandit un journal comme on brandit la hache de guerre.

— Vous avez lu le canard d'aujourd'hui ?

— Pas encore, lui dit Gino. Pourquoi ?

— Ces fumiers du *Petit Oranais* n'ont pas mis de gants.

Sans prendre un siège, préférant rester debout pour nous dominer de sa furie, Francis ouvrit le journal d'un geste péremptoire et étala sous nos nez un long article.

— C'est le papier le plus dégueulasse qu'il m'ait été donné de lire de toute ma vie.

— C'est qu'un papier, Francis, tenta de l'apaiser DeStefano. Tu ne vas pas faire une apoplexie pour ça.

— Ce n'est pas un papier, c'est du lynchage en bonne et due forme.

— Quelqu'un de la rédaction m'a mis au parfum, ce matin, dit calmement DeStefano. Je sais à peu près de quoi il s'agit. Assieds-toi et commande une bière. Et ne nous gâche pas la journée, s'il te plaît. Regarde autour de toi. Tout baigne.

— Qu'est-ce qu'il y a dans le canard ? fit Tobias.

— Des conneries, lui dit DeStefano avec lassitude.

— Ouais, toi, tu sais, nous, on veut savoir, insista Tobias.

Francis, qui n'attendait que la permission de passer à l'abordage, se racla la gorge, respira un bon coup et se lança dans une lecture enfiévrée qui dilata davantage ses narines :

— « LE CHOC DES EXTRÊMES »

— Tu parles d'un titre !

— Épargne-nous tes commentaires et fais-nous entendre ce qui est écrit là-dedans, le somma Tobias.

— J'vais me gêner !

Francis lut, des trémolos dans la gorge :

— *Un bien triste spectacle auquel nous a conviés notre chère ville Oran, hier, à la salle Criot. On s'attendait à un match de boxe, nous eûmes droit à une exhibition foraine d'un très mauvais goût. Sur le ring transformé en arène où le ridicule outrancier fusionnait avec le sacrilège, nous vîmes, à notre corps défendant, d'un côté un bel athlète qui pratique la boxe pour contribuer à l'essor de notre sport national venu charmer l'assistance avec sa technique, son panache et son talent, et en face de lui, pareille à la négation même de l'éthique, une bête fauve tout droit sortie de la cage qu'elle n'aurait jamais dû quitter. Que dire de cette horrible mascarade sinon notre indignation exacerbée de voir deux mondes contraires dressés l'un contre l'autre au mépris des règles élémentaires des convenances ? A-t-on le droit d'opposer au noble art la barbarie la plus primitive ? A-t-on le droit d'appeler un match la confrontation pornographique de deux conceptions de la compétition diamétralement opposée, l'une athlétique, belle, généreuse ; l'autre faunesque, brutale et irrévérencieuse ? Hier, à la salle Criot, nous avons assisté à une infâme atteinte à notre civilisa-*

tion. Comment ne pas la considérer comme telle lorsqu'on livre un bon chrétien à la monstruosité d'un troglodyte à peine soustrait de la nuit des âges ? Comment ne pas crier au scandale lorsqu'on permet au bougnoule de lever la main sur celui-là même qui lui a appris à regarder la lune plutôt que le doigt, à descendre de son arbre et à marcher parmi les hommes ? La boxe est un art réservé au monde des lumières. Autoriser un primate à y accéder est une grave imprudence, une fausse manœuvre, un acte contre nature…

— C'est quoi, un troglodyte ? m'enquis-je.

— Un homme préhistorique, dit Francis pressé de poursuivre la lecture de l'article… *Détrompons-nous. Traiter les Arabes comme nos égaux, c'est leur faire croire que nous ne sommes plus utiles à grand-chose. Accepter qu'ils nous affrontent sur un ring, c'est sous-entendre qu'il leur sera un jour accordé le culot de nous affronter sur un champ de bataille. Les bougnoules sont génétiquement destinés aux champs, aux mines, aux pâturages et, pour ceux qui savent profiter de notre immense charité chrétienne, à l'insigne honneur de nous servir avec fidélité et gratitude en lavant notre linge, en balayant nos rues et en veillant sur nos demeures en valetaille dévouée et obséquieuse…*

— De quel homme préhistorique parle-t-on ? fis-je.

— Tu n'as pas compris ? fulmina Francis, irrité d'être obligé d'interrompre sa lecture. Il parle de toi.

— J'ai l'air si vieux que ça ?

— Laisse-moi finir l'article, et je t'expliquerai.

— Tu n'as rien à lui expliquer, trancha Gino. On en a assez entendu. Ce papier est à l'image de son auteur : juste bon à se torcher avec. On connaît les journalistes du *Petit Oranais*. Des racistes enragés, aussi dénués de retenue qu'une colique. Ils ne méritent même pas qu'on leur crache dessus. Rappelez-vous la boucherie antisémite qu'ils ont déclenchée au Derb séfarade, il y a quelques années. À mon avis, il faut les ignorer. Ce ne sont que des provocateurs de basse envergure qui prouvent, par leur ligne éditoriale, que le monde civilisé n'est pas souvent là où l'on croit.

— Je ne suis pas d'accord, s'enflamma Francis, la bouche débordante d'écume. L'auteur de ce torchon doit payer. Je le connais. Il fréquentait le cinéma *Eldorado* où j'exerçais la fonction de pianiste. Il écrivait des critiques sur les films pour son journal. Un minable avec une tête de chat-huant, maigre comme un salaire de misère, moche et fourbe. Il habite non loin d'ici. Je propose qu'on aille lui toucher deux mots à ce saligaud.

— Du calme, mon gars, grogna DeStefano.

— Aucun Algérien ne peut garder son calme sans se faire violence. Passer l'éponge, c'est perdre la face.

— Boucle-la, Francis ! rugit Tobias. On ne se bat pas contre les journalistes. Ils auront toujours le dernier mot puisque l'opinion, c'est eux.

— Tobias a raison, dit DeStefano. Rappelle-toi le sucre que ces enfoirés du *Petit Oranais* ont cassé sur le dos de Bob le Teigneux, et sur Face d'Ange, et sur Gustave Mercier. Ils les ont portés aux nues pour mieux les précipiter dans le vide. Bob a fini toqué dans un asile. Face d'Ange a buté sa pauvre femme et a terminé sa carrière au biribi. Gusgus joue au videur de tripots… La gloire se paie aussi en monnaie de singe. Ce qui importe, ce ne sont pas les coups irréguliers que l'on encaisse, mais la nature des traces qu'ils nous laissent.

Les regards convergèrent vers moi.

Je portai mon verre de citronnade à mes lèvres. Les quolibets, les noms d'oiseaux, les insultes grasses et violentes, j'en entendrais encore et encore chaque fois que je grimperais sur un ring. Cela faisait partie de l'ambiance. Il n'y a pas de combat sans excès. Au début, les huées et les propos racistes me peinaient. Avec le temps, j'ai appris à les gérer. Le Mozabite, associé de mon oncle, me disait : « La gloire se mesure en fonction de la haine qu'elle suscite chez les détracteurs. Là où tu es encensé, d'autres t'enfument, tel est l'équilibre des choses. Si tu veux aller au bout de ton mérite, ne t'attarde pas sur les crottes que tu écrases car il y en aura toujours sur le chemin des braves. »

— Tu laisses passer ça ? s'indigna Francis.

— C'est la seule façon de passer aux choses sérieuses, tu ne trouves pas ? lui dis-je en soutenant son regard en ébullition.

Francis claqua le journal sur la table et partit se dissoudre dans la foule en nous envoyant au diable à grands coups de bras d'honneur. Nous le suivîmes des yeux jusqu'à ce qu'il eût disparu au coin de la rue. Le calme revint autour de notre table, sans la franche camaraderie qui le bonifiait quelques minutes plus tôt. Les mains étreignirent verres et chopes ; seules celles de Salvo eurent le courage d'aller plus loin. DeStefano exhala un gros soupir et s'enfonça dans son siège, visiblement ennuyé par l'intrusion de Francis. Gino ramassa le journal, l'ouvrit sur la page incendiaire, parcourut l'article jusqu'au bout dans un silence dérangeant. Pour rompre avec le malaise qui commençait à nous gagner les uns après les autres, Tobias héla le garçon, mais ne sut quoi commander au juste.

De mon côté, j'avais trouvé la colère de Francis excessive, voire improbable. Lui-même ne se gênait pas pour botter le derrière aux *yaouled* qui venaient parfois nous proposer des casse-croûte. Le voir défendre bec et ongles mon honneur me laissait dubitatif. Cela ne lui ressemblait guère. Je l'avais souvent surpris en train de se plaindre de mes « manières de péquenot borné et imprévisible ». Lorsque je n'étais pas d'accord sur un point, il levait les yeux au ciel en signe d'agacement comme si je n'étais pas habilité à donner un avis. Il ne m'avait jamais vraiment porté dans son cœur. Bien qu'il cachât son jeu, je savais qu'il m'en voulait à mort de lui avoir préféré Gino. Selon lui, je lui avais coupé l'herbe sous le pied… Cette histoire de journal n'était qu'une manière de me pousser à la faute avec, en prime, un long séjour en prison qui donnerait un coup d'arrêt définitif à ma carrière de boxeur. Francis était capable d'aller jusque-là ; il avait le diable en tête et la rancune tenace.

Un mendiant manchot s'approcha de notre table. Il portait une pèlerine pourrie sur son torse nu zébré de crasse, un chiffon qui avait dû ressembler à un pantalon naguère et il traînait des savates en toile déchiquetée.

— De l'air ! le chassa Salvo. Tu vas ameuter toutes les mouches du secteur.

Le mendiant ne fit pas attention au soigneur. Il m'examinait en souriant, le menton entre le pouce et l'index. Il était jeune, squelettique, la figure flétrie, ravinée. Son bras sectionné à hauteur du coude présentait un horrible moignon pelé.

— Tu n'es pas le boxeur sur les affiches ? me demanda-t-il.

— Ça se pourrait.

Son visage ne m'était pas étranger, mais impossible de le remettre.

— J'ai connu un Turambo, il y a des années, poursuivit le mendiant sans se défaire de son sourire. À Graba, du côté de Sidi Bel Abbes.

Un flot de portraits défila dans ma tête. Je revis les frères Daho, les gamins du souk, les enfants des voisins ; pas moyen de situer le visage du mendiant dans mes souvenirs. Pourtant, j'étais certain qu'il m'était familier.

— Assieds-toi, l'invitai-je.

— Il n'en est pas question, tonna un serviteur sur le

pas de la brasserie. Je vais me démerder comment pour désinfecter la chaise après, moi ?

Déjà le mendiant battait en retraite. Il traversa la chaussée et se dépêcha de s'éloigner vers le Derb en claudiquant. Il redoubla d'allure quand il m'entendit courir derrière lui.

— Arrête-toi, je veux juste te parler.

Il continua de foncer devant lui. Je le rattrapai derrière le théâtre.

— Je viens de Graba, lui dis-je. On se connaît ?

— Je ne voulais pas t'embêter. C'est pas bien, ce que j'ai fait. Tu étais avec tes amis, et moi, j'ai débarqué comme ça et je t'ai mis la honte. Je m'excuse, sincèrement, je m'excuse…

— Ce n'est pas grave. Qui es-tu ? Je suis sûr qu'on se connaît.

— On n'est pas restés ensemble longtemps, dit le mendiant impatient de reprendre son chemin. Et puis, c'est du passé. Tu es devenu quelqu'un, j'ai pas le droit de t'embêter. Quand j'ai vu ta photo sur l'affiche avec ton nom dessus, je t'ai tout de suite reconnu. Et puis, je te vois à cette table, et j'ai pas pu m'empêcher de t'approcher. Ça a été plus fort que moi. Maintenant, je sais que j'ai eu tort. Je l'ai compris quand tes camarades ont été gênés par ma présence.

— Pas moi, je t'assure. Mais dis-moi qui tu es, bon sang !

Il considéra son moignon, pesa le pour et le contre ensuite, il leva les yeux sur moi et laissa échapper dans un souffle ténu :

— Je suis Pedro, le Gitan. Nous chassions la gerboise, autrefois. Et tu venais avec moi au camp.

— Mon Dieu ! Pedro. Bien sûr, Pedro… Qu'est-il arrivé à ton bras ?

— Tu te rappelles, j'ai toujours rêvé de m'engager dans un cirque.

— Et comment ! Tu savais jongler, lancer les couteaux et passer tes jambes par-dessus la tête…

— Eh bien, j'ai réussi à rejoindre un cirque. Pour faire trapéziste. Le patron m'avait vu à l'œuvre, mais il n'a pas voulu prendre de risques. J'étais trop jeune. Pour me garder sous le coude, il m'a engagé comme garçon d'écurie. Je donnais à bouffer aux fauves. Un matin, je m'étais oublié devant une cage, et un lion m'a pris la main dans sa gueule. C'est un miracle s'il n'a pas réussi à me faire passer à travers les barreaux… Le patron m'a hébergé jusqu'à ce que mon bras cicatrise, ensuite, il a commencé à trouver des prétextes, et il a fini par me fiche dehors.

— Mon Dieu !

— J'ai faim, avoua-t-il en se tournant vers un marchand de soupe.

Je lui en payai un bol. Il s'accroupit sur le trottoir et se mit à manger très vite. Je lui offris un deuxième bol, il l'engloutit d'une lampée.

— Tu en veux un autre ?

— Oui, fit-il en s'essuyant la bouche sur le revers de sa main valide. Ça fait des jours que je crève la dalle.

J'attendis qu'il termine sa quatrième ration. Il enfournait les bouchées sans se donner la peine de mâcher. Son menton dégoulinait de sauce, ses doigts laissaient des traînées noires sur le rebord du bol. On aurait dit qu'il cherchait à stocker en lui un maximum de nourriture pour affronter les jeûnes à venir. Pedro n'était plus qu'un épouvantail ambulant. Il avait perdu ses dents, une partie de ses cheveux ; ses yeux portaient un voile aussi déteint que sa figure. À sa respiration pantelante, je devinais qu'il était malade, et à son teint olivâtre qu'il était peut-être à l'agonie.

— Tu m'achèterais des chaussures ? dit-il soudain. Je n'ai plus de peau sous la plante des pieds.

— Tout ce que tu voudras. Je n'ai pas suffisamment de

sous sur moi, mais je t'attendrai demain, rue Wagram, et on ira dans les boutiques. Tu sais où c'est, la rue Wagram ?

— Non. Je ne connais personne, ici.

— Tu vois cette ruelle qui traverse le Derb ? Au bout, il y a une petite place circulaire. Sur ta droite, il y a un atelier. L'écurie où je m'entraîne est en face. Tu demanderas au portier et je serai là pour toi. Je t'achèterai des souliers, des vêtements et je t'emmènerai prendre un bain. Je vais m'occuper de toi, je te le promets.

— Je ne voudrais pas abuser.

— Tu viendras ?

— Oui…

— Parole d'homme ?

— Oui, parole de gitan… Tu te souviens lorsque mon père jouait du violon ? C'était bien, hein ? On s'installait autour du feu et on écoutait. On ne voyait pas passer le temps… Il s'appelait comment, ton ami ?

— Aucune idée.

— Est-ce qu'il est toujours avec toi ?

— Non.

— Il était bizarre, ce garçon…

— Et ton père, comment il va ?

Pedro passa sa main valide sur son visage. Ces gestes étaient saccadés, sa voix turbulente. Quand il parlait, ses yeux couraient dans tous les sens comme s'ils cherchaient à semer ses pensées.

— J'ignore où ils se trouvent, mes gens… J'ai rencontré un tas de caravaniers, des nomades, des bohémiens, personne n'a rencontré mes gens à moi. Ils sont peut-être partis au Maroc. La Mama est née là-bas. Elle tenait à être enterrée là où elle est venue au monde… Merci pour la soupe, dit-il en se relevant brusquement. J'en avais bougrement besoin. Je me sens mieux, maintenant. Et excuse-moi si je t'ai mis la honte devant tes amis. Il faut que je m'en aille…

— Tu vas où ?

— J'ai quelqu'un à voir. C'est important.

— N'oublie pas, demain, rue Wagram. Je compte sur toi.

— Oui, oui… (Il recula pour ne pas me laisser le prendre dans mes bras.) J'ai des bêtes sur le corps. Elles sautent sur ceux qui m'approchent et après, on ne peut plus les déloger.

Il me salua de la tête, m'adressa un dernier sourire et dévala les marches qui menaient au Vieil Oran. J'attendis qu'il se retourne pour le saluer à mon tour, il ne se retourna pas. Quelque chose me dit que c'était la dernière fois que je le voyais. Mon intuition ne me trompa pas. Pedro ne se présenta pas à l'écurie, ni le lendemain ni jamais, et nulle part je n'ai retrouvé sa trace.

8.

Aïda planta son coude dans l'oreiller et posa sa joue au creux de sa main pour me regarder me rhabiller. Le drap satiné prononçait la courbe harmonieuse de sa hanche. Elle était magnifique dans sa pose de nymphe épuisée d'amour s'apprêtant à s'assoupir. Ses longs cheveux noirs ruisselaient sur ses épaules, et ses seins, qui portaient encore la trace de mes étreintes, évoquaient deux fruits sacrés. Quel âge avait-elle ? Elle paraissait si jeune, si fragile. Lorsque je la prenais dans mes bras, je faisais attention à ne pas la brusquer tant son corps était en porcelaine. Cela faisait deux mois que je venais me ressourcer dans sa chambre parfumée, et chaque fois que je la retrouvais, mon cœur battait un peu plus pour elle. Je crois que je l'aimais. Issue d'une grande lignée bédouine de la Hamada, elle avait été mariée à treize ans à un fils de bachagha, quelque part sur les Hauts Plateaux. Répudiée au bout d'un an pour cause d'infécondité, Aïda fut rejetée par sa famille qui considérait son renvoi comme un affront. Frappée du sceau de la stérilité, aucun cousin ne daigna la prendre pour femme. Un matin, elle partit dans la steppe et elle marcha droit devant elle sans se retourner. Des nomades la déposèrent à l'entrée d'un village colonial où elle fut recueillie par une famille chrétienne. Tard dans la nuit, à tour de rôle, les garçons de ses employeurs venaient abuser d'elle dans la cave où elle logeait au milieu de toiles d'araignées et de vétustés. Lorsque ses violeurs se mirent à se découvrir des attitudes de bourreaux, Aïda dut s'enfuir pour finir au poste après des semaines de vagabondage. Elle passa de sous la coupe d'un barbeau à la main d'une rabatteuse, telle une marchandise de contrebande, avant d'échouer chez Madame Camélia.

En me confiant ses déconvenues, Aïda ne manifestait ni colère ni rancœur. C'était comme si elle racontait les tribulations d'une inconnue. Elle encaissait son infortune avec une désarmante philosophie. Quand elle s'apercevait que ses mésaventures m'embarrassaient, elle me prenait le visage entre ses mains et plongeait la douceur de son regard au plus profond de mon être, un sourire marri sur les lèvres. « Tu vois ? Ne m'oblige pas à remuer ce qui pourrait gâcher notre soirée. Je m'en voudrais de te rendre triste. Je ne suis pas ici pour ça. » Je lui avouais que c'était dur pour moi de rester insensible à sa peine. Elle émettait un petit rire et me grondait. Je lui demandais comment elle faisait pour supporter ces déboires qui s'accrochaient à elle comme des revenants. Elle me répondait d'une voix limpide : « On fait avec. Le temps s'arrange pour rendre les choses vivables. Alors, on oublie et on se persuade que le pire est derrière soi. Bien sûr, le gouffre nous rattrape au détour d'une solitude et on tombe dedans. Curieusement, dans la chute, on éprouve une sorte de paix intérieure. On se dit c'est ainsi, et c'est tout. On pense aux gens qui souffrent et on compare nos douleurs. On supporte mieux la nôtre après. Il faut bien se mentir. On se promet de se ressaisir, de ne pas retomber dans le gouffre. Et si, pour une fois, on parvient à se retenir au bord du précipice, on trouve la force de s'en détourner. On regarde ailleurs, autre chose que soi. Et la vie reprend ses droits, avec ses hauts et ses bas. Après tout, qu'est-ce que la vie ? Un gros rêve, sans plus. On a beau acheter ou se vendre, on est que des locataires sur terre. On ne détient pas grand-chose finalement. Et puisque rien ne dure, pourquoi s'en faire ? Quand on atteint cette logique, aussi bête soit-elle, tout devient tolérable. Et alors, on se laisse aller, et ça marche. » C'était la seule fois où elle s'était confiée. D'habitude, une phrase suffisait à tout déballer. Moi, je souhaitais qu'elle n'arrêtât jamais de parler. Sa voix était si douce, et ses propos pleins de sens. Elle donnait l'impression d'être forte et résolue, et cela m'apaisait un peu. Je voulais tant de choses pour elle, qu'elle redevienne Aïda et qu'elle tire un trait sur son passé pour repartir d'un bon pied, aguerrie et conquérante. Je m'interdisais de croire une seconde que sa vie puisse s'achever dans ce cul-de-sac mortifère, sur un lit outragé, livrée à des cannibales aux baisers infectés. Aïda était belle, trop belle pour n'être qu'un objet érotique. Elle était jeune, pure, si pure que les salissures de son métier disparaissaient d'elles-mêmes dès qu'elle se retrouvait seule dans sa chambre après le retrait de ses clients. J'aimais beaucoup sa compagnie. Parfois, je n'éprouvais pas le besoin de la prendre ; je me contentais de sa proximité, assis face à face, elle sur le bord du lit et moi dans le fauteuil. Lorsque le silence commençait à peser sur notre quiétude, je convoquais pour elle les meilleurs épisodes de ma vie. Je lui parlais de Sid Roho, de Ramdane, de Gomri, et elle riait de leurs travers comme si elle les connaissait sur le bout des doigts. J'étais fier de l'amuser et j'adorais libérer son rire cristallin qui partait toujours d'en bas, par petits grelots, avant d'atteindre les sommets, si haut qu'il touchait le ciel… Mais le temps nous était compté. Il me fallait partir à un moment donné. Me réveiller. Aïda avait d'autres amants qui trépignaient dans les reposoirs. J'avais beau les ignorer, la bonne au visage plâtré qui montait la garde sur le palier était là pour me rappeler à l'ordre. Elle frappait à la porte, et Aïda ouvrait les bras en signe d'excuse.

Ce que je ressentais pour Aïda n'appartenait qu'à nous deux. Je la quittai avec le sentiment de sortir de mon corps.

J'aurais tant souhaité qu'elle se promène avec moi dans la futaie, que l'on s'oublie à l'ombre d'un arbre, loin du monde entier. Je lui avais proposé de m'accompagner en ville. Elle ne pouvait pas. Le règlement de la maison n'autorisait les pensionnaires à se rendre à Oran qu'une fois par mois. Non pour se promener, mais pour renouveler leur garde-robe. Une voiture emmenait Aïda, avec d'autres prostituées, dans les mêmes boutiques. Sous la garde rapprochée d'un domestique. Les achats terminés, on les ramenait directement à la maison. Aucune prostituée n'avait le droit de folâtrer dans les jardins publics ou de s'attabler à une terrasse de café, encore moins de saluer un client dans la rue.

On se serait cru au pénitencier.

La bonne frappa à la porte. Avec insistance, cette fois. Aïda s'extirpa du lit.

— Il est en train de se rhabiller, l'entendis-je chuchoter dans le couloir.

— C'est pas ça, dit la bonne à voix basse. C'est Madame qui m'envoie. Elle veut voir le jeune homme avant son départ.

— Très bien. Il descend dans une minute.

Je glissai ma chemise sous le pantalon. Aïda passa derrière moi, posa un baiser sur ma nuque avant de me ceinturer de ses bras de houri.

— Reviens vite, mon champion. Tu vas me manquer.

— J'aimerais te présenter à ma mère.

— Je ne suis pas une fille à présenter à ses parents.

— Je lui dirai que tu es mon amie.

— Ce genre de mot ne figure pas dans le glossaire de nos traditions, champion. Et puis, tu m'imagines débarquer chez ta vieille avec mon maquillage et mes robes de dévergondée.

— Tu n'es pas une dévergondée, Aïda. Tu es quelqu'un de bien.

— Ça ne suffit pas. Ta mère ne doit pas soupçonner que son fils chéri fréquente des putains. Elle ne le supporterait pas. Chez nous, le vice est pire que le péché... Dépêche-toi, Madame a horreur d'attendre.

La bonne me guettait au bout du couloir. De la main, elle me pria de me dépêcher. Au bas de l'escalier, Larbi le valet piaffait à cause de mon retard. Dans la salle, les filles en chemisette vaporeuse et culotte de dentelles s'appliquaient à ensorceler leurs clients. Des pépiements feutrés virevoltaient par-dessus le comptoir où des pigeons grisés se ruinaient à épater leur harem. Mouss, le grand Noir, occupait une alcôve, deux cocottes languides sur les genoux. Par j'ignore quel réflexe, peut-être pour le remercier de s'être invité à mon dernier combat, je lui adressai un salut de la main. Il me montra ses dents en or dans un rictus en grognant.

— Ne crie pas trop vite victoire, *moutcho.* Le Sigli n'est qu'un tocard qui cherche à péter plus haut que son cul et qui sort de l'air par les oreilles.

— N'empêche ! Il n'a pas tenu une minute, tins-je à lui rappeler, vexé.

— Normal. Il était déjà mort de trouille avant de monter sur le ring.

Larbi écarta un rideau donnant sur un passage, m'indiqua une porte capitonnée au fond du corridor. Madame Camélia trônait derrière un petit bureau, le chignon austère et la figure impénétrable, un châle de surah sur les épaules. Il n'y avait pas de fenêtre dans la pièce qu'éclairaient parcimonieusement deux cierges sur une commode. La maîtresse de céans paraissait réfractaire à l'électricité. Elle devait se sentir plus rassurée dans la semi-pénombre qui conférait à sa silhouette quelque chose de mystique.

Son sourire de murène se voulait une barrière entre nous.

De sa main gantée de blanc jusqu'au coude, elle me désigna une chaise drapée de velours, attendit que je m'asseye avant de pousser un bout de papier dans ma direction.

— Qu'est-ce que c'est ?

— L'adresse d'une excellente petite maison de tolérance à Oran, me dit-elle d'un ton faussement enjoué. Pas loin du centre-ville. Les filles sont jolies et très gentilles. Comme ça, vous n'aurez pas à mobiliser le chauffeur de M. Bollocq pour vous transporter jusque chez moi. Vous sautez dans un tramway, sinon en quelques minutes de marche, vous y êtes.

— Je me plais, ici.

— Jeune homme, toutes les filles se ressemblent. Le mieux serait de les avoir à portée de la main.

— Je suis bien dans cette maison. Je n'ai pas envie de chercher ailleurs.

— Personne ne vous y oblige. Rendez-vous à cette adresse et jugez par vous-même. Je suis certaine que vous changerez très vite d'avis.

— Je n'ai pas envie de changer d'avis.

Madame Camélia crispa ses lèvres autour d'une grimace désappointée. Elle respira fortement par le nez, ce qui trahissait chez elle un effort pour ne pas imploser. Ses yeux pétillaient de façon malsaine dans la lumière frissonnante des cierges.

— M. Bollocq est-il au courant de vos incessants va-et-vient dans ma maison ?

— C'est lui qui m'envoie son chauffeur.

— À charité aveugle, mendiant trop gourmand, laissat-elle échapper d'une voix traînante qui semblait me marcher dessus.

— Pardon, madame ?

— Je parlais pour moi... Ne trouvez-vous pas que vous abusez de la générosité de votre bienfaiteur, jeune homme ?

— Vous en bénéficiez mieux que moi, non ?

Elle croisa les doigts et posa ses deux mains jointes sur la table, luttant en son for intérieur pour garder son calme.

— Je vais être franche avec vous, mon garçon. Certains de mes clients se plaignent de votre présence dans ma maison. Ce sont des gens d'un certain rang, vous comprenez ? Ils ne souhaiteraient pas partager leur intimité avec des inconnus venus d'un milieu... comment dirais-je ? pas tout à fait habitué aux spécificités de notre offre. Mes clients sont des officiers, des financiers, des hommes d'affaires, enfin des gens importants, et ils sont tous mariés. Ils ont besoin de préserver leur réputation et leur ménage. Dans ce genre d'endroit, la discrétion est de rigueur. Mettez-vous à leur place...

— Je n'ai pas l'habitude de crier sur les toits ce que je vois, madame.

— Il n'est pas question de vous. Il est question de leur état d'esprit à eux. Votre présence les incommode.

Je me levai d'un bond.

— Vous n'avez qu'à leur proposer l'adresse dont vous m'avez parlé.

Elle chercha à se rattraper. Je claquai la porte derrière moi avant qu'elle réalise que j'étais parti. J'étais certain que ma présence n'indisposait personne, et que cette histoire n'était que le fruit de la détestation que la matrone vouait à ma personne. Un Arabe chez elle défigurait le cachet qu'elle s'ingéniait à donner à sa cour. N'ambitionnait-elle pas d'élever sa maison au rang du sanctuaire le plus huppé d'Oran ?

Madame Camélia ne m'aimait pas. Ce n'était pas par hasard si elle m'avait « affecté » une musulmane. Pour elle, je n'étais pas digne de poser mes mains sur une Européenne. Je crois qu'elle n'aimait personne en particulier. Il y avait trop de fiel dans son regard, trop de venin sur ses lèvres ; si elle possédait un cœur, elle en aurait brouillé les codes… Moi non plus, je ne l'aimais pas. Depuis notre toute première rencontre. Son « aura » empestait le soufre. Arrogante, comme sait l'être le vice lorsqu'il met à genoux la vertu, elle snobait son sérail qui, à la seconde où il raccrochait prestiges et statut aux vestiaires, se laissait débaucher entre un verre de bon cru et une câlinerie mécanique. Ses bonnes grâces cachaient des pièges mortels, son charisme était empreint d'une froide imposture. Elle n'était pas faite de chair et de sang, elle n'était que calcul et manipulation, l'obscure prêtresse d'un olympe honni où l'âme et la chair s'écartèlent sur l'autel du désir comme deux jambes sur leur creuset souillé n'ayant l'une pour l'autre qu'un flagrant mépris.

Je n'étais pas *chez elle*. Ni pour *ses* filles. J'étais là pour Aïda, rien que pour Aïda. Et bien qu'elle appartienne aussi aux *autres*, Aïda était *à moi*. En tout cas, dans mon esprit, c'était ainsi que je le concevais. Je ne *couchais* pas avec Aïda l'espace d'une passe, je *l'épousais*. J'avais du respect pour elle ; j'en voulais à la fatalité qui l'avait conduite en ce haut lieu de la concupiscence et du vice, parmi les incubes et les anges pervertis. Au purgatoire des voluptés, c'était donnant-donnant. L'amour réduit à une sordide valeur marchande, on monnayait jusqu'au sourire de façade ; on achetait l'instant, on négociait le coït, le moindre regard était facturé. Un seul objectif primait : conditionner le client à la dépense immodérée et, pour ce faire, le réduire à ses instincts basiques, esclave consentant et dévoué en quête de vertige, prêt à se désintégrer au beau milieu d'un orgasme pour renaître encore et encore aux fantasmes les plus fous, jamais rassasié, toujours exigeant, puisque tout se paie rubis sur l'ongle, puisque rien ne résiste au pouvoir de l'argent lorsque l'horloge murale se mue en machine à sous. Aïda ne fonctionnait pas de cette façon. Elle était généreuse, sensible, sans malice ni tricherie. Elle valait autant que ces femmes vénérables devant lesquelles on ôtait son chapeau dans la rue. J'étais malheureux de la voir, vidoir de la lie et du vomi, s'offrir à tort et à travers à des pervers qui, sous d'autres cieux, n'oseraient même pas lever les yeux sur elle. Ce n'était pas le rôle d'une fille qui aime comme elle savait m'aimer. Aïda avait une âme, une grâce singulière, de la noblesse ; elle ne ressemblait guère à son métier auquel, de toute évidence, elle ne survivrait pas – à l'usure, j'en étais persuadé, le peu d'humanité qu'elle conservait pourrirait en son sein, et elle en mourrait comme d'un cancer... Mais que faire, à part ruminer mon amertume et frapper dans mes mains ? Lorsque, en débarquant à la maison close, j'apprenais qu'elle avait un client et qu'il me fallait attendre mon tour, je ne voyais pas le bout du tunnel. Et quand je prenais congé d'elle pour qu'un autre me remplace au pied levé, je brûlais en enfer. Je rentrais à Oran si triste que ma chambre accueillait la nuit plus vite que d'habitude. Le matin, en regagnant l'écurie, le sac de frappe pliait sous mes coups, et je jure qu'il m'arrivait de l'entendre gémir et demander pardon.

L'entretien avec Madame Camélia avait laissé des traces. Je me posais des questions. Ma personne indisposait-elle réellement le sérail de la maison close ? Étais-je en train d'abuser de la générosité du Duc ? Bizarrement, Filippi se mit à se défiler lorsque je le sollicitais, prétextant des affaires urgentes à régler ou des missions pour le patron. À l'écurie, mes entraînements laissaient à désirer ; je ne prêtais qu'une oreille distraite aux exhortations de

DeStefano. Le manque de concentration faillit me coûter cher. À la fin du mois, j'eus toutes les peines du monde à venir à bout de mon adversaire, un coriace fils de Boufarik, qui me menait aux points jusqu'au septième round. Mon crochet du gauche m'avait sauvé in extremis. Écœuré par ma prestation, le Duc m'avait savonné dans les vestiaires. Nous rentrâmes à Oran en train, chacun plongé dans ses préoccupations.

La nuit, quand j'éteignais dans ma chambre, je glissais mes mains sous ma nuque, laissais l'obscurité gagner mes pensées. Aïda occupait mon esprit. Je me demandais avec qui elle couchait à cet instant, quelles mains impures la broyaient ? J'étais jaloux. Et malheureux pour elle. Quel avenir pour une prostituée ? Un soir, on se rendrait compte que sa fraîcheur avait pris un coup de vieux. Ses amants lui préféreraient d'autres courtisanes. Ils se mettraient à la délaisser, puis à se gausser d'elle. La prêtresse l'inviterait à faire sa valise et à restituer la clef de la chambre. Aïda irait végéter dans un garni de faubourg où le lit serait froid et les draps rances. Quand elle n'aurait pas suffisamment de quoi payer le loyer, elle errerait d'un bouge à une maison d'abattage, et d'un entresol à une cage d'escalier avant de retourner dans les rues mal famées épuiser ses derniers recours en arpentant les trottoirs. Elle passerait d'un docker à un charpentier paumé, si vulgaire et terne qu'aucun barbeau ne daignerait la maquer. Puis, après avoir touché le fond et bu le pus des affronts, elle se ramasserait au coin d'un asile insalubre ou bien dans une taupinière et, déchue, malade, affamée, usée jusqu'à la fibre, elle réclamerait la mort en se mouchant dans des torchons maculés de sang.

Je n'avais personne avec qui partager mon désarroi. Gino était plus occupé à s'acheter des costards et à fréquenter le beau monde qu'à s'attarder sur mes états d'âme. On ne se voyait presque plus, lui à se substituer à l'ombre du Duc qui lui avait promis un bureau dans son établissement, et moi à me demander comment surmonter le doute que Madame Camélia avait semé en moi. Il me fallait prendre une décision. Aïda me manquait. Me confier à Gino me paraissait perdu d'avance. Il chercherait à me dissuader, rirait des sentiments que je nourrissais pour une prostituée. N'était-il pas contre les relations durables ? Il trouverait les mots désarmants, et je ne tenais pas à lui donner raison. J'avais besoin d'écouter mon cœur. Beaucoup de boxeurs étaient pères de famille ; ils ne donnaient pas l'impression d'en pâtir.

J'étais allé consulter le Mozabite, l'associé de mon oncle. Bien sûr, je redoutais son verdict. Pour ne pas éveiller ses soupçons, je lui avais raconté qu'un ami à moi était épris d'une fille de petite vertu et qu'il envisageait de l'épouser. Le Mozabite, dont j'appréciais la sagesse, ne sut quoi répondre. Il n'était pas chaud. Il me dit que mon ami pourrait le regretter un jour. Je lui demandais alors quelle était l'attitude de notre religion concernant ce genre de projet. Le Mozabite me révéla que l'islam n'était pas contre, que c'était même honorable pour un croyant de soustraire une âme égarée à la prostitution. Il me conseilla d'orienter mon « ami » sur l'imam de la Grande Mosquée, seul habilité à trancher. L'imam me reçut avec égard. Il me posa des questions sur mon « ami », s'il était musulman, marié et s'il avait des enfants. Je lui certifiai qu'il était célibataire, sain de corps et d'esprit. L'imam voulut s'assurer que la prostituée était fiable, qu'elle n'aurait pas envoûté son amant et qu'elle ne s'intéresserait pas qu'à son argent. Je lui répondis qu'elle n'était même pas au courant des intentions de mon « ami ». L'imam écarta les bras et me dit : « Rendre son honneur à une pauvre femme dépossédée de son âme vaut mille prières. »

J'étais soulagé.

Une semaine plus tard, après y avoir réfléchi à m'en

esquinter les neurones, j'achetai une bague et exigeai de Filippi de me conduire sur-le-champ à Canastel.

Aïda n'était pas libre. Je dus attendre dans le salon une éternité, repoussant sans ménagement les manœuvres appliquées des racoleuses. Il était 8 heures passées ; le soir broyait du noir aux fenêtres. Un client émoustillé martyrisait un piano à queue près de la baie vitrée. Ses touches hasardeuses ponctuées de notes dissonantes me tapaient sur le système. J'espérais que quelqu'un lui fasse la remarque ou qu'une fille aguichante le traîne au comptoir ; personne ne semblait s'intéresser à lui. Je me concentrai sur le palier du premier où la bonne veillait au grain. Chaque fois qu'un client se manifestait au haut de l'escalier, la bonne me faisait non de la tête. Je subissais les instants comme des sièges qui se relayaient autour de mon impatience. Mes mains étaient moites à force de se triturer. Enfin, un gros personnage chauve, la figure rougeaude et l'œil fuyant, apparut. C'était le bon. Je gravis les marches en courant, sourd aux protestations d'un client qui attendait sur un canapé. La bonne tenta de me rattraper ; la férocité de mon regard la cloua sur place.

Aïda finissait de se repoudrer devant la glace. Ses cheveux étaient encore défaits, et les draps sur le lit aussi. Je me tenais devant elle, tremblant de la tête aux pieds. Je la trouvais plus belle que jamais, avec ses grands yeux de biche qui me *souriaient.*

— Je ne t'attendais plus, me fit-elle en dégrafant machinalement son corset.

— Je ne suis pas venu pour ça.

— Tu as trouvé mieux ailleurs ?

— Aucune femme ne me détournerait de toi.

Elle me considéra de guingois, le sourcil légèrement haussé, renoua la ganse autour de son cou pour me faire face.

— Qu'est-ce qu'il y a ? Tu es tout excité.

Je lui pris les mains à les briser et les posai sur ma poitrine. Mon cœur battait à tout rompre. Je lui dis :

— J'ai une grande nouvelle pour toi.

— Une grande nouvelle ? Grande comment ?

— Je veux t'épouser.

— Quoi ? s'écria-t-elle en récupérant vivement ses mains.

Je m'attendais à sa réaction. Une fille de joie ne s'imagine pas entendre pareilles déclarations. Dans son esprit, elle n'en serait pas digne. J'étais tellement heureux pour elle, tellement fier de la réhabiliter, de lui rendre sa dignité et son âme. Je lui repris les mains. Ses yeux me parcouraient tels des fuseaux de lumière qu'une branche dévie sous la brise. Je comprenais son émotion. À sa place, j'aurais sauté au plafond.

— L'imam m'a certifié que, pour un croyant, sauver une femme du déshonneur équivaudrait à mille prières.

Elle recula d'un pas, de plus en plus incrédule.

— De quel imam tu parles, et de quel déshonneur ?

— Je veux t'offrir un toit, une famille, du respect.

— J'avais tout ça, avant.

Quelque chose m'échappait.

Le visage d'Aïda avait blêmi et je n'en voyais pas la raison.

— Qui te dit que je veux me remarier ? Je suis très bien là où je suis. J'habite une belle maison, je suis nourrie, blanchie, protégée, je ne manque de rien.

— Tu es sérieuse ?

— Pourquoi ne le serais-je pas ?

— Tu te rends compte de ce que je suis en train de t'offrir ?

— Tu m'offres quoi ?

— D'être mon épouse.

— Je ne t'ai rien demandé.

Mes tempes se contractèrent.

Je revins à la charge, dérouté :

— Je crois que tu ne m'as pas bien entendu : je veux faire de toi mon épouse, te sortir de cette vie indécente.

— Mais je ne tiens pas à dépendre d'un homme, moi, s'écria-t-elle dans un rire bref et nerveux. J'en ai un tas, et tous me traitent comme une reine. Pourquoi veux-tu m'enfermer dans un taudis, m'encombrer de mioches et me faire marcher à la trique ? Et puis, où vois-tu l'indécence, ici ? Je travaille. J'ai un métier, et il me passionne.

— Tu appelles ça un métier, vendre ton corps ?

— Et les ouvriers, ils ne vendent pas leurs bras, et les mineurs, ils ne risquent pas leur peau dans des galeries mortelles, et les porteurs, ils ne marchandent pas leur dos pour des clopinettes. Je trouve moins décente la galère d'un pauvre bougre qui se tue à la tâche du matin au soir pour deux sous que l'ivresse d'une putain qui prend du plaisir en amassant plus de fric en un mois qu'un poseur de rails en dix ans. Et toi ? Tu trouves décent de te faire casser la figure sur un ring ? Ce n'est pas vendre ton corps aussi ? La différence entre ton métier et le mien est qu'ici, dans ce palais, je ne reçois pas de coups, je reçois des cadeaux. Je dors dans un vrai lit et dans ma chambre il y a un luxe que je ne trouverais nulle part dans un foyer, même si mon mari était un champion. Ici, je suis une sultane, Turambo. Mes bains sont faits d'eau chaude et d'eau de rose, mes toilettes de soierie et d'huiles essentielles, mes repas sont des festins et mes sommeils sont capitonnés de nuages. Je ne suis pas à plaindre, je t'assure. Je suis née sous une bonne étoile, Turambo, et aucun honneur n'arriverait à la cheville de mes petits bonheurs d'ici.

Les jambes cisaillées, je tombai dans le fauteuil, pris ma tête entre les mains ; je refusais d'admettre qu'Aïda puisse me tenir un langage pareil, sans concession et sans appel, aussi définitif qu'une mise en bière. J'avais du mal à discipliner les idées qui tourbillonnaient dans mon esprit. Dans mon dos, la sueur se ramifiait à travers un écheveau de frissons, me glaçant la chair et le sang.

Je ne reconnus pas ma voix lorsque je laissai échapper :

— Je croyais que je n'étais pas comme les autres, que tu m'aimais.

— J'aime *tous* mes clients, Turambo. Tous de la même façon. C'est mon métier.

Je ne savais plus ce qui était mal et ce qui ne l'était pas. Je croyais bien faire, je me rendais compte qu'il y avait d'autres logiques et des vérités aux antipodes de celles que l'on m'avait enseignées.

Gino éclata de rire lorsque je lui racontai comment j'avais été éconduit par Aïda.

— Tu as un problème affectif, Turambo. Tu as été très mal materné. Aïda n'a pas tort. Tout compte fait, tu lui dois une fière chandelle. Ne tombe pas amoureux de chaque femme qui te gratifie d'un sourire. Tu n'as pas les moyens d'entretenir un harem. Tâche seulement de ne pas te tirer une balle dans le pied. On ne monte pas sur un ring avec des béquilles.

Il m'assena une tape sur l'épaule.

— On apprend tous les jours, n'est-ce pas ? Et pourtant, ce n'est jamais assez pour parer aux déconvenues. Allez, viens, ajouta-t-il en me lançant une veste, on annonce du folklore à Sid el-Hasni. Y a pas mieux qu'une danse au baroud pour chasser les mauvais esprits.

III. Irène

1.

Filippi me demanda quand je comptais déverrouiller ma ceinture de chasteté ; je lui répondis que j'en avais égaré la clef.

Une année après avoir été éconduit par Aïda, j'observais l'abstinence, me consacrant à mes entraînements. Je n'étais pas allé sur la falaise de la *Cueva del Agua* voir les poivrots se chamailler, je n'avais pas rasé les murs ni maudit de saints ; j'étais enfin devenu adulte.

Il y a toujours une vie après l'échec, la mort seule est définitive.

D'après le Mozabite, l'amour ne s'apprivoise pas, ne s'improvise pas, ne s'impose pas ; il se construit à deux. En toute équité. S'il reposait sur l'un, l'autre serait son malheur potentiel. Quand on court après lui, on l'effraie ; alors il s'enfuit, et on ne le rattrape jamais.

L'amour est fait de hasard et de chance. À une bretelle de la vie, il est là, offrande sur le chemin. S'il est sincère, il se bonifie avec le temps. Et s'il ne dure pas, c'est que l'on s'est trompé de mode d'emploi.

Je ne m'étais pas trompé de mode d'emploi. Je m'étais trompé sur toute la ligne.

J'ai rangé mon cœur au placard pour n'écouter que les orientations de DeStefano.

Neuf combats, neuf victoires.

Dans les souks araberbères, les troubadours corsaient

mon épopée au milieu d'auditoires ébahis. Les barbiers de Médine Jdida ornaient la devanture de leur officine avec mes affiches. Il paraît qu'une illustre *cheikha* chantait mes triomphes lors des mariages.

Une nuit, un fiacre était venu me chercher, rue du Général-Cérez. Le cocher semblait sortir d'un conte oriental, avec son gilet rouge boutonné de cuivre, son sarrau brillant d'apprêts et son tarbouche incliné sur l'oreille. Une sorte de pacha l'accompagnait, la moustache en cornes de bélier. Ils me conduisirent dans une grande ferme, au sud de la ville. Dans la cour enguirlandée de lampions, une centaine de convives me guettait. Dès que le fiacre eut franchi le seuil de la propriété, les tambourins se joignirent aux cymbales et aux *derboukas* dans un charivari endiablé. Des danseurs noirs sautillaient, en transe. Et Elle est venue vers moi, aérienne, altière, souveraine, la légendaire Caïda Halima qu'on disait aussi riche que dix douairières et aussi puissante que la reine de Saba. «*Nous sommes fiers de toi, Turambo,* m'a dit la femme qui assujettissait les Terras et tenait en respect préfets et gros colons. *Cette fête est pour toi. En plus de célébrer tes victoires, elle nous rappelle que nous ne sommes pas morts et enterrés.* »

Aïda ne m'avait pas éconduit, elle m'avait rendu à mes tribus…

J'étais chez ma mère à endurer les vociférations de la voisine. Depuis midi, cette dernière appelait la malédiction sur sa marmaille qui était à la sieste ce qu'est la fanfare à la méditation. Les enfants se calmaient un instant puis, se jetant la faute mutuellement, ils reprenaient leur vacarme. Je n'en pouvais plus de ramener l'oreiller sur ma figure afin d'amortir leurs cris. De guerre lasse, je me rhabillai et sortis dans la fournaise de la ville.

Gino était chez lui. Il attendait Filippi, sapé en jeune

nabab, la cravate au cou et les lunettes fumées sur son beau visage qu'une frange sophistiquée ornait au front. Gino ne portait que des costumes taillés sur mesure chez Storto et des chaussures de marque. On ne se voyait presque plus. Finis, les vadrouilles nocturnes, les cafés-concerts et les cinémas. Gino avaient d'autres priorités. Dans la rue, les demoiselles le dévoraient des yeux. Fringant, le sourire ravageur, mon ami n'avait qu'à claquer des doigts pour déchaîner les passions. Pourtant, il n'en était rien. Gino ne regardait guère de ce côté-là. Depuis que le Duc lui avait affecté un petit bureau au deuxième étage de son établissement, avec vue sur le platane, Gino gardait la cravate en pleine canicule et ne parlait que de négoce. Certes, il défendait bec et ongles mes intérêts, sauf qu'il me manquait, et je ne savais quoi faire de ma personne lorsqu'il était occupé ailleurs.

— Tu as encore un rendez-vous urgent, je suppose ? lui demandai-je tandis qu'il s'admirait devant la glace.

— Je suis désolé, je ne peux pas le reporter.

— Tu rentres quand ?

— Aucune idée. Il se pourrait qu'on aille dîner, après. Ce sont des gens importants. On doit les bichonner.

— Je vois.

— Ne fais pas cette tête. C'est pour ta carrière que nous nous défonçons.

— Vas-y mollo, Gino, sinon le jour du sacre, j'irai fleurir ta tombe.

— Pourquoi dis-tu ça ?

— Parce que je déprime. Tu es sans arrêt dans l'ombre du Duc, et moi, je tourne en rond.

Gino arrangea le col de sa veste, pivota à droite et à gauche pour vérifier la coupe impeccable de son costume.

— Turambo, mon pauvre Turambo, des millions de jeunes aimeraient être à ta place, et toi, tu ramènes le monde à tes petits passages à vide. Songe à ce que tu es en train de devenir. Tu ne peux plus sortir dans la rue sans embraser les foules. Tu t'ennuies ? Il y en a qui n'ont pas ce privilège. Jette un coup d'œil dehors. On galère à tomber dans les pommes pour une bouchée de pain. Ils donneraient combien pour un moment de répit, les tâcherons qui s'épuisent sous les fardeaux, qui fondent au soleil et qui courent matin et soir après une corvée que même une bête de somme refuserait. Rappelle-toi ce que tu as été il y a à peine quelques années et vois le chemin que tu as parcouru. Si tu es incapable de t'en réjouir, ce n'est pas la faute au bon Dieu.

Il me prit le menton entre le pouce et l'index pour me dévisager.

— Tu as la moue qui déborde ton sourire, Turambo. Prends exemple sur moi et soigne ton image. Il n'est pire gâchis qu'un champion blasé. Alors, sois beau et arrête de râler.

— Le Mozabite dit : seules les femmes sont belles ; les hommes, eux, sont juste narcissiques.

Gino rejeta la tête en arrière dans un rire.

— Dans un sens, ce n'est pas faux… Au fait, j'allais oublier. L'écurie est fermée pour travaux. Le Duc va dépenser une fortune pour la retaper de fond en comble. Maintenant que nous avons un futur champion d'Afrique du Nord, nous ne pouvons plus nous permettre d'évoluer dans une étable désaffectée. Le Duc a commandé un ring de première qualité. Nous allons installer des cabinets, des douches, un vrai bureau, repeindre les murs, carreler le sol, remplacer les vitres. À ton retour, tu n'en croiras pas tes yeux.

— Retour ?

— DeStefano ne t'a rien dit ?

— Non.

— Tu pars du côté de Lourmel préparer ton prochain match. Chez un certain Alarcon Ventabren. Il paraît que les boxeurs cotés vont souvent s'oxygéner et s'entraîner là-bas. Le Duc a déboursé un sacré paquet de fric pour que tu puisses bénéficier d'un maximum de commodités. Tu affrontes Marcel Cargo dans deux mois. Et après, avec un peu de chance, tu pourras prétendre au titre.

Filippi conduisait avec dégoût à cause de la chaleur. Il dégoulinait sous sa tunique de chauffeur de maître. L'été se surpassait en cette fin de juillet 1934. Quand on baissait les vitres, l'air nous brûlait le visage ; quand on les montait, la voiture se transformait en four. Devant nous, la route se fragmentait en un interminable chapelet de mirages. Pas un oiseau ne se hasardait dans le ciel chauffé à blanc, pas une feuille ne bougeait dans les arbres.

Sur le siège avant, Frédéric Pau ruminait de vieilles aigreurs. De temps à autre, il ébauchait un geste excédé de la main. Sur la banquette arrière, nous étions quatre à l'observer ; Gino, Salvo, DeStefano et moi.

— Le Duc lui mène la vie dure, me souffla Gino dans l'oreille.

De part et d'autre de la chaussée, les fermes se noyaient dans les réverbérations nacrées de l'après-midi. Les champs et les vergers étaient déserts. Seule une bourrique aux pattes de devant ligotées dévalait un raidillon en sautillant, accablée.

Frédéric émergea enfin de son aparté. Il indiqua la paillote d'un marchand de fruits au bout de la route et pria Filippi de prendre le sentier juste après.

— On ne va pas chez les gens les mains vides, dis-je.

Nous nous rangeâmes sur le bas-côté à proximité de la paillote. Le marchand de fruits dormait du sommeil du juste au milieu de ses monceaux de melons. Il dégringola de son nid en nous entendant claquer les portières, enroula un turban mité autour de son crâne et s'excusa de s'être assoupi.

— Tu t'appelles comment ? lui fit Frédéric.

— Larbi, monsieur.

— Encore ! s'exclama Frédéric en faisant allusion au valet de Madame Camélia. Qu'est-ce que vous avez tous à vous enticher d'un nom pareil ? Vous avez peur que l'on vous confonde avec les Turcs ou les Sarrasins ?

DeStefano n'apprécia guère l'impertinence du conseiller. Il m'adressa un coup d'œil explicite ; je haussai les épaules, immunisé contre ce genre de raccourci. Le marchand s'embrouilla, ne sachant pas si le Français le taquinait ou le tançait. Il se racla la gorge en tirant sur son col. C'était un petit bonhomme émacié, au teint bistre, le tricot en lambeaux et le froc crotté. Il avait un tatouage berbère sur le revers de la main et presque pas de dents sur son sourire gêné. Nous choisîmes deux énormes pastèques, trois melons et une corbeille de figues de Bousfer, remontâmes dans la voiture et escaladâmes le sentier qui serpentait au milieu des collines arides. Quelques kilomètres en amont, nous entrevîmes une grande demeure en pierre flanquée d'une dépendance et d'une stalle. La voiture franchit une claie, contourna un abreuvoir et s'arrêta au pied d'un arbre. Une femme enceinte courut avertir le maître de céans de notre arrivée.

Un quinquagénaire replet apparut sur une chaise roulante.

Frédéric ôta son chapeau pour le saluer.

— Content de vous revoir, monsieur Ventabren. Vous connaissez DeStefano…

— Bien sûr, voyons, qui ne connaît pas DeStefano ?

— La tête d'œuf à côté de lui, c'est Salvo le soigneur. La nuit, il se transforme en furet, et si vous n'avez pas de cadenas à votre garde-manger, au matin, vous n'avez plus de garde-manger du tout. (Salvo esquissa un sourire de circonstance…) Ce jeune homme beau et cravaté, c'est notre comptable Gino. Et enfin, Turambo, une épopée en marche.

— Et moi, c'est Filippi, cria le Corse resté dans la voiture.

— Eh bien, messieurs, vous êtes arrivés à point pour l'apéritif, dit le quinquagénaire.

— Avec cette chaleur ! Une eau bien fraîche suffirait.

— Fatma a préparé de la citronnade. Entrez, je vous prie.

Il faisait bon à l'intérieur. Nous pénétrâmes dans un salon meublé d'une table rustique, d'un bahut très ancien et d'une banquette matelassée. Sur une cheminée au contour disgracieux, des photos sous verre montraient un jeune boxeur posant pour la postérité.

— Le bon vieux temps, soupira notre hôte.

Il nous invita à nous attabler. Fatma, la femme enceinte, nous servit des verres de citronnade et s'éclipsa. Ventabren nous laissa nous désaltérer avant de nous annoncer que sa fille n'allait pas tarder et qu'elle se chargerait de nous faire visiter nos « quartiers ».

Frédéric remarqua des tableaux rangés dans un coin. Il se leva pour les examiner de près.

— Je peins à mes heures perdues, dit Ventabren en poussant sa chaise roulante derrière le conseiller.

— Vous avez du talent, reconnut Frédéric après avoir jeté un coup d'œil sur les toiles.

— Il faut bien gagner sa croûte. Mes mains fantasment sur des pinceaux mais mes poings réclament des gants. Le guerrier déchu qui veut manger à sa faim, quand bien même il aurait l'âme d'un artiste, choisit d'être brigand.

— Vous n'êtes pas un brigand, monsieur Ventabren. Vous avez une façon de reproduire la mer absol…

— Ce n'est pas la mer, c'est le ciel, corrigea une voix de femme dans notre dos. Vous tenez la toile à l'envers.

Une jeune femme se dressait dans le vestibule. Elle

portait un foulard rouge autour du cou, une chemise à encolure échancrée par-dessus un pantalon d'équitation qui prononçait la cambrure de ses hanches, des bottes jusqu'aux genoux et une cravache nattée dans la poigne.

— Si le tableau vous intéresse, on vous fait un prix, poursuivit-elle.

— C'est que, bredouilla Frédéric pris au dépourvu, voilà... M. Bollocq aime ce genre de peinture.

— Ça s'appelle une gouache.

— Bien sûr, une gouache. Je suis persuadé que M. Bollocq va adorer.

— Il ne doit pas être d'une grande culture.

— Mais il a bon goût, je vous assure.

— Dans ce cas, adjugé. Son prix sera le nôtre.

La jeune femme dégageait des ondes fortes, une autorité qui nous intimida d'emblée. Elle ne parlait pas, elle mitraillait, les répliques en embuscade dans sa bouche. Chaque fois qu'elle faisait mouche, elle cinglait sa cuisse avec la cravache, et son ton s'accentuait comme si elle cherchait à pousser Frédéric dans ses derniers retranchements. La gêne grandissante du conseiller lui insufflait une arrogance à la limite de l'agressivité. Mais Dieu ! Qu'elle était belle, d'une beauté rebelle, voire sauvage, avec ses cheveux noirs ramassés en queue-de-cheval et son regard perçant.

Acculé, le conseiller ne sut plus s'il devait poser la toile ou la garder sur lui. Ventabren se porta à son secours :

— Messieurs, cette charmante jeune dame est ma fille Irène. Elle ne craint ni la foudre ni l'insolation. À l'heure où pas un lézard ne se risque dehors, elle parcourt le domaine sur son cheval.

— Sur une jument, papa... Je me change et je suis à vous, nous lança-t-elle en montant au premier.

Alarcon Ventabren nous considéra à la dérobée, flatté par l'épais silence que nous observions. DeStefano se pencha sur moi et me demanda en chuchotant si je me souvenais de la fille qui galopait ventre à terre sur la colline le matin de mon tout premier combat à Aïn Témouchent. Je ne lui répondis pas, les yeux fixés sur l'endroit où se tenait la jeune femme quelques instants plus tôt. En réalité, je ne voyais pas le vestibule, mais cette aube blanche tendue en écran sur lequel une splendide cavalière filait *cueillir le jour* à sa source.

La jeune femme nous retrouva dans le salon. Elle s'était rafraîchie, avait changé de chemise et remplacé ses bottes par des sandales à semelle en chanvre. Il était difficile de lui donner un âge tant sa jeunesse se laissait supplanter par une maturité trempée. On percevait, dans son regard aguerri qui tenait à distance ce qu'il effleurait, une force de caractère inflexible. Elle n'était pas le genre de femme à rougir aux flatteries ou à passer l'éponge sur une allusion déplacée. J'étais impressionné.

Elle nous conduisit dans un cabanon où se superposaient des lits pour quatre personnes soigneusement rangés. Les draps étaient neufs, les oreillers recouverts de percale brodée. Il y avait une table protégée par une nappe indigo, quatre chaises en bois, un broc sur un plateau émaillé, un panier de fruits, un tapis sur le parterre. Une toile approximative représentant un combat de boxe occupait une bonne partie d'un mur ; elle était signée *A. Ventabren*. Accrochées aux poutrelles du plafond, deux lampes à pétrole pendouillaient, le verre nettoyé et la mèche neuve.

Après le « dortoir », Irène nous introduisit dans une grande pièce mitoyenne équipée d'un sac de frappe, d'un punching-ball, de barres fixes et d'autres outils de musculation.

— Où sont les chiottes ? s'enquit Salvo.

— On dit « cabinets », monsieur, l'apostropha la jeune femme. Ils sont à l'extérieur, derrière le caroubier. Quant au bain, on n'a pas d'eau courante, mais nous disposons d'un puits.

Frédéric me demanda si cela me convenait ; j'acquiesçai.

Alarcon Ventabren insista pour que nous restions dîner. Oran n'étant qu'à une quarantaine de kilomètres, nous acceptâmes l'invitation. En attendant le soir, on nous fit faire le tour de la propriété. Hormis les lentisques, rien ne poussait sur cette terre caillouteuse que les vents de la mer avaient pelée. Ventabren nous expliqua qu'il avait jeté son dévolu sur ce domaine pour une seule raison : il adorait écouter le vent siffler à sa fenêtre la nuit. Il avait surtout une vue imprenable sur la plaine ; du haut de sa colline, il était « plus près de Dieu que des hommes ». Il nous affirma qu'il n'avait jamais été question pour lui de se reconvertir en fermier. Il n'en avait ni l'exigence ni la vocation. Après sa carrière de boxeur, il était venu par ici s'offrir le repos du guerrier. Afin de joindre les deux bouts, il avait aménagé une petite écurie où venaient s'entraîner quelques étoiles du ring. La pureté de l'air, l'isolement de la ferme et le calme alentour assuraient une meilleure préparation physique et mentale du combattant, tint-il à nous rappeler.

Le soleil déclinait. Gino, Filippi et Frédéric entouraient l'ancien champion au pied d'un arbre ; Salvo persécutait un figuier de Barbarie en quête d'un fruit mûr. En contrebas de la colline, Fatma regagnait son douar, à califourchon sur un baudet, escortée par un gamin. Quant à Irène, la visite de nos « quartiers » achevée, elle nous avait faussé compagnie.

Assis sur la margelle du puits, je savourais le folklore des nuances que le couchant apposait à la campagne sévèrement éprouvée par la canicule. Une brise remontait de la côte, légère et douce comme une caresse. De mon mirador de substitution, je pouvais tout voir, tout capter, jusqu'au crissement de la pierre implorant le soir de la soulager de ses brûlures. En plissant les paupières, je distinguais le clocher d'une église au cœur d'une agglomération que la pénombre s'apprêtait à escamoter. On devinait la mer juste derrière les montagnes faisant le pied de nez à la fournaise en train de s'essouffler. J'avais l'impression d'évacuer le tintamarre de la ville et sa pollution, de recouvrer mes sens débarrassés de leurs scories et tout à fait apaisés.

Le dîner fut servi dans la grande salle. La domestique rentrée chez elle, Irène prit le relais. Elle allait et venait de la cuisine à la table, les bras chargés de plateaux, de carafons, de paniers de fruits, inattentive à nos papotages. Son père nous relatait ses différents combats en Algérie, en France et ailleurs, louant certains de ses adversaires, en maudissant d'autres. Emporté par sa fougue, il se soulevait presque dans sa chaise, boxait l'air, esquivait des charges imaginaires pour nous montrer qu'il était encore souple et habile. C'était un personnage fascinant ; il décrivait les combats comme si on y assistait en direct, suscitant en nous des émotions incroyables. Il se serait mis à marcher que nous ne l'aurions pas remarqué tant sa vivacité demeurait stupéfiante. Je n'arrivais pas à admettre qu'une force pareille puisse se résoudre à n'être que l'otage insecourable d'une vulgaire chaise roulante.

— Il paraît que vous avez perdu l'usage de vos jambes sur un ring, monsieur, lui fis-je.

Irène se raidit au bout de la table. L'espace d'une fraction de seconde, son regard impassible trembla avant de me fusiller.

— Mon père ne tient pas à parler de ça, dit-elle en ramassant la soupière.

— Ça ne me dérange pas, ma puce.

— Ça me dérange, moi.

— Ça ne fait rien, cédai-je pour éviter le malentendu.

— Notre hôte est boxeur, dit le père d'une voix lénifiante. Il doit savoir ces trucs pour y faire attention.

Irène pivota sur ses talons et quitta la pièce d'un pas furibond.

— Je suis désolé, monsieur Ventabren, dis-je, ne sachant plus quoi faire de ma cuillère.

— C'est pas grave. Irène est malheureuse à cause de cette histoire. Les femmes sont ainsi faites. Chez elles, aucune blessure ne cicatrise tout à fait.

Il se versa à boire.

— Ça s'est passé sur un ring, raconta-t-il. À Minneapolis, le 17 avril 1916. J'allais sur mes trente-cinq ans et je voulais m'offrir une retraite en grande pompe. J'ai été deux fois champion d'Afrique du Nord, champion de France et vice-champion du monde. Un ami à moi, homme d'affaires anglais influent, m'avait proposé de finir en beauté sur un match de gala. Je devais affronter James Eastwalker, un Noir américain, ancien mi-lourd reconverti en catcheur. Ne connaissant pas ce type, je croyais qu'on m'offrait un baroud d'honneur. Ça n'a pas été le cas. On m'a exhibé comme une bête de cirque. Déçu, j'ai refusé de monter sur le ring. Alors quelqu'un a dit que je me dégonflais. Et mon sang algérien n'a fait qu'un tour. Ça a été une vraie boucherie. Le nègre cognait comme un forgeron. Et moi, comme Vulcain. Il était évident que l'un de nous deux allait y rester. Mais je me suis mis en colère, et la colère, dans un match de fous, ça ne pardonne pas. Je te le dis parce que tu dois te rentrer ça dans le crâne. La colère, ça ne réfléchit pas. Tu cognes et tu perds de vue l'essentiel. Je ne sais pas comment j'ai dégarni mes flancs. Une enclume m'a défoncé le rein en compressant tout ce que j'avais dans le ventre. J'ai mis un genou à terre au moment où le gong a retenti, mais le nègre a fait semblant de ne pas avoir entendu, et son autre poing, le plus ferme, a emporté mon menton pendant que j'essayais de reprendre mes sens et mon souffle. Je suis passé par-dessus les cordes et je suis tombé sur le coin d'une table d'arbitre. Ça a fait *crac !* dans mon dos, puis plus rien.

— Ça alors ?

— En boxe, petit, c'est lorsque on se croit arrivé que tout bascule. J'étais allé en Amérique en grande pompe et je suis rentré au pays sur une chaise roulante.

Après le dîner, Frédéric et Gino montèrent dans la voiture et pressèrent Filippi de les reconduire à Oran. DeStefano, Salvo et moi continuâmes de discuter avec Ventabren tard dans la nuit, assis sous le portique autour d'une lanterne assiégée d'insectes. Il faisait bon. Une fraîcheur revigorante baignait la campagne. Par moments, on entendait hurler un chacal aussitôt invectivé par des chiens errants dans l'obscurité.

Ventabren parlait beaucoup. On aurait dit qu'il évacuait le remugle d'un siècle de silence. Il pouvait parler des heures entières sans laisser une chance à ses interlocuteurs de placer un mot. Il en était conscient, mais comment s'en empêcher ? Cloué sur sa chaise, il passait le plus clair de son temps à contempler la plaine et à croiser le fer avec ses souvenirs. Son voisin le plus proche était à des lieues en contrebas des collines, trop occupé à soigner ses vignes pour lui rendre visite.

DeStefano s'ennuyait. Il avait beau sortir sa montre de sa gousse pour signifier à notre hôte qu'il se faisait tard, impossible d'arrêter la machine à palabres. Ce fut Salvo qui mit fin au délire. Il expliqua à notre hôte qu'il était l'heure d'aller se coucher pour rentabiliser au maximum les entraînements qui nous attendaient aux aurores. Ventabren jugea indispensable de nous raconter une dernière anecdote avant de nous libérer.

Nous allumâmes les deux lampes à pétrole dans le cabanon. DeStefano se déshabilla devant nous ; il retira son caleçon sans gêne aucune et s'allongea sur les draps. Il était velu de la tête aux pieds, avec des touffes de poils drues sur les épaules et une horrible toison frisée sur la poitrine. Salvo lui trouva un postérieur d'orang-outan et lui conseilla de « désherber son côté cour » s'il ne tenait pas à ce qu'une colonie de bestioles l'investisse. « Je te céderais volontiers mon côté jardin pour que tu puisses me montrer l'étendue de ton savoir-faire », lui rétorqua le coach. Nous rîmes un bon coup avant d'éteindre.

Par la lucarne située près de ma couchette, je pouvais voir la fenêtre d'en haut de la ferme. Elle était éclairée ; la lumière de la lanterne imprimait sur le rideau rose la silhouette d'Irène. Cette dernière était en train de se déshabiller. Elle aussi se couchait nue. Lorsqu'elle éteignit à son tour, la nuit put enfin reprendre la campagne en entier.

2.

Le Duc avait choisi le bon endroit pour me ressourcer. Se réveiller le matin loin du tapage des souks et des criées, quel bonheur ! Pas de grincements de tombereaux, pas de klaxons, pas de rideaux de fer que l'on soulève dans un tintamarre effrayant. La campagne nous cueillait dans un calme si épuré que le rêve se poursuivait longtemps après la sortie du lit. Je me lavais la figure dans l'abreuvoir, humais l'odeur des terres en friche, et celle des vergers qui nous parvenait du fond de la plaine, portais mes mains aux hanches et laissais mon regard faire corps avec le paysage. Jaillissant de nulle part, le braiment d'un âne me restituait l'authenticité du monde tandis que la fuite éperdue d'une musaraigne dans l'herbe sèche m'éveillait à des sensations sublimes de simplicité. C'était magique. Je me revoyais enfant debout sur un grand rocher en train de me demander ce qu'il y avait derrière l'horizon. J'avais envie de rester là pour l'éternité, ma fibre paysanne remuant en moi tel un lumignon.

Nous étions à la ferme depuis une semaine. Dès l'aube, DeStefano, Salvo et moi nous lancions à la conquête des crêtes pour ne rentrer qu'à l'heure du déjeuner, en sueur, la langue dehors, mais ravis. Le repas terminé, nous reprenions les entraînements. Après le sac de frappe et le perfectionnement de mes feintes et esquives, je me livrais au massage réparateur de Salvo. Le soir, nous rejoignions

DeStefano sous un arbre et nous voguions au gré de ses intarissables récits. Hormis l'estafette pétaradante du laitier qui pointait tous les jours à 9 heures, on se serait crus coupés de la civilisation.

Lorsque le laitier se manifestait, il faussait la quiétude rurale. La cinquantaine entamée, il ne regardait personne en face, mais il savait se rendre précieux grâce aux nouvelles croustillantes qu'il collectait dans les villages alentour. Je ne me prêtais guère à ses indiscrétions. Je dirais même que je ne l'aimais pas. C'était un type bizarre, furtif et vicieux, un lascar aux yeux fourbes doublé d'un pervers répugnant – je l'avais surpris, le nez collé à la vitre, en train d'épier Fatma dans la cuisine en se tripotant. Il m'inspirait un profond dégoût. Le voir sauter sur son estafette et quitter la ferme était, pour moi, un moment de délivrance, comme l'extinction subite d'une forte migraine.

Nous nous amusions beaucoup, DeStefano, Salvo et moi. Un matin, nous étions partis voir la mer. Nous avions endossé des sacs remplis de vivres et de boissons et nous avions escaladé la montagne à la force des mollets. Nous avions mis quatre heures pour atteindre la coupole d'un marabout qui enfaîtait la cime. Là, nous avions observé une halte et nous avions contemplé la mer à nous noyer dedans.

Irène déjeunait rarement avec nous. Je n'avais pas l'impression qu'elle était à l'aise à la ferme. Le rapport qu'elle entretenait avec son père laissait à désirer. Ils ne se parlaient presque pas. Quand Alarcon Ventabren commençait à raconter sa vie de champion, Irène se *défilait* ostensiblement. Quelque chose clochait entre le père et la fille. Ils cohabitaient comme liés par un contrat moral, lui agrippé à ses lointains exploits, elle chevillée à sa selle, sans affection probante l'un pour l'autre.

Salvo voulut savoir si Ventabren était veuf ou divorcé. L'ancien boxeur préférait parler de son père : « Il ne m'a pas manqué, me confia-t-il un soir entre deux verres d'anisette Phénix. Mon vieux passait son temps à hanter les bas-fonds ou bien en prison. Quand il était jeune, fasciné par le gain facile et les frasques qui vont avec, il ambitionnait de devenir caïd, sauf qu'il n'en avait ni le culot ni le profil. Il espérait maquer un cheptel de prostituées, s'entourer d'une bande de canailles aux gueules balafrées et vivre en rentier jusqu'à ce qu'un rival le dégomme. Après avoir détroussé quelques vieilles mémés esseulées et racketté un ou deux petits boutiquiers, il se voyait déjà se pavanant sur les grands boulevards, un béret basque à ras les sourcils et des bagues massives plein les doigts. Il se bagarrait pour un oui ou pour un non, dans l'espoir de s'inventer une légende, et ne cessait de se faire casser la figure par des moins que rien à chaque coin de rue. En réalité, personne ne le prenait au sérieux. On le savait grande gueule, aussi gonflé qu'une cornemuse, et on savait surtout que le démon qui lui soufflait dedans n'avait pas assez de talent pour le rendre crédible. Au sortir d'un long séjour en taule, mon père a songé à se ranger, sauf qu'il n'était pas conçu pour fonder une famille. Il vivait comme une bête, sans présence d'esprit et sans sens des responsabilités. Il avait épousé ma mère pour ses bijoux. Après l'avoir dépouillée de son dernier centime et rongée jusqu'à l'os, il l'avait gardée à toutes fins utiles – au moins, de cette façon, notre maison lui servait de planque lorsqu'il avait des brutes aux trousses. Jamais il ne m'a pris dans ses bras, mon père. De simples badauds me fourrageaient dans les cheveux, pas lui. Une seule fois, alors qu'il était rentré choisir un meuble à brader, il m'avait trouvé assis sur le seuil de notre maison et m'avait appelé par un prénom qui n'était pas le mien. Ce fut ce jour-là que j'avais mesuré combien il m'était étranger. Puis *pfuit !* du jour au lendemain, le bonhomme s'était volatilisé. Certains racontaient qu'il avait sauté dans un paquebot en partance pour les Amériques, d'autres sous-entendaient qu'il s'était fait zigouiller à Marseille. En ces années 1880, le mystère se refermait sur la vie d'un homme comme les ténèbres sur une ombre. Il était inutile de chercher après un disparu. Il y avait d'autres urgences à traiter, et si peu de temps pour y remédier. »

Je ne pouvais pas m'empêcher de songer à mon père chaque fois que Ventabren exhumait le fantôme de son géniteur. Je revoyais le cimetière israélite, et cet homme déguenillé refermant le portail sur un chapitre de ma vie. Un gros chagrin s'ancrait en moi.

Irène exécrait les récits de son père. Elle se tenait le plus loin possible de nous pour ne rien entendre. Ventabren ne savait pas raconter une histoire sans ramener une fête à une veillée funèbre. Il s'en rendait bien compte, mais c'était plus fort que lui.

Nous soupions de plus en plus tard pour permettre à notre hôte de profiter au maximum de notre présence. Il était content de nous avoir près de lui, et doublement en constatant combien nous étions réceptifs. À cinquante-cinq ans, Ventabren avait les yeux tournés vers le passé ; devant lui, il n'y avait qu'un blanc délétère.

La nuit, toutes les nuits, quand on éteignait dans le cabanon pour dormir, j'observais par ma lucarne la fenêtre éclairée au premier et je guettais la silhouette d'Irène. Lorsqu'elle se dessinait sur le rideau, je ne la quittais pas des yeux jusqu'à ce que l'obscurité me la confisque ; et si elle ne se montrait pas, les ténèbres me prendraient jusqu'à mes plus intimes pensées que je ne trouverais pas le sommeil.

Mon premier face-à-face avec Irène fut un désastre. J'étais sur la margelle du puits. Irène s'était amenée avec un seau en caoutchouc, l'avait accroché à la corde de la poulie et l'avait balancé dans le gouffre. J'avais pris la corde pour l'aider à remonter le seau. Au lieu de me remercier, elle m'avait prié de m'occuper de mes oignons. « J'ai voulu vous rendre service, c'est tout, madame. » « J'ai une domestique pour ça ! » avait-elle répliqué en m'arrachant la corde.

Le lendemain, alors que je finissais mon cross matinal, nos chemins s'étaient de nouveau croisés. Il y avait une source au creux d'un talweg à quelques kilomètres de la ferme. J'aimais y tremper mes pieds après une dernière accélération. L'eau était si froide qu'on l'aurait crue jaillie d'un bloc de glace. Ce matin-là, Irène m'avait devancé. Elle était accroupie sur une bosse de terre et regardait sa jument se désaltérer. J'avais rebroussé chemin pour ne pas avoir à lui adresser la parole. Elle m'avait rattrapé sur le flanc de la colline.

— La source n'est à personne, m'avait-elle dit du haut de sa selle. Vous pouvez y aller.

— Non, merci.

— Je ne sais pas quelle mouche m'a piquée, hier.

— Ce n'est pas grave.

— Vous ne m'en voulez pas ?

— C'est oublié.

— Vraiment ?

— …

Elle avait mis pied à terre pour marcher à côté de moi. Son parfum virevoltait autour d'elle. Elle avait noué sa chemise autour de la taille, dénudant son ventre plat. Sa poitrine opulente tressautait à chaque pas, difficilement retenue par le corsage.

— Je n'aime pas qu'on fasse à ma place ce que je peux faire moi-même, dit-elle. Ça m'énerve. J'ai le sentiment que l'on me confond avec mon père, vous comprenez ?

— Non.

— Vous avez raison. C'était stupide. Je vois que vous m'en voulez encore.

— Il y a de quoi.

— J'ai été odieuse, mais ce n'est pas dans ma nature.

J'avais hoché la tête.

— Vous avez quel âge ?

— Vingt-trois ans, madame.

— Madame ? J'ai l'air d'une vieille grue constipée ?

— Pas du tout.

— Je n'ai que six ans de plus que vous.

— Vous ne les faites pas, madame.

— Arrêtez de m'appeler madame. Ça ne me rajeunit pas.

J'avais souhaité qu'elle s'en aille.

Sa chemise bâilla davantage lorsqu'elle ramassa une brindille par terre, libérant un sein ferme et blanc qu'elle remit à sa place comme si de rien n'était.

— Le soir, de ma chambre, j'entends mon père vous bassiner avec ses histoires et je vous plains. Vous devriez l'arrêter, il est capable d'y passer la nuit.

— Ça ne nous dérange pas.

— Comme c'est touchant ! Je suppose qu'il vous initie à ce qui vous attend à la retraite. Tous les boxeurs finissent toqués comme lui.

— Pourquoi toqués ?

— Il faut l'être pour se choisir en guise de carrière des coups sur la tête et du sang sur la figure, non ?

— Je ne crois pas.

— Vous croyez à quoi ? À la gloire ? Il n'y en a qu'une seule : l'harmonie familiale. Il n'y a que ça qui compte. Vous pouvez tutoyer les anges, si, en rentrant chez vous, vous retournez en enfer, c'est que vous êtes en train de passer à côté de la plaque. Mon père avait tout pour être heureux, une épouse aimante, une fille saine. Il ne les voyait pas. Il ne vibrait qu'au gong et aux clameurs. Il est mort le jour où il a raccroché. Aujourd'hui encore, il oublie de ressusciter.

— C'est la vie, fis-je à court d'arguments.

— Je ne suis pas d'accord. Aucune carrière ne dure.

Un jour, vous tomberez sur plus fort que vous. Vos supporters vous crieront de vous relever, mais vous ne les entendrez pas. Car tout sera flou et diffus autour de vous. On vous insultera, on vous maudira, ensuite on acclamera un autre gladiateur au sang plus frais que le vôtre. Ça a toujours été ainsi dans les arènes. Les voyeurs ont la mémoire aussi courte que leurs bras. Personne ne songera à vous ramasser. En boxe, il faut que les dieux soient éphémères pour que la passion se recycle.

— C'est un risque à courir.

Elle remonta sur sa jument.

— Aucun risque n'en vaut le détour, champion.

— Il n'y a pas de vie sans risques.

— Je suis d'accord. Mais il y a ceux qui le subissent contre leur gré et ceux qui le provoquent et le réclament comme une grâce.

— Chacun sa façon de voir les choses.

— Les hommes ne voient pas les choses, ils fantasment dessus.

— Et les femmes ?

— Les femmes ne pensent pas comme les hommes. Nous pensons juste ; vous ne pensez qu'à vous-mêmes. Nous savons tout de suite déceler l'essentiel tandis que vous vous dispersez à travers ce qu'il y a autour. Le bonheur, chez nous, est dans l'harmonie ambiante. Chez vous, le bonheur est dans la conquête et la démesure. Vous vous méfiez comme d'une teigne de ce qui est évident et vous cherchez ailleurs ce qui est à portée de vos mains. Forcément, vous finissez par perdre de vue ce qui vous était acquis au départ.

Elle tira sur la bride pour faire demi-tour et s'élança droit sur la plaine.

Quand Filippi revint nous chercher, Irène n'était pas là pour nous faire ses adieux. Elle était partie à l'aube sur sa jument, infligeant à notre séjour un goût d'inachevé. Quelque chose, chez cette jeune femme, m'interpellait, mais je refusais de l'écouter. Je me devais de garder la tête froide, de ne plus me laisser embarquer dans des histoires où le cœur n'a pas d'emprise sur la raison. Cependant, en grimpant sur la banquette arrière de la voiture, je ne pus m'empêcher de me tourner de tous les côtés dans l'espoir de voir la cavalière rentrer au galop.

La petite place de la rue Wagram papillonnait de fanions. Des guirlandes s'entrelaçaient dans les airs, dentelées de lampions et d'étoiles en papier. On avait balayé la chaussée, chaulé le trottoir du rond-point et le tronc des arbres. Les boutiquiers se tenaient sur le pas de leurs échoppes, les bras croisés sur la poitrine ; des gosses s'impatientaient au pied des palissades, fébriles et turbulents ; des journalistes griffonnaient dans leurs calepins ; les regards étaient tournés vers l'écurie au fronton badigeonné de frais. Les maçons et les artisans s'étaient surpassés : les vitres aux fenêtres scintillaient ; le portail en bois avait fait peau neuve ; à l'intérieur, sur les murs repeints en blanc, de larges portraits et des affiches sous verre glorifiaient quelques dieux de la boxe mondiale. On avait installé des cabinets à la turque avec robinets, des douches et, à la place du cagibi qui tenait lieu de secrétariat, un vrai bureau équipé d'une armoire métallique, d'étagères et de chaises cannées. Quant au ring, c'était un magnifique ouvrage qu'illuminait un projecteur placé au-dessus du plancher.

DeStefano avait le sourire d'un lobe à l'autre. Son rêve prenait forme. Il attendait ce moment depuis des années. Trépignant de nervosité, il arpentait la salle, les mains enchevêtrées dans le dos.

Rasé, parfumé, les cheveux rincés et huilés, Tobias avait dû chambarder son grenier pour dénicher le costume défraîchi, mais repassé, qu'il portait avec fierté.

— Tu l'as confectionné chez un tailleur de pierre, ton habit de croquemort ? le taquina Salvo.

— Chez ta grosse truie de sœur.

— Tu aurais dû mettre un short. Sinon comment admirer ta fabuleuse jambe de bois ?

— Sais-tu pourquoi tu es encore vivant, Salvo ? lui dit Tobias, vexé. C'est parce que le ridicule n'a jamais tué personne.

— Je suis sincère, je t'assure. Une jambe de bois, c'est attractif.

— Je vais te dire une chose, tête d'œuf. Je ne crois pas une seconde au bon Dieu, mais quand je vois la gueule qu'il t'a faite, j'ai presque envie de le louer.

— Attention, ils arrivent ! lança quelqu'un dans la rue.

Aussitôt, les gamins quittèrent leur palissade et vinrent former deux haies à l'entrée de l'écurie. Six voitures se déployèrent autour du rond-point. Le Duc, le maire et une délégation de notables débarquèrent en grande pompe et se prêtèrent volontiers à la frénésie des photographes. « Oran est une belle histoire, déclara le maire aux journalistes. À nous de lui offrir des héros. Bientôt, cet établissement, grâce à la mobilisation de tous, produira de grands champions. » Les journalistes s'engouffrèrent dans l'écurie derrière les autorités locales pendant que les vigiles repoussaient l'assaut des gamins. Les flashes crépitaient. Une caméra filmait.

La délégation inspecta les différents compartiments de l'écurie en félicitant M. Bollocq pour le formidable travail qu'il venait d'accomplir.

— Qui sont ces costauds sur les affiches, Michel ? s'enquit le préfet.

Le Duc, qui n'avait pas la réponse, se tourna vers Frédéric laissé à l'arrière. Le conseiller donna du coude pour se frayer un passage dans l'essaim des journalistes. D'un geste révérencieux, il montra les portraits sur les murs.

— Ce sont les plus grands boxeurs du monde, monsieur le préfet. Celui-là, c'est notre héros national, Georges Carpentier, champion du monde mi-lourd.

— C'est une ancienne photo, dit le maire sur un ton docte pour signifier au conseiller que c'était à lui, le patron élu de la ville, qu'on devait des explications.

— Non, monsieur, elle est récente.

— Je le croyais plus âgé.

Frédéric comprit que le maire ne connaissait pas grand-chose à la boxe et que son intervention était une pure formalité. Il poursuivit les présentations :

— Battling Levinsky, américain, que notre Georges a mis KO au quatrième round le 12 octobre 1920 à Jersey City. À sa droite, Tommy Loughran, américain. Celui-là, c'est Mike McTingue, il est irlandais. Maxie Rosenbloom, américain, il est l'actuel champion du monde ; Jack Delaney, canadien ; Battling Siki, français…

DeStefano s'attendait à être convié à la cérémonie. Ni lui, ni moi, ni personne de notre équipe n'eut droit à une quelconque considération. Les dignitaires nous ignoraient superbement.

— Si tu avais mis un short, ces vénérables gentilshommes auraient eu la curiosité de te demander si ta jambe de bois fleurissait au printemps, chuchota Salvo à Tobias. Tu leur aurais raconté ta bravoure dans les tranchées et, dans moins d'une semaine, le facteur t'apporterait une médaille. Et nous, on ne serait pas là à moisir dans l'ombre.

— On compte pour des prunes, nous, maugréa DeStefano.

— C'est à cause du costume de Tobias, dit Salvo. Il empeste la scoumoune, et ces messieurs ont peur qu'il contamine leurs beaux habits.

— Ça va, le pria DeStefano. Tu nous fais chier avec ton humour imbécile.

Son intervention terminée, Frédéric fut relégué au second

plan, et le Duc invita ses convives à poursuivre la visite des lieux.

Dépité, je sortis dans la rue. Les gamins étaient retournés dans leur coin. Francis, qui nous boudait depuis l'article tendancieux paru dans *Le Petit Oranais*, tétait une cigarette à l'abri d'une porte cochère ; il caressait distraitement le dos d'un chat avec la pointe de sa chaussure. En retrait, Gino était penché sur la portière de la voiture personnelle du Duc. Il ne s'était même pas donné la peine de venir nous saluer. Élégant dans son trois-pièces cintré, le sourire radieux et la figure à moitié cachée par des lunettes fumées, il faisait le joli cœur avec Louise, la fille du Duc, qui se trémoussait d'aise sur la banquette arrière. Quelque chose comprima ma poitrine et je me dépêchai de prendre une ruelle adjacente pour rejoindre Médine Jdida.

Ma mère se délassait dans le patio. La voisine kabyle qui lui tenait compagnie s'éclipsa en m'entendant pousser la porte extérieure. Elle avait traversé les rais de lumière, que filtraient les interstices de la treille, tel un effet d'optique. Nous habitions ensemble depuis des années, pas une fois je n'avais réussi à entrevoir son visage. C'était une femme discrète, effacée ; on ne connaissait d'elle que les cris enroués qu'elle lançait contre ses diablotins à longueur de journée.

Ma mère se mit sur son séant, paresseusement. Elle avait pris de l'âge. Son visage tatoué ressemblait à un vieux parchemin mâchouillé. Certes, avec l'argent que je gagnais, elle mangeait et s'habillait correctement mais, amputée de sa sœur Rokaya, elle vivait par réflexe, dépaysée dans une ville étourdissante de bruits et de frénésie. Son village natal et ses gens d'autrefois lui manquaient. Mes cadeaux la réjouissaient de moins en moins. Le métier que je m'étais choisi la tarabustait. Lorsque je rentrais d'un combat, la figure marquée par les coups de mes adversaires, elle se retirait dans sa chambre pour prier. Pour elle, je n'étais qu'un fou furieux qui se bagarrait à droite et à gauche et elle redoutait de voir un jour la police me jeter en prison. J'avais beau lui expliquer qu'il s'agissait d'un sport, elle ne voyait, dans ma nouvelle vocation, que violence et perdition.

Je l'embrassai sur la tête. Elle me retint par la nuque.

— *Il* est rentré, me dit-elle d'une voix détimbrée.

Les yeux de ma mère brillaient d'une lueur impossible à cerner. Je n'avais pas besoin de lui demander de *qui* il était question. Je me dirigeai vers la grande salle, et « il » était là, assis en tailleur sur une natte, ensaché dans une pèlerine élimée, la tête enfouie dans les épaules, à peine perceptible sous sa chape de misère. Debout dans l'embrasure, j'attendis qu'il levât la tête. Il ne broncha pas. On aurait dit qu'il était mort en pleine méditation. Ses mains reposaient dans le creux de ses cuisses tels deux crustacés crevés. Son pantalon était déchiré aux genoux et grossièrement rafistolé sur les côtés. Il sentait la sueur froide, la poussière des chemins perdus et il y avait, dans sa façon de se tenir ployé sur son silence, une sorte de reddition pathétique de désespérance.

Je m'accroupis devant lui. En tremblant. Ému comme je ne m'en croyais pas capable. Ma main se tendit vers la sienne. Au contact de nos chairs, un frisson me traversa de part et d'autre. Lui, il demeura de marbre ; pas une fibre ne remua en lui.

— Père, lui dis-je dans un souffle inaudible.

Il renifla.

Du bout du doigt, je lui relevai la tête. Sa gueule cassée était inondée de larmes. Je le pris dans mes bras, pressai contre moi le fagot d'os qu'il était devenu et nous pleurâmes tous les deux en étouffant nos sanglots comme si le monde entier risquait de nous entendre.

3.

Lorsque quelque chose tourne en boucle dans votre tête, les rues en font autant. Je ne marchais pas, je tournais en rond, moi aussi. Je voulais aller au café à l'intersection du boulevard Mascara et de la rue de Tlemcen, je m'étais retrouvé en bas du boulevard National. J'avais dépassé le café sans m'en rendre compte. Mes pas me conduisirent sur le front de mer. Là encore, penché sur la rambarde, je m'étais demandé ce que je faisais là. Le port me cachait la mer, les immeubles derrière moi me barraient la retraite. Je remontai vers la place d'Armes pour m'apercevoir, au pied d'un monument, que je faisais fausse route. Je n'étais pas dans la rue, j'étais dans ma tête. Comme dans un rêve facétieux se jouant de mes errements. Au début, je croyais que c'était le retour de mon père qui avait déclenché la toupie dans mon esprit. Je me trompais. Mon père n'était qu'une jarre tapie dans un coin, une ombre dans la pénombre. Il ne parlait pas, préférait manger seul, cadenassé à l'intérieur de sa carapace. À côté de lui, le buffet avait plus d'allure.

Un tonnelier m'arrêta devant un dépôt.

— Mon bourg s'est cotisé pour acheter une TSF afin de suivre tes combats.

Sa voix me fit mal à la tête.

C'était dimanche. Les familles parties à la plage, Oran s'était dévitalisé. Les avenues ressemblaient à des passages à vide. De rares échoppes étaient ouvertes et il n'y avait pas grand monde dans les tripots. J'avais le sentiment d'être largué dans une ville fantasmagorique qui se pourchassait à travers une interminable galerie de reflets insaisissables, de miroirs déformants, de portes dérobées, de trappes et de sable mouvant. J'entendais des voix, rencontrais des gens, serrais des mains dans une sorte de brouillard. Je dérivais, ne sachant quoi faire de ma personne.

Je n'avais rien prévu pour cette journée. Ce fut donc ahuri que j'atterris devant la paillote de Larbi, le marchand de fruits. Mes souliers n'étaient pas adaptés au sentier crevassé qui menait à la ferme des Ventabren ; ce ne fut pas un prétexte suffisant pour rebrousser chemin. Si j'étais là, à quarante kilomètres de chez moi, sur un coup de tête, c'est qu'il y avait sans doute une raison.

J'atteignis la ferme, les pieds enflammés. Alerté par Fatma, Ventabren me guettait sous l'arbre de la cour, dans sa chaise roulante. Il était content. Il m'avoua qu'après notre départ le silence de la campagne s'était chargé de plomb. Même l'air, ajouta-t-il, sentait la cendre éventée.

— C'est très aimable à toi de revenir me tenir compagnie, me dit-il en arabe. Ça me touche, vraiment.

— J'ai besoin de tes conseils, mentis-je.

— Eh bien, tu vas être servi, bonhomme. Un petit verre avant le repas ?

— Je suis musulman, monsieur.

— Tu penses que le bon Dieu nous surveille à cette heure-ci ? À son âge, il doit roupiller avec cette chaleur.

— Il ne faut pas parler comme ça, monsieur Ventabren. Ça me met mal à l'aise.

— Comment comptes-tu subir mes histoires à dormir debout si je ne te soûlais pas avant ?

— Je les apprécierais mieux si je restais sobre.

Il rit.

— Montre-moi ton poing, mon garçon. Quelqu'un m'a certifié qu'il est taillé dans du bronze.

Il me prit le poignet, le tourna et retourna, le soupesa.

— Belle œuvre, admit-il. Tâche de ne pas la foutre n'importe où.

— Je tâcherai, monsieur.

Après le repas, Fatma nous servit du thé à la menthe. Une petite brise chatouillait les feuillages au-dessus de nos têtes. J'aidai Ventabren à mieux se tenir sur sa chaise, redressai le coussin qui le protégeait de la rudesse du dossier.

— Ton prochain match est pour bientôt, non ?

— À la fin du mois prochain, monsieur.

— Il paraît que c'est un dur à cuire, le Cargo.

— Je ne le connais pas.

— C'est une grave erreur. Il faut connaître celui que l'on va affronter. Il fait quoi, ton staff ? Il se tourne les pouces ? À mon époque, on envoyait des espions pour rassembler un maximum d'informations sur l'adversaire. Je savais tout sur le mien, moi : comment il boxe, sa technique, ses points forts, ses failles, ses derniers combats, avec quelle main il se torchait et avec quelle brosse il se peignait. Et encore, il y avait toujours un truc qui manquait. On ne monte pas sur un ring à l'aveuglette.

Il se tut.

Irène venait de sortir de la maison, en tenue d'équitation, les yeux plus beaux que les étoiles du ciel. Elle s'appuya d'une épaule contre le pilier du porche, les bras croisés sur la poitrine. Je compris aussitôt la raison qui m'avait conduit jusqu'à la ferme : j'avais besoin de la voir, de la sentir proche de moi.

— Vous n'avez pas d'autres histoires à vous raconter ? nous admonesta-t-elle.

Sur ce elle se dirigea vers la stalle. Quelques minutes plus tard, elle lançait ventre à terre sa jument vers la plaine. Je n'étais plus disposé à écouter qui que ce soit.

Irène partie, la ferme n'avait plus d'âme.

Lorsque la fournaise tempéra ses furies, je pris congé de Ventabren et rejoignis la route pour attendre l'autocar.

Le lendemain, j'*exigeai* de Frédéric Pau de me renvoyer à la ferme préparer mon combat contre Marcel Cargo. Le Duc n'y vit pas d'inconvénient. Dédé s'excusa de ne pouvoir être disponible avant la fin de la semaine à cause d'un problème familial. Seul Salvo fut du voyage. Nous retrouvâmes le cabanon, le réveil aux aurores, la course sur les sentiers vertigineux, l'escalade des grands rochers, les veillées autour des falots assiégés d'insectes à la grande joie de Ventabren ; toutes les nuits, je surveillais la fenêtre en face de ma lucarne.

Irène venait parfois s'attabler avec nous pendant les repas. Elle me souriait souvent, mais je me méfiais de ses sautes d'humeur. Cette femme était un fusil. Elle tirait à bout portant et faisait mouche à chaque coup. Quand elle se joignait à nous, Ventabren renonçait à ses récits épiques. Quant à Salvo, il ravalait ses sarcasmes et gardait les yeux sur son assiette. Remis à sa place à deux reprises, il se savait démuni devant Irène qui ne l'appréciait guère. Il avait essayé de jouer au petit malin avec elle et avait fini par comprendre que cela n'avait rien d'une partie de plaisir. Irène avait l'assurance insolente des défis gagnés d'avance. Aucune arrière-pensée ne lui échappant, elle interceptait les nôtres avant qu'on les conçoive. Cependant, sa compagnie ne nous déplaisait pas. Elle apportait une sorte de fraîcheur à nos repas.

Après mes tours de piste matinaux, tandis que Salvo regagnait la ferme, j'allai me rafraîchir à la source. En vérité, j'espérais rencontrer Irène. Les premiers jours, elle n'était pas venue faire boire sa jument puis, alors que je commençais à désespérer, elle apparut comme un jour béni.

Elle mit pied à terre, donna une claque sur la croupe de sa jument et s'assit à croupetons sur un caillou.

— Je suis épuisée.
— Vous devriez ménager votre bête.
— C'est mon jardin ambulant.
Elle se leva, s'approcha de sa jument, lui caressa la robe.
— Quand j'étais petite, je voulais être championne d'équitation.
— Votre père n'était pas d'accord ?
— Non, Jean-Louis a débarqué. Il était beau, intelligent et drôle. J'avais dix-sept ans et du rouge aux joues. Je suis tombée dans ses bras comme un fruit précoce. Nous nous sommes mariés sans tarder. J'étais heureuse et je croyais que ça allait être ainsi toute la vie.
— Que s'est-il passé ?
— Ce qui se passe généralement dans les ménages trop tranquilles. Jean-Louis s'est mis à rentrer de plus en plus tard. Il était de la ville, lui, le calme de la campagne l'angoissait. Un soir, il a posé ses mains sur mes épaules, m'a regardée dans les yeux et il m'a dit qu'il était désolé. Et il est sorti de ma vie.
— Il avait tort. Moi, je ne laisserais pas tomber une fille aussi jolie.
— C'est ce qu'il me disait au début.
Son sourire revint.
— Vous aimez les chevaux, monsieur Turambo ?
— Nous avions un âne, autrefois.
— Ça n'a rien à voir. Le cheval est une noblesse, et une thérapie. Quand j'en ai marre, je saute sur ma selle et je galope jusqu'à la montagne. Je me sens si légère qu'aucun souci ne me pèse. J'aime le vent de la course sur mon visage. Je l'aime lorsqu'il s'engouffre sous ma chemise pour me prendre par la taille comme un amant… Il m'arrive parfois de jouir ainsi.
La crudité de sa confidence me désarçonna.
Elle éclata de rire.

— Vous rougissez.

— Je n'ai pas l'habitude d'entendre les dames parler de cette façon.

— C'est la preuve que vous ne les fréquentez pas assez.

Elle tira sur la bride de sa monture pour reprendre la route. Je marchais à côté d'elle, confus. Elle me décochait des œillades à la dérobée en gloussant.

— L'orgasme n'est pas un mal honteux, monsieur Turambo. Il est un instant de grâce qui nous rend à nos sens cardinaux.

Sa théorie m'enfonçait cran par cran dans une gêne asphyxiante.

— Vous avez une petite amie ?

— Nos traditions ne l'autorisent pas.

— Ou le mariage ou le péché ?

— C'est à peu près ça.

— Une fiancée alors ?

— Pas encore. Je dois penser à ma carrière.

— Vous faites comment pour tenir jusqu'au mariage ?

Je sentis mes oreilles chauffer.

Elle éclata de nouveau de rire. D'une pirouette acrobatique, elle se remit en selle.

— Turambo, c'est votre vrai nom ?

— C'est mon surnom.

— Il signifie quoi ?

— Je ne sais pas. C'est le nom de mon village.

— Je vois. Quel est votre vrai nom ?

— Je préfère celui de mon village. De cette façon au moins, je sais d'où je viens.

— Parce que vous ignorez de qui vous descendez ?

— C'est pas ça. C'est mon choix.

— Eh bien, monsieur Turambo, vous avez une âme de chérubin sous votre carrure de brute. Et si l'audace vous manquera toujours, gardez votre âme quand même. Je vous laisse à vos exercices et je retourne à mes fourneaux.

On ne prépare pas à manger avec des bouts de confidences.

Elle éperonna sa jument, s'arrêta après quelques trots.

— Il y a le bal à Lourmel, demain soir. Ça vous dirait d'être mon cavalier ?

— Je ne sais pas danser.

— On regardera danser les autres.

— C'est d'accord.

Elle porta sa main à son front dans un salut et s'élança vers la ferme.

Je la suivis des yeux jusqu'à ce qu'elle disparût derrière les tertres. Pendant qu'elle s'éloignait au galop, je rêvai d'être un courant d'air sous sa chemise. Mon cœur battait si fort que je renonçai à poursuivre mes exercices. Irène avait le pouvoir d'élever les plus bas instincts au rang de faits d'armes et de les faire taire rien qu'en portant un doigt à sa bouche.

Je me sentis habité par quelque chose qui n'allait plus me quitter.

J'avais attendu le soir sur la braise. Assis dans le salon. Les yeux tournés vers l'escalier qui menait à l'étage. Irène prenait son temps. Je l'avais entendue se doucher, mais sa toilette perdurait. Lorsqu'elle apparut enfin en haut des marches, je crus qu'elle sortait d'un rêve, avec sa robe blanche au corset serré et ses cheveux sur les épaules. Elle me rappela ces actrices américaines qui crevaient l'écran en reléguant en arrière-plan décors et partenaires.

Nous nous rendîmes à Lourmel en coupant à travers champs. Les bourgades, au loin, mouchetaient la plaine de minuscules flammeroles. C'était une belle nuit. La lune pleine voulait le ciel pour elle seule, ramenant les étoiles au rang du menu fretin. On entendait les rongeurs se faufiler dans les broussailles. L'air sentait le corail, les algues gorgées de sel et la mousse du récif. On aurait dit que, languissant de la terre des hommes, la mer s'était déguisée en brise pour venir bruire dans les vergers, arpenter les pertuis et taquiner le clocher des églises.

Un chacal nous suivit jusqu'à la route bitumée avant de rebrousser chemin, bredouille et désemparé.

Irène avait la foulée tranquille. Elle portait des sandales en toile et une robe d'été. Je m'étais habituée à la voir en chemise et pantalon, avec sa fameuse dégaine de garçon manqué ; la découvrir en jeune fille épanouie était un régal. Son parfum embaumait la campagne. Mille fois ma main avait effleuré la sienne sans la rattraper. J'avais peur qu'elle me remette violemment à ma place. Irène était aussi imprévisible que la foudre, capable de passer du chaud au froid en une fraction de seconde. La susceptibilité à fleur de peau, un même propos pouvait la faire rire aux éclats ou sortir de ses gonds. Il y avait un mystère en elle que je n'arrivais pas à percer. Distante avec son père, odieuse avec Salvo, elle suscitait en moi une retenue qui se disloquait dès qu'elle me gratifiait d'un sourire. Je crois qu'elle cherchait à me prouver qu'elle n'était pas la même personne avec tout le monde. Depuis le malentendu qui nous avait opposés sur la margelle du puits, Irène me traitait avec égard. En même temps, elle gardait intact son sacré tempérament de rebelle. Il n'était pas question pour elle de quémander un quelconque pardon ; elle se plaisait en ma compagnie, sans plus. Elle se sentait en paix avec elle-même. Et moi, j'avais le sentiment d'être un privilégié.

La jolie place de Lourmel rutilait de mille feux. Un monde en fête dansait au milieu de tables nappées de blanc encombrées de victuailles et de bouteilles de vin. Des couples de vieillards et de jeunes gens virevoltaient au son d'un orchestre inspiré. Sur l'estrade fleuronnée de fanions, le chanteur en costume grenat se voulait dieu descendu de l'Olympe. Pommadé, charmeur et étincelant, il lançait sa voix de stentor au ciel, le geste théâtral, la poitrine conquérante, l'œil posé sur les dames assises aux premiers rangs. Il les savait séduites, déjà folles de lui ; c'était pour les achever qu'il inclinait le sourcil sur son œil luisant, et elles, envoûtées et en lévitation, se balançaient doucement sur leurs chaises en pressant un mouchoir contre leur poitrine palpitante d'émotion.

Irène nous trouva un banc libre donnant sur l'esplanade en liesse. Les enfants en culottes courtes gambadaient sous les arbres. De jeunes tourtereaux se retranchaient derrière le muret du jardin public ; certains dormaient sur le gazon. Des adolescents s'initiaient aux épreuves des premiers flirts, à l'abri des indiscrétions. Par endroits, quelques baisers s'accordaient dans l'obscurité, aussi furtifs que les frissons qu'ils déclenchaient. C'était beau à voir, et beau à soupçonner. Mon douar natal était loin, agonisant dans un monde parallèle.

Irène alla me chercher un soda.

Elle revint avec une large assiette.

— Je vous ai apporté des grillades et de la limonade. Vous êtes sûr de ne pas vouloir du vin ? C'est le meilleur de la région.

— Non, merci.

— Vous ne savez pas ce que vous ratez.

— Tiens, tiens, fit un homme en s'approchant de nous. Notre George Sand a renoncé à ses grands chevaux pour marcher parmi la piétaille.

Irène posa l'assiette à côté de moi.

L'homme était beau garçon, la trentaine, très posé et bien habillé. Il n'était pas assez grand, mais il avait fière allure. Il tira fortement sur sa cigarette avant de l'expédier en l'air d'une chiquenaude. La braise éclata en une multitude d'étincelles en heurtant le sol.

— Bonsoir, André, dit Irène d'une voix neutre.

— Tu te souviens encore de mon prénom ?

— Comment va ton épouse ?

L'homme jeta un pouce par-dessus son épaule.

— Elle danse comme une forcenée, là-bas.

— Tu devrais la rejoindre. Quelqu'un pourrait te la chiper.

— Il me rendrait service.

Il claqua des doigts au passage d'un serveur arabe qui faisait circuler un plateau au milieu des fêtards, s'empara de deux verres de champagne, en offrit un à Irène.

— Ça me fait plaisir de te revoir, ma cocotte.

— Je croyais que tu avais été muté à Alger.

— Tiens, tu m'espionnes ?

— J'ai entendu Jérôme le laitier le confier à mon père.

— Eh bien, non. Je suis maintenu à Aïn Témouchent. Jusqu'à nouvel ordre. Parle-moi de toi. Qu'est-ce que tu deviens ?

— Rien.

— En tout cas, ça te réussit. Tu es encore plus jolie. Je me demande ce que tu fiches à longueur de journée loin de la civilisation ?

— Je n'ai pas à me plaindre.

— Moi, je te plains. Tu as l'âge des quatre cents coups, et tu préfères ignorer le monde… J'ai acheté un petit bateau. Il y a de superbes criques et des plages sauvages à l'ouest de Rachgoun. On n'y accède que de la mer. Si tu veux, je peux te les faire découvrir.

— Je suis certaine que ta femme les apprécierait mieux que moi.

— Il s'agit de toi.

— Je ne suis pas disponible.

L'homme avala une gorgée de champagne, clappa des lèvres en cherchant des arguments plus convaincants. Soudain, il feignit de s'apercevoir de ma présence. Il prit Irène par le coude et l'éloigna un peu du banc.

— Tu l'as gagné sur un stand de tir, ton animal de compagnie ?

Il parlait de moi avec un tel sans-gêne que si j'avais été sur son chemin, il m'aurait marché dessus. À ses yeux, je ne comptais pas, je n'étais qu'un trouble visuel qui disparaîtrait d'un simple battement de paupières.

— S'il te plaît, André. Je viens juste d'arriver. Ne m'oblige pas à rentrer chez moi.

— Oui, mais tu ne dis toujours pas où tu l'as gagné, ton molosse.

— Je te préviens, il mord.

— Dans ce cas, tu devrais lui mettre une muselière.

Il la fit pivoter pour la regarder en face.

Irène me pria d'une main péremptoire de rester en dehors de ce qu'elle considérait comme une affaire strictement personnelle.

André ricana, amusé.

— Toujours farouche et inconvenante.

— André, ce n'est pas bien ce que tu fais.

— Parce que tu crois bien faire, toi ? Tu t'amènes avec un bicot et tu penses ne déranger personne. Tu aimes te donner en spectacle, n'est-ce pas ? Quand tu sors de ta grotte, il faut que tout le monde le sache. Mais attention, les langues sont vénéneuses par ici. Ça va jaser dans les chaumières.

— Je m'en fiche.

— Je m'en doutais un peu. La provocation est une nature, chez toi. Sauf que là, tu exagères. Tu ne peux pas t'amener avec un bougnoule au bal. C'est interdit aux Arabes, ici. Ils ne sauraient dissocier une ampoule d'un sortilège… Regarde-le, celui-là. Il descend à peine de son arbre.

— S'il te plaît, André.

— M'enfin, qu'est-ce que tu lui trouves que je n'ai pas ?

— La correction.

— Il n'y a pas que ça, je présume.

— Entre autres.
— Il est comment au lit ?
— Ce ne sont pas tes oignons.
— D'après ce qu'on raconte, leurs femmes ne connaissent pas d'orgasme. Normal, puisque les Arabes éjaculent avant de bander.
— Je dois te laisser, André. J'ai oublié mon masque à gaz à la maison, et tu pues sacrément de la gueule ce soir.
André saisit de nouveau Irène par le bras et l'attira vers lui. Elle le repoussa. Il revint à la charge. Je lui attrapai le poignet au vol et l'obligeai à reculer. Il jeta un coup d'œil aux alentours ; à son grand soulagement, personne ne s'intéressait à nous. Pour sauver la face, il glapit :
— Ne pose jamais ta sale patte de macaque sur moi, petite crotte, sinon, je jure sur la tête d'Adam et Ève que je te fouetterai sur cette même place jusqu'à ce que ta chair devienne du sang et tes larmes du pus… Je suis officier de police. Tu n'as pas intérêt à traîner dans les parages. Si tu es encore là dans dix minutes, tu passeras le reste de la nuit au poste.
La fête était finie, pour Irène et moi.
Nous reprîmes le chemin de la ferme.
— Je suis désolé, dis-je à Irène lorsque nous dépassâmes les derniers vergers du village.
— Vous n'y êtes pour rien. Je croyais André assagi. Son cas a empiré.
— Qui est-ce ?
— Quelqu'un que j'ai connu avant. Et qui se croit tout permis.
— Il vous a appelée George. C'est pas un prénom masculin ?
Elle éclata de rire, me menaça gentiment du doigt.
— Je vous vois venir, monsieur Turambo. Mais ce n'est pas ce que vous croyez.
Arrivés à la ferme, elle m'accompagna jusqu'au caba-

non. Le ronflement de Salvo traversait les murs et faisait vibrer les vitres. On aurait dit un moteur défaillant. Même les grillons semblaient intimidés par ses mugissements nasillards qui auraient tenu à distance le plus hardi des prédateurs.

— Vous allez pouvoir fermer l'œil avec ce boucan, champion ?

— Je m'arrangerai.

— Dommage pour le bal, dit-elle. J'aurais aimé vous apprendre quelques pas de danse.

— Ce n'est que partie remise, j'espère.

— Les gens sont stupides.

— Pas tous.

— Vous pensez que nous aurions dû rester ?

— Ça n'aurait pas été une bonne idée.

— Vous avez raison. Cet idiot serait revenu. Je ne tenais pas à ce qu'il vous crée des problèmes.

— Je serais parti de mon plein gré. J'ai une peur bleue de la police.

Elle hocha la tête. Au moment où je m'apprêtais à pousser la porte du cabanon, elle me sauta au cou et écrasa ses lèvres sur ma bouche. Avant que j'aie le temps de réaliser ce qui m'arrivait, elle n'était plus là.

Elle n'avait pas allumé dans sa chambre.

Elle ne nous avait pas rejoints au petit déjeuner, le lendemain.

Je pensais qu'elle était *allée cueillir le jour à sa source*, comme à son habitude ; la jument était dans la stalle.

Je n'avais pas osé demander à Alarcon où était passée sa fille. Ce jour-là, j'avais couru dans le vide. Je ne voyais ni les sentiers ni les rochers. Je ne sentais même pas mes jambes, encore moins mes efforts. Ma foulée n'avait pas de cadence. Les buissons fuyaient devant moi. J'étais une idée fixe en vadrouille…

Nous avions déjeuné dans un silence de cathédrale,

Salvo, Alarcon et moi. La table me semblait avoir triplé de volume. Les mets sans saveur me restaient en travers de la gorge.

La seule trace qui me retenait sur terre était la douce morsure de ce baiser sur mes lèvres.

Irène…

Son absence transformait la ferme en enclos lugubre au milieu duquel je tournais en rond. Les murs n'étaient que des tas de pierres, le relief un accident de parcours, la campagne un naufrage en gestation.

J'avais attendu le soir. Le soir était venu, mais pas Irène. Le soleil s'était couché, mais pas moi. Il n'y eut pas de lumière à la fenêtre d'en face.

Le jour d'après, à la première heure, Salvo m'annonça qu'il rentrait à Oran. Il s'était levé du mauvais pied. Il ne comprenait pas ce qu'il fichait dans un trou perdu. « Tu ne m'écoutes pas, tu ne suis pas mes conseils, n'appliques pas mon programme et dans ces conditions je ne vois pas à quoi je sers. »

Il avait entassé ses frusques dans son sac et il était parti rejoindre la route bitumée.

Je n'avais pas essayé de le retenir.

J'étais parti de mon côté piquer des sprints endiablés jusqu'à la montagne. Comme si je fuyais mon ombre.

J'étais en train de récupérer mon souffle dans une clairière quand j'entendis hennir derrière les fourrés. C'était Irène. Elle attacha sa jument à un arbuste et s'assit près de moi. Sa chemise fumait sous le soleil. Elle avait le rouge au front et les yeux qui brasillaient d'une ivresse farouche. Elle ramassa une branche, la tordit, puis elle se mit à la casser en petits morceaux. Sa respiration couvrait le bruissement des feuillages. J'attendais qu'elle parle ; elle se taisait.

— C'est à cause de ce qui s'est passé au bal ? lui dis-je pour rompre son mutisme.

— Ne dites pas de sottises.

— J'ai cru que vous me boudiez à cause de l'incident avec le policier.

— S'il n'y avait que ça.

— Où étiez-vous passée, hier ?

— Je n'ai pas quitté ma chambre.

— Du matin à la nuit tombée ?

— Oui.

— Vous étiez restée dans le noir ?

— Oui.

— Vous étiez souffrante ?

— Dans un sens.

Elle se tourna enfin vers moi pour me regarder droit dans les yeux.

— J'ai passé la journée et la nuit à réfléchir, me dit-elle.

— Réfléchir à quoi ?

— À cet instant précis, là, tout de suite. Je me demandais si c'était une bonne idée ou s'il me fallait m'abstenir. Un exercice terriblement difficile. J'ai pesé le pour et le contre. Finalement, je m'étais dit qui ne risque rien n'a rien.

Elle m'attrapa par la nuque et m'attira vers elle. Sa bouche dévora la mienne. Et ce fut dans cette clairière, où les stridulations des cigales s'étaient liguées pour museler le chahut dans ma poitrine, qu'Irène s'offrit à moi, entre un buisson et un arbre en prière, au beau milieu d'une profusion de piécettes d'or que le soleil en bon prince répandait sur le sol. Aucun vertige n'égala le frisson qui me traversa lorsque je fis corps avec le sien.

4.

Filippi avait reçu des ordres stricts. *S'il faut le ligoter, ligote-le et ramène-le-moi avant midi.* Filippi ne voulait pas d'histoires avec le Duc. Pâle, bégayant, il me supplia de ramasser mes affaires et de le suivre. On aurait dit que son sort dépendait de la mission qui lui avait été confiée. Je considérai Irène ; elle souriait près du puits, les mains sur les hanches. De la tête, elle m'invita à remballer mon paquetage, par pitié pour Filippi.

— Merci, madame, bredouilla-t-il. Vous me retirez une sacrée épine du pied.

— Je ne serai pas aussi indulgente la prochaine fois, le prévint-elle.

Dès que je pris place dans la voiture, Filippi démarra sur les chapeaux de roues, de peur sans doute que je change d'avis. Je m'étais retourné pour adresser un petit signe à Irène. Elle regagnait déjà la stalle.

Gino m'intercepta à l'entrée de l'établissement Bollocq. En attendant que nous soyons reçus par le Duc, il me fit visiter son bureau au deuxième étage avec vue sur cour.

— Tu ne perds pas ton temps, lui dis-je.

— Il faut battre le fer tant qu'il est chaud.

— En quoi consiste ton travail ?

— Je touche à tout. Je négocie des contrats, prospecte des marchés, vérifie les comptes… Le Duc me forme. Il a des projets pour moi.

L'âge lui réussissait à merveille, à mon Gino. Sa beauté s'affirmait au fil du temps. Il lui suffisait de sourire pour se faire pardonner la pire des goujateries. Ses cheveux devenus châtain clair commençaient à noircir sur les tempes, rehaussant son charme d'une petite touche de virilité qui tranchait net avec son air de chérubin. Je comprenais pourquoi rien ne lui résistait, ni le soupir des demoiselles ni les largesses du Duc. Je crois que j'étais jaloux de lui. Gino n'avait pas besoin de mouiller la chemise, on lui aurait apporté la lune sur un plateau s'il l'avait demandé.

Il me désigna un siège et me versa un verre de citronnade.

— Ça avance avec Louise ?

Il fronça les sourcils.

— Qui t'a raconté ce ragot ?

— Je t'ai vu la baratiner.

— Rien de probant pour le moment, fit-il, agacé par mon indiscrétion.

Il se laissa tomber derrière son bureau. À la manière des jeunes nababs. En attendant de croiser un jour les pieds sur le bureau, comme il sied à ceux qui gravissent l'échelle sociale sur un tapis volant, il prenait ses aises avec un certain détachement, le costume impeccable, la gourmette au poignet, les boutons de manchettes en or.

— Le Duc est au courant de votre petit manège ?

— Et c'est quoi, ton problème ?

— Tu connais le proverbe chaoui : la poule pond et le coq a mal au cul.

— Ne te fais pas de mouron pour moi.

— Je suppose que ce n'est pas nécessaire ?

— Ce n'est pas faux.

— Il ne t'a pas parlé du platane, le Duc ?

— Quel platane ?

— Celui qui est dans la cour.

— Pourquoi veux-tu qu'il me parle du platane ?

— Oublie ça, lui fis-je, conscient de mon égarement... Alors, ce combat contre Cargo, il s'annonce comment ?

Gino me considéra deux secondes, interloqué à cause de l'énigme du platane puis, se casant dans son fauteuil capitonné, il dit :

— On le prépare dans les règles. Si tu gagnes, le champion d'Afrique du Nord ne pourra pas se défiler. Il sera contraint de t'affronter. On va mettre les bouchées doubles, s'enthousiasma-t-il soudain. Ce titre, il nous reviendra. Le Duc le veut à tout prix. Pour la ville, et pour nous tous. Tu ne peux pas imaginer le mal qu'il se donne pour toi, et l'argent qu'il dépense pour faire de toi le roi du monde.

— Aucun bonheur n'est entier s'il n'est pas partagé.

Gino accusa un sursaut, de plus en plus intrigué par mes insinuations.

— Je ne te suis pas, Turambo. Où veux-tu en venir ?

— Nulle part.

— Tu m'as l'air amer.

— J'étais bien, à la ferme.

— C'est le Duc qui a décidé de te rappeler.

— J'ai mon mot à dire, tu ne trouves pas ? C'est moi qui vais au charbon, non ?

— Oui, mais c'est moi qui débourse, feula le Duc en envahissant le bureau de Gino.

Il était en chemise, de grosses taches de sueur sous les aisselles, le front plissé. Gino se mit au garde-à-vous. De la main, le Duc le somma de se rasseoir.

— Tu crois que je ne suis pas au courant ? me cria-t-il en agitant son cigare sous mon nez. Je t'ai envoyé à la ferme pour bosser, pas pour t'amouracher d'une allumeuse. Tu n'as aucune excuse, m'interrompit-il. (Gino se mit à s'essuyer le front dans un mouchoir.) Tu te conduis en enfant gâté, Turambo, et je n'ai pas l'habitude de caresser les teigneux dans le sens du poil. Quand vas-tu t'enfoncer dans le crâne que tu as des obligations à respecter ? Tu sais où il est, Marcel Cargo ? À Marseille. Dans un camp coupé du monde. À préparer son combat contre toi. Même la presse n'arrive pas à le déloger. Il se défonce jour et nuit, lui. Ni soirées arrosées, ni filles, ni cinéma.

Il balança son cigare par la fenêtre, revint sur moi, la bouche tressautant de colère.

— À partir d'aujourd'hui, de maintenant, de cet instant, je ne veux plus entendre parler de tes frasques. Tu vas te remettre au boulot et, chaque soir, je veux que l'on me livre une carafe remplie à ras bord de ta sueur. Marcel Cargo prétend au titre, lui aussi. Pour ta gouverne, Olivier, le manager du champion de France, a déclaré qu'il n'aimerait pas opposer son poulain à Cargo. C'est dire le niveau qu'il a atteint. Je ne dors plus depuis que j'ai entendu ça.

Le Duc avait arrêté un programme draconien. Je n'eus pas une minute à moi pendant dix jours. Les entraînements s'encordaient à un rythme infernal. Le matin, je courais sur les plages. L'après-midi, j'enchaînais les épreuves, rue Wagram. Le soir, Gino et Frédéric veillaient sur mon sommeil en m'enfermant à double tour dans ma chambre. Il me fallait leur autorisation pour me rendre aux cabinets. Une fois dans mon lit, extinction des feux comme à la caserne. Mais, dans le noir, rien ne m'interdisait de rêver à Irène.

Un dimanche, je prétextai une urgence familiale, sautai dans un autocar pour Lourmel. Je n'en pouvais plus d'attendre. Fatma partie accoucher chez elle, il n'y avait personne pour s'occuper d'Alarcon. J'espérais ainsi trouver Irène à la ferme, et elle était là.

Elle me retint pour le déjeuner. Après, nous nous retirâmes dans le cabanon et nous fîmes l'amour.

Le lendemain, après les entraînements, je refusai de suivre Gino et Frédéric au boulevard Mascara. Gino protesta, Frédéric tenta de me raisonner ; je ne cédai pas. J'avais besoin que l'on me donne du lest. Sans Irène, la nuit était un gouffre mortel. Filippi consentit à me déposer devant la paillote de Larbi, le marchand de fruits, à condition de ne pas rentrer sans moi. Pas question pour lui de monter jusqu'à la ferme. Il ne tenait pas à être vu là-bas au risque d'être viré. J'acceptai sa proposition.

Les nuits suivantes, avec ou sans Filippi, je retrouvais Irène. Au grand dam de Gino. Mais à 6 heures du matin, j'étais de retour à Oran, d'aplomb. Je m'entraînais à fond pour mériter de « déserter mon poste » le soir.

— Si le Duc apprenait nos petites défections, déplora Frédéric, il nous pendrait à son portemanteau.

Je n'en avais cure.

Mes nuits avec Irène valaient tous les dangers.

Gino m'annonça qu'il se rendait à Bône avec Frédéric et DeStefano. En précurseurs. Le Duc avait besoin d'une équipe sur place pour superviser les préparatifs du combat contre Marcel Cargo. Je les avais accompagnés à la gare pour être sûr qu'il ne s'agissait pas d'une diversion. Le train parti, je pris un taxi pour rejoindre Irène. Nous avions tenu compagnie à Alarcon une bonne partie de la soirée, puis nous l'avions mis au lit. Il y avait une kermesse à Saint-Eugène. Irène accepta de m'y accompagner.

La foire battait son plein. Des familles au grand complet se bousculaient autour des stands, les unes s'adonnant à la pêche au goulot, les autres mitraillant des cibles en carton. Des pépés forts en gueule, les manches retroussées sur des biceps décadents, s'essayaient au marteau de Thor à la grande joie des enfants. Des cartomanciennes obscures traquaient leurs proies au détour des attroupements. Un clown peinturluré jonglait au milieu d'une ribambelle de mioches hilares. C'était la fête tous azimuts et je ne voyais qu'Irène, splendide dans sa jupe en guipure. Elle était dans la foule comme l'étoile polaire dans la Voie lactée. Une jolie chemisette fleurdelisée dégageait son cou ; ses cheveux noirs répandus sur ses épaules prononçaient à l'envi la finesse de ses traits. Les jeunes gens se retournaient sur son passage, la poursuivaient de sifflets. Irène riait aux éclats, plutôt flattée. Une escouade de zouaves grisés se mit à graviter autour de nous. Je lui dis deux mots en arabe, tout de suite on nous laissa tranquilles. Je tirai des lapins pour Irène sans en toucher un seul. Probablement à cause de ma fébrilité. J'étais tellement heureux, et tellement fier lorsqu'elle me passait son bras autour de la taille. Jamais je n'oublierai cette nuit-là. Les lampions, les falots, les étoiles du ciel brillaient pour nous. Je recouvrais un univers perdu, des sentiments certes recyclés, mais si intenses. Irène à côté de moi, nous étions le monde en marche. Elle s'émerveillait devant n'importe quoi, acclamait les saltimbanques, perdait au jeu avec bonheur, pouffait quand j'échouais à mon tour. C'était magique. Nous avions cassé la croûte dans un kiosque, debout dans la mêlée, mordant du bout des dents nos sandwiches brûlants ; nous nous étions pourchassés sur des chevaux de bois au milieu d'un tourne-manège assiégé de gamins. Je ne crois pas avoir autant ri de toute ma vie. Je riais pour rien, riais sans raison, riais parce que Irène riait. À l'autodrome où les baquets se tamponnaient sans merci, des parents encourageaient leurs gosses à plus de rentre-dedans. Irène était partante pour une tournée. Il n'y avait pas de femmes sur la piste, mais je m'en moquais. Pour rien au monde je ne lui aurais refusé une folie. Une grosse chaîne s'étirait devant le guichet. Nous attendîmes notre tour, serrés de près par des soldats. Ces derniers, éméchés, se collaient aux dames pour les peloter. Une main tenta de profaner la jupe d'Irène ; je montrai mon poing, et le malotru battit en retraite. Nous sautâmes dans les baquets et nous nous lançâmes à l'assaut des chauffards. Les collisions nous soulevaient de nos sièges, rendaient nos rires gras. Irène s'amusait comme une écolière. Les ampoules inondaient son visage d'une lumière contrastée. Elle était heureuse, Irène ; rien qu'à la regarder, je me sentais comblé comme jamais je n'aurais pensé l'être un jour.

Ivres de nous-mêmes, nous quittâmes Saint-Eugène vers minuit. La tête crépitant de liesse. Essoufflés, mais ravis.

Il se faisait tard. Il n'y avait pas d'autocar pour Lourmel, et pas de taxi, non plus.

— Il va falloir que j'apprenne à conduire, dis-je. Comme ça, quand j'achèterai une voiture, nous n'aurons pas à surveiller les horloges.

En vérité, je n'avais pas cherché de taxi. J'espérais ainsi contraindre Irène de passer la nuit avec moi, boulevard Mascara. Pour mon plus grand bonheur, elle n'y vit pas d'inconvénients.

— C'est ta maison ? me demanda-t-elle en découvrant l'appartement.

— C'est à mon ami Gino. Il est parti à Bône.

— Je vois, me fit-elle en me lançant une œillade délurée. Pourrais-tu me faire couler un bain ?

— Tout de suite. Je vais chauffer l'eau.

Quand elle finit de se laver, je lui apportai une large serviette de plage. Elle se tenait debout dans la cuve, nue, les cheveux collés sur la figure. Ma main tremblait tandis que je lui essuyais le dos.

— Tu as une tache sur la fesse, lui dis-je.

— C'est une tache de naissance.

— On dirait un fruit rouge.

— C'est une fraise.

Elle sortit de la cuve, me débarrassa de la serviette qu'elle laissa tomber par terre, me prit par la main, me coucha sur lit et me couvrit de son corps.

Le jour se levait ; nous n'avions pas fermé l'œil. Nous voulions nous rassasier de chaque instant, que la nuit nous appartienne. Nous étions souverains dans cette chambre trop petite pour contenir nos ébats ; nous n'étions plus obligés de *faire vite*, de nous aimer à la sauvette. C'était la première fois de ma vie que j'aimais sans contrainte ni angoisse, sans qu'une bonne vienne frapper à la porte ou qu'un client s'impatiente dans le couloir.

J'aurais souhaité que le jour nous oublie, que les minutes se réinventent pour que le temps *prenne tout son temps*. Mais le temps ne s'apprivoise pas. Le jour se levait, il fallait laisser un peu de rêve pour les lendemains.

— Je pars mardi à Bône, dis-je avec regret.

— Pour quoi faire ?

— Pour mon match contre Marcel Cargo.

— Ah…

— C'est un match très important.

— Pour moi, un match de boxe ou un combat de coqs, c'est du pareil au même.

— C'est mon métier.

— Il y en a d'autres.

Elle promena son doigt sur mes lèvres, doucement, tendrement.

— C'est quoi, ton vrai nom ?

— Amayas.

— Il signifie quoi ?

— Guépard, je crois, ou quelque chose comme ça.

— Amayas… C'est beau. On dirait un prénom de fille. En tout cas, il sonne mieux que Turambo.

— Peut-être, mais il n'a pas d'histoire. Turambo raconte ma vie.

— Tu me la raconteras un jour ?

— Autant de fois que tu voudras.

Elle se hissa sur un coude pour me surplomber, me dévisagea en souriant, se blottit de nouveau contre moi.

— Est-ce que tu m'aimes ?
— Oui.
— Alors dis-le-moi… Dis-moi que tu m'aimes.
— Tu en doutes ?
— Je veux t'entendre le dire. C'est important pour une femme, plus important qu'un combat de coqs.
— Je suis fou de toi.
— Dis-moi *je-t'ai-me…*
— On ne déclare pas ce genre de choses dans nos tribus.
— L'amour n'est pas une chose.
— Je n'ai entendu personne le prononcer chez nous.
— Tu n'es pas chez toi, tu es avec moi. Vas-y, je t'écoute…

Elle ferma les yeux, tendit l'oreille. Des gouttelettes de sueur étincelaient sur sa peau soyeuse. Son odeur remplissait ma tête de minuscules flammèches. J'eus envie de la prendre de nouveau pour ne plus la lâcher.

— Tu as avalé ta langue ?
— Irène…
— Oui ? m'encouragea-t-elle.
— S'il te plaît…
— Pas question. Tu vas me le dire sinon je ne te croirai plus.

Je me tournai vers le mur. Elle m'attrapa le menton, ramena mon visage face au sien, les yeux clos.

— C'est ici que ça se passe, jeune homme.

Je respirai un bon coup.

— Je…
— Je… ?
— Je t'aime, finis-je par lâcher.
— Tu vois ? C'est si simple…

Elle rouvrit les yeux et je m'y noyai.

Nous fîmes l'amour jusqu'à midi.

Une heure avant le combat contre Marcel Cargo, une panne d'électricité plongea l'assistance dans une panique indescriptible. On se mit à parler de sabotage et d'un éventuel report du match. La police renforça son dispositif pour empêcher les intrus d'accéder à la salle et les spectateurs d'en sortir. Une fébrilité dérangeante se déclara dans les vestiaires éclairés aux lampes de poche. L'équipe de techniciens tardant à rétablir le courant, des camions, dépêchés sur place, braquaient leurs phares sur les fenêtres de l'enceinte pour tranquilliser les esprits que l'obscurité affolait. Frédéric n'arrêtait pas d'aller aux nouvelles pour nous revenir bredouille. L'ambiance virait au cauchemar. J'essayais de garder mon calme, mais DeStefano avait l'angoisse contagieuse. Il ne tenait pas en place, criant après les organisateurs et engueulant Salvo à tort et à travers. Mouss, l'hercule noir, vint nous rendre visite dans le box. « C'est qu'une coupure, nous annonça-t-il. Paraît que c'est fréquent à Bône. Tout va rentrer dans l'ordre bientôt. À mon avis, il s'agit d'une diversion qui consiste à déconcentrer l'adversaire. Les Bônois sont réputés pour leur chauvinisme. Ils sont capables de n'importe quel coup tordu pour éprouver les champions venus d'ailleurs. » Il me prodigua quelques conseils, insista pour que je garde mon sang-froid et s'excusa de devoir se retirer car il ne tenait pas à perdre sa place.

Un grand cri de soulagement secoua la salle lorsque la lumière revint. Des vestiaires, nous entendions les gens qui s'interpellaient, des bruits de chaises ; le retour à la normale nous détendit, DeStefano put enfin s'asseoir sur un banc et prier.

Il y avait un monde fou dans la salle voilée de fumée de cigarette. Nous avions dû jouer des coudes pour nous frayer un passage jusqu'au ring. L'entrée en scène de Marcel Cargo déchaîna les passions. C'était un grand gaillard si blanc de peau qu'on l'aurait cru enfariné, les cheveux coupés ras et le regard impénétrable. Il était plutôt beau garçon malgré son nez cassé et sa bouche épaisse. Il avait quelques kilos de moins que moi, mais un corps cuirassé et les bras longs. Il se jeta sur moi avant que le gong ne cessât de vibrer. Manifestement, il s'était très bien préparé. Rapide, adroit, il n'esquivait mes coups que pour riposter d'emblée avec une précision millimétrée. Il se déplaçait avec aisance, me tenait à distance grâce à sa rallonge redoutable, déjouait mes pièges avec une élégance qui enchantait l'assistance. Les trois premiers rounds, Marcel Cargo menait aux points. J'avais du mal à placer mon crochet. Le Bônois était une anguille. J'avais beau le pousser dans l'angle, il se débrouillait pour me repousser et, d'une voltige, il se retrouvait au milieu du plancher, les jambes insaisissables, sa droite péremptoire. Au quatrième round, il m'ouvrit l'arcade. L'arbitre vérifia la gravité de ma blessure et m'autorisa à poursuivre le combat. Mon œil touché enfla ; je ne voyais qu'à moitié, mais je gardais sauves mes facultés. J'attendais juste le moment d'actionner mon crochet du gauche. Marcel était magnifique de souplesse et de technique, cependant je le savais à ma portée. Au cinquième round, il commit la faute fatale. Il me jeta à terre pour la deuxième fois. L'arbitre me compta. Je feignis d'être groggy. Marcel mordit à l'hameçon. Il lança toutes ses forces dans un dernier assaut pour m'achever. Dans sa frénésie, il négligea sa garde et ma gauche le foudroya. Marcel Cargo pirouetta sur lui-même, les bras ballants, la tête inclinée sur l'épaule. Je n'eus pas besoin de lui porter le coup de grâce, il était fini avant d'atteindre le plancher. Un silence de mort pétrifia la salle. Les gens s'étaient figés sur leurs chaises, aussi sonnés que mon adversaire. On n'entendait que les cris du manager qui sommait son poulain de se relever. Marcel ne remuait pas. Couché sur le dos, le protège-dents de travers, il était KO. L'arbitre finit de compter, invita les soigneurs à monter sur le ring. Ces derniers ne parvinrent pas à réveiller Marcel. Il y eut de plus en plus de monde sur l'estrade. L'arbitre subodora dans l'air que les choses menaçaient de dégénérer, enjamba discrètement les cordes et se coula dans la foule. Soudain, le manager se rua sur moi en hurlant : « Je veux voir ce qu'il a dans son gant… Je veux voir ce qu'il a dans son gant… Personne n'a mis KO Marcel de cette façon… C'est pas possible… Ce fumier d'Arabe a quelque chose dans son gant. » Salvo repoussa un agresseur, reçut un coup de boule, cogna à son tour, et la mêlée se déclencha. En quelques minutes, tel un feu de paille, la bagarre se répandit dans la salle, dressant chrétiens et musulmans dans un ballet de chaises volantes et de gnons rageurs, le tout servi dans un sabir d'insultes et d'appels au meurtre. La police envahit la salle, fit évacuer en urgence les notables et les officiels avant de se ruer sur les casseurs et les Araberbères. Ce fut un spectacle délirant, démentiel. Les hurlements et les coups de sifflet dominaient le fracas des chaises. On coupa l'électricité, et tout le monde se rua vers les portes de secours dans un chaos total.

Nous avions quitté Bône la nuit même, de peur que l'on nous agresse à l'hôtel. Entassés à huit dans le tacot d'un épicier arabe qui, ému par notre détresse, accepta de nous sortir de la ville. Il nous conduisit jusqu'à une gare perdue, à une soixantaine de kilomètres du chef-lieu. Nous prîmes le premier train pour Alger, puis d'Alger, la première correspondance pour Oran où une délégation nous attendait avec des fleurs et des fanions. Ma victoire sur Marcel Cargo avait fait le tour de la ville. *L'Écho d'Oran* lui consacra trois pages pleines. Même *Le Petit Oranais* s'invita à la fête, louant pour une fois les prouesses d'un « enfant de la ville ».

Le Duc donna une réception somptueuse au casino *Bastrana*. Les convives furent triés sur le volet. Hauts fonctionnaires, gradés en uniforme, affairistes influents et élus fusionnaient dans un bourdonnement diffus. Les Bollocq recevaient les félicitations et les allégeances à l'entrée de l'établissement. Tous les invités tenaient à les saluer. Le Duc se prêtait au jeu avec une solennité de monarque. Il adorait être l'œil du cyclone. Le héros, ce n'était pas moi, c'était lui. Je lui en voulais de m'exhiber comme un trophée avant de m'escamoter dans la minute qui suivait pour se mettre en valeur. Que représentais-je au juste pour lui ? Un attrape-nigaud, un tour de passe-passe, un polichinelle sans secret ? En vérité, pris en sandwich entre son ombre et la mienne, nul ne s'intéressait outre mesure à moi.

Le *Bastrana* battait son plein. Un orchestre jouait des airs légers. Gino était occupé à charmer Louise et à exaucer ses caprices. DeStefano avait disparu. Je ne savais où donner de la tête ni avec qui entretenir un brin de causette. J'étais à l'étroit dans mon costume trop raide, comprimé par les fêtards aux haleines avinées qui me traversaient de part et d'autre. De temps en temps, un inconnu me présentait à un autre inconnu ; ce dernier gloussait un vague « c'est donc lui, le champion », et déjà on me larguait pour courir courtiser tel ou tel décideur puisque ce genre de rencontres était d'abord l'occasion d'établir des relations rentables et de réactualiser son carnet d'adresses.

Je n'aimais pas les mondanités. Elles étaient d'un ennui ! Toujours les mêmes simulacres de camaraderie, les mêmes rires empruntés, le même verbiage finement vénéneux. Au milieu de ces assemblées prestigieuses, parmi les dames roucoulantes et les messieurs distingués, je n'étais qu'un coq de combat suscitant plus de curiosité que d'admiration. Beaucoup se contentaient de me congratuler de loin afin de ne pas avoir à me serrer la main. J'avais le sentiment de me tromper d'étage, d'être en exil. Ce n'était pas mon monde. Je détestais ce ramassis de parvenus, de snobinards de substitution et de prévaricateurs inspirés. Ces gens-là m'indisposaient. Ils ne pensaient qu'à gagner : gagner du terrain, gagner du temps, gagner au change. Carriéristes, industriels, rentiers ou flibustiers convalescents, ils sortaient d'un même moule, ne songeaient qu'à faire fructifier leurs recettes et à décrocher des galons, et ils étaient pour ainsi dire dépourvus de la moindre générosité, semblables à de beaux visages sans l'ombre d'un sourire. Pour eux, vous avez deux sous, vous valez deux sous. Si vous êtes fauché, personne ne vous calcule. Rien à voir avec Médine Jdida, Eckmühl, le Derb, Saint-Eugène, Lamur ou bien Sidi Lahouari où la bonne humeur donnait du fil à retordre à l'adversité. Nous avions nos frimeurs et nos gros bras, nos roitelets et nos bachaghas, sauf que les nôtres avaient du cœur et, par moments, de la retenue. Chez nous, dans les quartiers pauvres, le chiqué n'était qu'une frivolité conviviale tandis que le gratin du centre-ville en faisait une seconde nature. J'étais conscient que le monde était ainsi fait, qu'il y avait des familles aisées et des familles miséreuses, et que cet état de choses avait certainement une morale et un sens. Mais avec ces énergumènes au col blanc qui me marchaient sur les pieds sans s'excuser tant je leur étais transparent, je n'avais pas le sentiment de pouvoir accéder à un semblant de mérite ; pour eux, je n'étais qu'une poule aux œufs d'or qui passerait d'elle-même à la casserole quand elle n'aurait plus rien à pondre.

Je sortis prendre l'air.

Il n'y a pas plus grossière atrocité qu'une idole sans intérêt.

Dehors, une interminable file de voitures rongeait son frein le long de l'avenue. Par petits groupes, les chauffeurs de maître bavardaient çà et là en tirant sur des bouts de cigarette ; certains somnolaient derrière leur volant.

Je priai Filippi de me conduire boulevard Mascara.

— J'attends Gino, me dit-il.

— Il s'amuse bien, lui. Il en a pour un bon bout de temps.

— Je suis désolé. Ce sont les instructions.

Je pris le tramway jusqu'à la place d'Armes et regagnai la rue du Général-Cérez à pied. J'étais outré.

Alarcon n'ignorait pas les sentiments que je nourrissais pour sa fille. J'étais pratiquement tous les jours à la ferme. Parfois, j'y passais la nuit. Irène paraissait heureuse avec moi. Nous aimions flâner dans les bois et faire le marché ensemble. À Lourmel, on commençait à s'habituer à nous voir côte à côte. Au début, des réflexions désobligeantes chahutaient nos emplettes, ensuite, parce que Irène avait la repartie percutante, on nous ignora.

J'apprenais à conduire afin d'acheter une voiture. Je voulais emmener Irène loin, très loin, là où rien n'égratignerait notre idylle. Un instant auprès d'elle me comblait de bonheur. Lorsque arrivait, pour moi, le temps de rentrer à Oran, je devenais irascible.

J'avais envie de tout plaquer.

À l'écurie, ma susceptibilité faisait du moindre reproche un drame. Je ne supportais aucune remarque. Gino ne s'autorisait plus à me donner des leçons. Il ne se gênait pas avec Louise, lui. Il avait le droit de jouer les jolis cœurs, pourquoi pas moi ? DeStefano tentait de me ménager. Là encore, ses mièvreries me tapèrent sur le système.

Je ne recouvrais un soupçon de sérénité qu'à la ferme.

Un dimanche, sur une plage déserte, pendant qu'Irène livrait ses jambes à l'assaut des vagues, la robe retroussée par-dessus les genoux, je me mis à tracer des formes géométriques sur le sable avec un bout de bois.

— Qu'écris-tu ? me lança-t-elle, les cheveux dans la brise de midi.

— Je dessine.

— Que dessines-tu ?
— Ton visage, tes yeux, ta bouche, tes épaules, ta poitrine, tes hanches, tes jambes…
— Je peux voir ?
— Non. Tu risques de me déconcentrer.
Elle sortit de l'eau, amusée et curieuse, vint se pencher sur mon gribouillage d'enfant.
— Je ressemble à ça, moi ?
— C'est juste une ébauche.
— Je n'imaginais pas mes jambes aussi maigres, ma tête aussi ronde qu'une citrouille, et mes hanches, mon Dieu ! Quelle horreur… Comment peux-tu t'amouracher d'une laideur pareille ?
— Le cœur ne se pose pas de questions. Il fonce, et c'est tout.
Je la pris dans mes bras.
— Je ne suis heureux qu'avec toi.
Elle s'abandonna à mon étreinte, glissa tendrement ses doigts sur ma joue.
— Je t'aime, Amayas.
Une vague plus hardie que les autres roula jusqu'à nous, lécha nos chevilles ; en se retirant, elle effaça mon dessin en un tour de passe-passe.
Irène m'embrassa sur la bouche.
— Je veux partager ma vie avec toi, lui dis-je.
Elle tressaillit. De toutes mes forces, je priai pour qu'elle n'éclatât pas de rire. Irène ne rit pas. Elle me considéra en silence, les lèvres effleurant les miennes ; elle tremblait contre moi.
— Tu es sérieux ?
— Très.
Elle se détacha, marcha sur un rocher. Nous nous assîmes côte à côte. Entre nos pieds, de petits crabes verdâtres jouaient à cache-cache, imperceptibles dans le remous de la mousse. Les embruns voilaient l'horizon.

Les piaillements des mouettes ricochaient sur le récif, incisifs comme des coups de rasoir.

— Tu me prends de court, Amayas.

— Nous sommes ensemble depuis des mois. Quand je pense aux lendemains, je ne les imagine pas sans toi.

Ses yeux coururent interroger la mer avant de revenir me mettre à l'épreuve.

— Je suis plus âgée que toi, voyons.

— Pour moi, tu n'as pas d'âge.

— Je ne suis pas d'accord.

— Je t'aime, c'est ce qui compte. Je veux me marier avec toi.

Le clapotis du ressac paraissait centuplé.

— Ce genre de décisions ne se prend pas à la légère, dit-elle.

— Ça fait des semaines et des semaines que j'y pense. Il n'y a pas un gramme de doute : c'est toi que je veux.

Elle me posa la main sur la bouche pour m'interrompre.

— Tais-toi et écoutons la rumeur du large.

— Elle ne nous apprendra rien de ce que nous savons déjà.

— Et que savons-nous, Amayas ?

— Ce que nous voulons de toutes nos forces.

— Que sais-tu de mes forces ?

Sa voix était douce et tempérée. Mon cœur battait très fort. Je redoutais un rejet ou qu'elle me rabroue comme Aïda. Irène méditait, l'air triste. Je lui pris les mains, elle ne les retira pas.

— J'aimerais fonder une famille, m'avoua-t-elle. Mais pas à n'importe quel prix.

— Ton prix sera le mien.

Elle me dévisagea avec une lueur dubitative dans les yeux.

— Je suis une enfant de la campagne, Amayas. J'aime

les choses simples. Avoir un mari simple, une vie simple, sans clameurs ni tapages.

— Tu penses que je ne suis pas capable de te l'offrir ?

— Je ne crois pas, non. Une épouse ne se partage pas avec la foule.

Je voulus protester, elle reposa sa main sur ma bouche avant de m'embrasser.

— Ne compliquons pas les choses, me chuchota-t-elle. Profitons du présent et laissons à l'avenir le dernier mot.

Je n'étais pas déçu. Irène n'avait pas dit non.

Un jeune charretier nous transporta jusqu'à la piste carrossable. Assis à l'arrière, les mains agrippées au rebord de la charrette et les pieds dans le vide, nous regardions la mer lancer ses régiments d'écume sur la plage. Irène se taisait. Lorsqu'elle me surprenait en train de l'observer, elle contractait les épaules.

Nous avions attendu l'autocar, assis sous un arbre, en silence.

Le soir après le dîner, nous avions aidé Alarcon à se mettre au lit et nous étions allés nous dégourdir l'esprit autour de la propriété. L'automne, chez nous, est une saison rabat-joie. L'été fini, les cigales rangent leurs violons et les mines deviennent grises. Nous sommes un peuple solaire, la moindre éraflure dans notre ciel nous défigure. Lorsqu'il fait beau, nos pensées sont claires et un rien nous enthousiasme. Par contre, il suffit à un nuage de se glisser sous notre soleil pour que son ombre obscurcisse notre âme. Irène tergiversait à cause du froid, j'en étais sûr. Nous nous installâmes sur la margelle du puits pour contempler la campagne. Sur la plaine drapée de mystère, les lumières du village frissonnaient, semblables à des lucioles moribondes. Irène se serrait dans son châle, les poings au creux de sa jupe. Elle n'avait rien dit depuis la plage. Je subissais son mutisme comme une mutilation. Avais-je été maladroit ? L'avais-je brusquée ? Elle n'avait pas l'air de m'en vouloir, mais je n'arrivais pas à cerner la mélancolie sur son visage.

— Non, dit-elle en devinant que j'allais lui prendre la main, ne me dérange pas.

— Est-ce que je t'ai blessée ?

— Tu m'as troublée.

— Je serai un bon mari.

— Tu ne pourras pas. Je suis fille de boxeur. Je sais ce qu'est la vie familiale d'un boxeur. Ce n'est pas drôle pour un sou.

— J'en connais qui…

— S'il te plaît, me coupa-t-elle, tu n'y connais rien.

— Je ne vais pas être boxeur toute ma vie.

— Peut-être, mais je serai trop vieille pour toi lorsque tu raccrocheras. Et toi, trop abîmé pour rattraper le temps perdu.

Des gouttelettes de pluie se mirent à s'écraser çà et là. Le vent monta d'un cran, frais, presque glacial. Un gros nuage marcha sur la lune, l'engloutit dans la foulée.

— Je n'aime pas dépendre de quelque chose qui m'échappe, soupira-t-elle. Je veux rester maîtresse de mon couple, tu comprends ? N'avoir pas à me ronger les sangs parce que mon mari joue notre vie à pile ou face sur un ring… J'adore cette colline. Un jour, je planterai des vignes pour les voir pousser avec bonheur. Le sel de la mer m'offrira du beau raisin que je cueillerai de mes mains. J'aurai quelques vaches aussi. Comme ça, mes matins ne seront pas perturbés par le crachotement écœurant de l'estafette du laitier. Avec un peu de chance, j'élèverai trois ou quatre chevaux. Je passerai mes journées à les regarder paître et se cabrer dans la nature. C'est ça, mon rêve, Amayas. Simple comme bonjour.

Elle se leva pour rentrer, monta dans sa chambre sans allumer. Elle ne m'avait pas invité à la rejoindre. Elle ne vint pas dans le cabanon comme les nuits précédentes.

Je l'avais attendue puis, ne supportant pas la déréliction qui s'était emparée de mon refuge, j'avais préféré quitter la ferme. Il n'y avait pas d'autocar pour Oran à cette heure, mais j'avais besoin d'air.

Je dormis dans la paillote de Larbi le marchand de fruits.

5.

Ma mère était hors d'elle. Elle avait horreur que l'on débarque chez elle à l'improviste. Elle veillait à ce que ses convives soient reçus dans les meilleures conditions possible, c'est-à-dire dans une maison propre et bien rangée. Il était midi passé quand je la surpris en train de déjeuner, la table basse encombrée des restes de nourriture. Le regard qu'elle m'expédia était plein de reproches. D'autant plus que je n'étais pas seul ; Irène m'accompagnait. Ma mère dévisagea la Française, s'attarda sur sa robe trop courte, sa bouche peinte en rouge et son cou dénudé. Elle nous ordonna de rester dans le patio jusqu'à ce qu'elle ait fini de débarrasser. Irène riait sous cape, amusée par cette dame renfrognée qui ne s'était même pas donné la peine de la saluer.

Les enfants de la voisine gloussaient dans leur coin en nous épiant, leurs petites têtes de diablotins étagées à moitié dans l'embrasure.

J'avais parlé d'Irène à ma mère, mais elle ne s'attendait pas à la voir chez elle. Dans nos traditions, cela ne se faisait pas. Prise au dépourvu, ma mère dut se résigner. Elle commença par fermer la porte de la pièce où se décomposait mon père, nous introduisit dans la salle de séjour. Irène lui tendit un petit paquet.

— Du chocolat pour vous, madame.

Nous prîmes place sur des nattes. Irène ne savait comment rabattre sa jupe sur ses genoux. Je lui proposai un coussin qu'elle se dépêcha de coller contre ses jambes. Ma mère nous offrit du thé à la menthe. Pendant que nous sirotions l'infusion, elle jaugeait ma compagne, la passait au crible, ostensiblement, évaluait son âge, sa force, ses rondeurs, sa fraîcheur, sa façon de se tenir, accentuant la gêne d'Irène qui, indisposée, reposa son verre de peur d'avaler de travers.

— Elle parle arabe ? me demanda ma mère en kabyle.

— Oui.

— Elle est musulmane ?

— Elle est croyante.

— Il me semble qu'elle est trop vieille pour toi.

— Moi, je la trouve très jolie.

— C'est vrai, elle est jolie. Mais elle n'a pas l'air facile, pas le genre à se laisser mener à la baguette.

— C'est peut-être pour cette raison que je l'ai choisie.

— À mon avis, elle doit en connaître des choses sur les hommes.

— Elle a été mariée.

— Je m'en doutais un peu. Elle est trop belle pour être épargnée.

Irène nous écoutait en souriant. Elle comprenait que nous parlions d'elle, devinait le sens de nos propos.

— Vous avez une belle maison, madame, dit-elle en arabe.

Ma mère exécuta un signe maraboutique pour éloigner le mauvais œil. Elle n'ajouta mot, se permit même de se retirer pour nous laisser seuls. Mekki arriva avec un sac de provisions qu'il posa par terre en nous découvrant dans la salle. Le regard qu'il jeta sur Irène était sans équivoque. Il retourna aussitôt dans la rue, horrifié par « la tenue outrageante de cette étrangère peinturlurée ».

— On ne ramène pas une femme à moitié nue à la maison, m'apostropha-t-il plus tard. Je parie qu'elle boit, et qu'elle fume. Les femmes qui osent regarder les hommes dans le blanc des yeux ne sont pas recommandables. Qu'espères-tu à la fréquenter ? Accéder au statut des siens ? Ils te rejetteraient. En mettre plein la vue aux gens de ta communauté ? Ils te plaignent déjà (se tournant vers ma mère :) Pourquoi ne dis-tu rien, Taos ? C'est ton fils.

— Depuis quand les femmes ont-elles un avis ?

— Il compte épouser une mécréante. Répudiée, en plus. Une ruine dont les siens se sont lassés. Que lui trouve-t-il de plus que nos vierges ? Le maquillage ? son accoutrement offensant ? son effronterie ? Ça crève les yeux qu'elle est plus âgée que lui.

— Je suis plus vieille que mon mari.

— Dois-je comprendre que tu approuves ton rejeton ?

— Il fait ce qu'il veut. C'est sa vie.

Mekki cogna avec hargne sur le mur.

— Nous serons la risée des voisins.

— Avons-nous été autre chose ? rétorqua ma mère.

— Je suis *toujours* le chef de famille, et le retour de ton époux n'y change rien. Je n'approuverai pas une union que les saints ne béniraient jamais. Ton fils est en train de se pervertir. À force de s'acoquiner avec les mécréants, il commence à leur ressembler. S'il gagne de l'argent, pourquoi ne pas en faire profiter une fille issue de son peuple ?

Je le laissai pester et sortis rejoindre Gino, boulevard Mascara.

Le Duc m'avança une partie de l'argent pour acheter une Fiat 508 Balilla sport. J'étais aux anges. À Médine Jdida, les mouflets me couraient après dans un charivari de carnaval. Ils lançaient au ciel leurs chéchias, manquaient de se faire écraser. Ma mère refusa catégoriquement de monter faire un tour avec moi. Elle ne me faisait pas confiance, incapable de se résoudre à l'idée que son fils puisse disposer d'une voiture et la conduire sans finir dans le mur.

J'adorais rouler sur l'avenue, le coude sur le rebord de la portière, le vent sur la figure. Je savourais l'ivresse d'une liberté que je ne soupçonnais pas. Avec Irène, nous nous rendions partout, poussant nos villégiatures jusqu'à Nemours. À nous Tlemcen, la station thermale encore rudimentaire de Hammam-Bouhadjar, les plages de Cap-Blanc et les pique-niques dans les bois. Parfois, nous emmenions Alarcon avec nous. Nous l'installions au pied d'un arbre et nous nous affairions autour d'un feu de scouts. Nos grillades nous enfumaient pour la journée. Le soir, nous allions au cinéma. J'avais une prédilection pour les films de cape et d'épée mais Irène détestait la violence, ne supportait pas les histoires qui s'achèvent dans le drame ou la déchirure ; elle préférait les épisodes romantiques, ceux qui finissent en apothéose, le baiser des amoureux salué par les applaudissements de la salle.

Je vivais les plus beaux jours de ma vie.

Cinq mois avant le grand match pour le titre d'Afrique du Nord – Pascal Bonnot, le champion en exercice, reporta à deux reprises notre confrontation en avançant des prétextes discutables – le Duc me convoqua dans son bureau. Il y avait Gino, Frédéric, DeStefano et deux malabars aux allures de gangsters que je n'avais jamais vus avant. Le Duc m'expliqua son programme. Pour lui et ses conseillers, un séjour à Marseille s'imposait. D'une part, pour me préparer dans le secret et, d'autre part, pour bénéficier de l'apport des meilleurs préparateurs de France.

J'acceptai.

Le même jour, j'annonçai à Irène que je partais de l'autre côté de la Méditerranée pour un stage de huit semaines. Nous étions dans la stalle. Irène toilettait sa jument. Elle ne réagit pas, continua de brosser son animal comme si elle ne m'avait pas entendu. Une petite pluie tombait sur la colline.

— J'aimerais que tu viennes avec moi à Marseille.

Elle émit un hoquet dédaigneux.

— Tu veux que j'aille avec toi en France ?

— Oui.

— Et mon père ?

— On l'emmènera avec nous.

Elle rangea la brosse, jeta une couverture sur la jument. Ses gestes étaient dépités.

— Mon père ne voudra jamais partir d'ici. Cette terre est sa chair. Rien au monde ne sied mieux à son âme que ces collines. Quel paysage lui ferait oublier cette magnifique vue sur les orangeraies et les vignes qui s'étendent jusqu'à Misserghine, et ces maquis où la nuit les loups viennent hurler à la lune ?

Elle me poussa légèrement sur le côté pour laisser entrer la lumière que ma carrure masquait.

— Ni mon père ni moi n'accepterons de perdre de vue le moindre empan de ce territoire qui représente pour nous ce que les dieux ont réussi de parfait.

— Nous y reviendrons, après.

— Après quoi ? Je te dis que nous n'accepterons pas de perdre de vue cette terre. Ni pour un jour ni pour une minute. Même lorsque nous dormons, nous ne voyons qu'elle dans notre sommeil.

Je la suivis dans la cour. Elle marchait vite comme si elle cherchait à me semer.

— Il s'agit de ma carrière, Irène.

— Je n'ai pas dit le contraire. Et je ne t'interdis pas d'aller où tu veux. On n'est pas encore mariés. D'ailleurs, je ne pense pas que nous le serons un jour. Je déteste la boxe.

— C'est un métier comme les autres, et c'est le mien.

Elle s'arrêta brusquement, pivota sur elle-même pour me faire face, les lèvres frétillantes de colère.

— C'est quoi ce métier où il suffit d'aller deux fois consécutives au tapis pour que commence la descente aux enfers ? J'en connais un bout, figure-toi, et ça ne m'emballe pas. Pipo l'Algérois, Fernandez, Sidibba le Marocain s'entraînaient chez nous. Ils occupaient la même piaule que toi aujourd'hui et couraient sur les mêmes pistes. Tous se prenaient pour des monuments indétrônables. Les filles leur tombaient dans les bras et les foules les vénéraient. Ils avaient leurs photos dans les journaux et leurs affiches sur les murs. Ils rêvaient d'or et de frasques, et Pipo envisageait de se bâtir un palais sur les hauteurs de Kouba. Et un soir, dans une salle bondée à craquer, alors que les projecteurs s'enflammaient, *pan !* Au tapis ! Stupeur générale. L'invincible Pipo est à terre ! Et tout s'écroule autour de lui. Aux dernières nouvelles, il a plus d'alcool que de sang dans les veines et il ne reconnaît plus le chemin pour rentrer chez lui.

— Je ne suis pas Pipo.

— N'empêche, tu subiras son sort. C'est inévitable. Un jour, tu tomberas sur plus fort que toi, et tu te retrouveras sur la paille. Tes admirateurs se détourneront de toi car leur cœur ne bat que pour la chair fraîche. Tu tenteras de revenir en croisant le gant avec des moins que rien. On t'exhibera sur un ring avachi comme un hercule forain. Et quand tu n'auras plus de jus du tout, tu iras noyer ton chagrin dans les bars miteux et tu viendras gâcher mes nuits à la maison. Et si je ne suis pas contente, tu me taperas dessus pour te prouver que tu n'es pas le dernier des derniers.

— Jamais je ne porterai la main sur toi.

— C'est ce qu'on dit lorsqu'on n'est pas ivre mort. Mon père avait toujours une fleur pour ma mère, le soir, en rentrant à la maison. Il était attentif, affectueux, et il traitait ma mère avec beaucoup d'égards. Elle était sa cerise sur le gâteau… Comme toi, il gravissait les marches sans trébucher, certain d'atteindre les sommets et d'y rester. Comme toi, il gagnait combat sur combat au début de sa carrière. Tout lui réussissait. À vingt-sept ans, il était champion de France et avait failli être champion du monde. Puis il est tombé sur son dompteur. Défait de son titre, il s'est mis à douter et à changer. Lorsqu'il gagnait, il redevenait le père que je connaissais. Lorsqu'il perdait, il se transformait en monstre que j'apprenais à découvrir. En rentrant à la maison, plus de fleur pour ma mère, juste des grognements et des prétextes pour provoquer des scènes. De mon lit, je l'entendais jurer ses grands dieux. Le matin, ma mère restait enfermée dans sa chambre pour que je ne voie pas les traces de coups sur son visage. Le soir, quand elle sentait le retour de mon père imminent, elle tremblait comme une chèvre à l'approche d'une hyène. Pour surmonter ses peurs, elle s'était mise à boire. Parfois, elle s'enfuyait dans la nuit par la fenêtre. Mon père allait la chercher chez les voisins ou bien dans les champs. Il la ramenait en lui promettant de ne plus porter la main sur elle, de ne plus boire, de ne plus se tromper d'ennemi. L'accalmie durait quelques jours, une semaine, puis, sans crier gare, les scènes reprenaient.

Son visage était contre le mien, distordu de chagrin ; les larmes inondaient ses cils. Elle poursuivit en martelant ses mots :

— Ma mère vivait l'enfer. Elle, qui était d'une beauté d'ange, elle avait vieilli à trente-cinq ans. Elle ne ressemblait plus qu'à son calvaire. Jusqu'au soir où elle s'est enfuie pour ne plus rentrer. Elle est partie pour de bon et on n'a plus jamais retrouvé sa trace… Eh oui, Amayas ! Ma mère est partie pour ne plus servir de sac de frappe à un boxeur en disgrâce… Et depuis, je n'ai pas arrêté de détester la boxe. Ce n'est pas un métier, c'est un vice ! On ne pardonne pas aux dieux déchus. Les clameurs sont plus proches des huées que les désillusions de la folie. Je ne tiens pas à partager ma vie avec un blessé dans sa chair et dans son esprit. Je me vois mal vieillir en ramassant un ivrogne aigri à la petite cuillère. Ce n'est pas pour moi, Amayas. La gloire des rings est un yo-yo, et je n'aime ni ses hauts ni ses bas. Je suis une rêveuse bête et naïve. Mon bonheur est dans l'harmonie des choses. Je veux vivre avec un homme qui aura pour mes champs le même regard que le mien et pour le clinquant illusoire le même mépris. C'est seulement à ce prix que je croirai que tu m'aimes. Et alors, je t'aimerai, moi aussi, de tout mon cœur et de toutes mes forces.

Le Duc s'arracha les cheveux par poignées en apprenant que je renonçais au stage marseillais. Selon Frédéric, il aurait frisé l'apoplexie. Ses cris explosaient à travers les étages et les couloirs. Certains membres de son personnel avaient déserté leurs bureaux, d'autres s'étaient barricadés derrière leurs dossiers. Cela ne m'impressionna pas. Je refusai de me rendre à Marseille. Gino me traita de tous les noms d'oiseaux. *Quand vas-tu arrêter de merder ?* s'était-il écrié en desserrant nerveusement le nœud de sa cravate. *Je n'en peux plus de tirer la chasse après toi.* Ses tentatives pour m'amadouer échouèrent. Le Duc n'y alla pas par quatre chemins. Il menaça tout bonnement Gino de le virer s'il ne me ramenait pas à la raison.

Francis déclara qu'on perdait son temps à assagir une tête de pioche.

— La police raconte que des agitateurs nationalistes sont en train d'officier dans les mosquées, les hammams et les cafés. Sûr que Turambo a mordu à leur hameçon. Comme il est influençable, un charlatan enturbanné lui aura sans doute bourré le crâne avec des idées à la con.

— Je ne fais pas de politique, m'écriai-je.

— Alors, c'est un proche ou un voisin jaloux qui t'a bouffé la cervelle. Les bougnoules contestent le mérite. Dès que l'un d'eux sort la tête de l'eau, ils cherchent à le décapiter.

— Qu'essayes-tu d'insinuer, Francis ?

— J'essaye de t'épargner la chute. Il ne faut pas écouter les tiens. C'est des envieux. Ils t'en veulent parce que tu leur ressembles de moins en moins, parce que tu es en train de réussir. Ils sont jaloux. Ils ne cherchent pas ton bien, ils cherchent ta perte. Ils veulent que tu t'effaces, que tu redeviennes l'ombre de toi-même pour que tout le monde retourne à l'obscurité. C'est la raison pour laquelle vous êtes à la traîne des nations. Toujours à vous entre-bouffer, à vous atomiser, à vous détruire à coups de calomnie et de trahison.

— Les miens n'y sont pour rien dans ma décision.

— Bon sang ! Te rends-tu compte du fossé que tu es en train de creuser sous tes pieds ?

— Du moment que ce n'est pas sous les tiens.

Francis cracha sur le côté.

— Je savais les Arabes bornés, et je comprends aujourd'hui pourquoi tu es leur champion.

Je fis un pas dans sa direction ; il extirpa un cran d'arrêt.

— Pose ta sale patte de barbare sur moi, et je ne te laisserai pas un seul doigt pour te torcher.

Ses yeux brûlaient d'une flamme meurtrière. Le plus étonnant fut que ni DeStefano, ni Frédéric, ni Gino ne condamnèrent l'attitude de Francis. Nous étions dans le bureau du manager. Je lisais sur les mines déconfites qui me cernaient une sourde aversion. Leurs mâchoires crispées, leurs traits tirés à se rompre, leur roideur me vomissaient. J'avais autour de moi des étrangers. Ces êtres que je chérissais, ces bons drilles qui m'importaient autant que ma famille, ces braves gars, avec qui j'avais partagé mes peines et mes joies, me reniaient en bloc simplement parce que pour une fois je n'étais pas d'accord avec leur projet. Je compris alors que je n'étais qu'un gladiateur des temps modernes, un esclave de gala juste bon à amuser la galerie, que mon royaume se limitait à une arène en dehors de laquelle je comptais pour des prunes. Même Gino s'était rangé du côté de ses intérêts ; il pensait plus à ses privilèges qu'à mes blessures. Et j'étais blessé au plus profond de mon être. Blessé et écœuré.

La mort dans l'âme, mes yeux sautèrent de Gino à Frédéric, de DeStefano au cran d'arrêt.

— Bande de vautours, leur criai-je. Mes histoires de cœur ne comptent pas dans votre inventaire. Elles ne vous intéressent pas. Seul le troc vous arrange : des coups pour moi, du blé pour vous.

— Turambo, gémit Gino.

— Pas un mot, lui intimai-je. Je crois que tout a été dit.

Francis s'apprêtait à ranger son canif. Ma droite le catapulta contre le mur. Surpris, il glissa sur le sol, les mains sur la figure. En voyant ses doigts ensanglantés, il couina :

— Putain ! Il m'a bousillé le tarin.

— Tu t'attendais à quoi d'un barbare ? lui dis-je.

La vitre se brisa nette lorsque je claquai la porte derrière moi.

Quelques jours plus tard, je surpris Jérôme le laitier en train de demander à Alarcon si les types qui étaient venus le voir étaient des malfrats. Ils papotaient derrière la stalle, face au soleil, le vieux boxeur sur sa chaise roulante et le laitier à califourchon sur son estafette. Après le départ de ce dernier, je voulus en savoir plus sur cette étrange visite. Alarcon haussa les épaules.

— Bof ! Rien de bien méchant, me confia-t-il. Tes amis sont en déroute. Ils m'ont raconté que tu refuses d'aller te préparer à Marseille et m'ont sollicité pour te raisonner.

— Et ?

— Je crois qu'un stage en France est important pour toi.

— Est-ce qu'ils t'ont menacé ?

— Pourquoi me menaceraient-ils ? Je suis suffisamment puni comme ça… Tu sais, mon garçon ? Quand on a choisi un chemin, aussi compliqué soit-il, on le poursuit jusqu'au bout. Sinon, on ne saura jamais ce qu'il nous promet. Tu es un champion. Tu représentes un tas de défis et tu réunis autour de toi des espoirs inimaginables. Les sautes d'humeur n'ont pas leur place dans ce genre d'aventures. Tu fais ce qu'on te dit de faire, c'est tout. Irène est une femme bien, mais les femmes ignorent à partir de quel moment elles doivent s'abstenir de s'immiscer dans les affaires des hommes. Elles sont possessives et exagèrent leur rôle dans la vie. Elles réduisent l'essentiel aux petites choses qui leur conviennent. Les hommes sont des conquérants par nature. Ils ont besoin d'espace, d'un champ de manœuvres aussi grand que leur soif de réussite. Les guerres, ce sont des obsessions d'hommes. Le pouvoir, les révolutions, les expéditions, les inventions, les idéologies, les religions, enfin tout ce qui bouge, réforme, détruit pour reconstruire relève de la vocation des hommes. Si ça ne tenait qu'aux femmes, nous serions encore à sucer les os des mammouths au fond des cavernes. Parce que la femme est une petite nature sans réelle ambition. Pour elle, le monde s'arrête à sa petite famille et le temps évolue en fonction de l'âge progressif de ses enfants. Si j'ai un conseil à te donner, mon garçon, va à Marseille et ne quitte pas la table lorsque le festin est fait de lauriers et de titres. Pour un homme, la vie sans gloire n'est qu'une insolente agonie.

Je trouvai ses raccourcis contestables mais je respectais trop le vétéran pour lui demander ce qu'il avait fait de son épouse et ce qu'il fichait sur une chaise roulante en tournant le dos au reste du monde. J'avais trop de peine pour sa décrépitude pour lui assener qu'*aucun champ d'hon-*

neur ne vaudrait le lit d'une femme, qu'aucune gloire ne saurait compenser un amour gâché.

Gino broyait du noir. D'après un voisin, il se cloîtrait chez lui depuis quatre jours, porte et volets fermés. La mine fripée, les cheveux désordonnés, il se tenait voûté sur la table de cuisine, la tête dans les mains, une bouteille d'alcool vide à côté d'un verre renversé. Je ne me souvenais pas de l'avoir vu ivre. Ses bretelles pendouillaient de part et d'autre de la chaise, son tricot de peau laissait à désirer.

Il leva sur moi un regard de chien battu.

— Tu étais avec les types qui sont allés bousculer Ventabren ?

Il esquissa un vague mouvement du poignet.

— Tu me fais chier.

— Tu n'as pas répondu à ma question, Gino. Est-ce que tu étais avec eux ?

— Non.

— Ils espéraient quoi ?

— Tu n'as qu'à leur demander.

— Qui étaient-ce ?

Gino balaya la table du revers de la main. La bouteille et le verre se fracassèrent au sol.

— Ton cirque ne t'a pas suffi. Tu viens encore m'emmerder chez moi.

— Qui étaient-ce ?

— Les deux Marseillais. Tu n'as pas intérêt à te frotter à eux, je te préviens. Quand ils investissent un sou, ils veillent à ce qu'il leur rapporte une fortune. Ils ont misé sur toi, et ce sont de très mauvais perdants.

— Tu cherches à me faire peur, Gino ?

— Ça ne sert à rien quand on n'a pas conscience du danger.

— Pourquoi tu ne m'as rien dit ?

— Parce que tu n'écoutes pas.

Il repoussa la chaise pour se lever, vacilla, la bouche déformée de fureur.

— Tu es une tête de mule, Turambo. À cause de toi, notre équipe est en sursis, et nos efforts prennent l'eau. Tu as bataillé pour atteindre la source, une fois arrivé, tu craches dedans. C'est vrai, tu ne vois pas plus loin que le bout de ton nez, mais ne pas voir la montagne qui s'écroule, ne pas l'entendre déferler sur soi, ce n'est pas de la myopie, ce n'est pas de la cécité, c'est pire que l'inconscience et la connerie réunies. Je ne te comprends pas. Je crains que tu ne te comprennes pas toi-même. N'importe qui, à ta place, aurait loué le ciel matin et soir. Tu n'étais qu'un crève-la-dalle qui se faisait botter le cul à droite et à gauche pour une misérable corvée.

— Tu crois que j'ai pris du galon, Gino ? Je suis toujours le même misérable galérien. La seule différence est que je me fais botter le cul par des souliers de marque.

— Qui t'a enfoncé ces sornettes dans ta cervelle de moineau ? Cette traînée qui ne trouve plus chaussures à sa pointure et qui te foule aux pieds ?

— Surveille ton langage, Gino.

Il s'arc-bouta contre le mur, se donna un coup de reins pour se pousser jusqu'à moi.

— Vas-y, cogne… Tu viens de me mettre sur la paille. Continue sur ta lancée. Jette-moi au tapis. Tu me rendrais service. Je n'ai pas fermé l'œil depuis trois nuits. Assomme-moi. Ça me permettrait d'oublier pour quelques heures le merdier dans lequel tu m'as foutu. À cause de ton entêtement, je n'ai plus de boulot, plus de repères, plus de perspectives.

6.

Je partis pour Marseille.

Mon stage fut revu à la baisse à cause de ma réticence et ramené à trois semaines ; pour moi, il aura duré des mois. Je n'avais rien dit à Irène. Je n'en avais pas eu le courage. Un matin, j'ai jeté mes affaires dans deux sacs marins et j'ai sauté dans la voiture des Marseillais qui m'attendaient au coin de la rue du Général-Cérez. Le Duc et sa clique piaffaient sur les quais. Ils furent soulagés de me voir et me promirent que je n'allais pas regretter. La traversée fut rude. Je n'avais jamais pris de bateau auparavant. Le mal de mer m'avait forcé à rendre jusqu'à mes tripes. Il m'avait fallu plusieurs jours et plusieurs décoctions pour m'en remettre.

De Marseille, je ne garderai que le souvenir d'un camp retranché, des épreuves titanesques, des journées aussi strictes qu'un programme pénitentiaire, des sparring-partners increvables et des nuits froides hurlantes de mistral. C'était suffisant pour développer mon agressivité. J'ai été traité comme une bête que l'on affame dans l'isolement total afin de la préparer pour la plus effroyable des boucheries. En effet, je pensais plus à Pascal Bonnot qu'à Irène ; je n'attendais que le moment de le croiser sur un ring pour le transformer en bouillie. Je détestais mes nouveaux entraîneurs, leurs manières de brutes, leur arrogance ; c'étaient des gens obtus, patibulaires et prétentieux ; ils ne parlaient pas, ils gueulaient, persuadés que tous ceux qui débarquaient des colonies étaient des sauvages fraîchement cueillis d'un baobab. Dès les premiers jours, je sentis que les choses allaient mal tourner. J'avais horreur que l'on me mitraille de bave lorsqu'on me criait après. J'en étais arrivé aux mains avec un assistant rabougri flanqué d'une grosse tête bosselée qui faisait des réflexions racistes sur les Arabes. Plus tard, je compris que ces provocations et hostilités étaient une tactique qui consistait à me rendre fou de haine dans le but manifeste de faire de mon prochain adversaire, Pascal Bonnot, une seule bouchée.

J'étais rentré à Oran métamorphosé, les nerfs à fleur de peau, la susceptibilité électrique. Mon rapport à mes anciens amis de la rue Wagram se limitait à bonjour-bonsoir. Plus rien n'était comme avant. Hormis Tobias, tous les autres me pesaient. Les rires qui tonnaient autrefois à l'écurie avaient cédé la place à de froides politesses. DeStefano était malheureux. Chaque fois qu'il engageait la conversation avec moi, je me dépêchais de grimper sur le ring. Mon attitude le peinait ; il comprenait que c'était ce que je voulais. J'étais devenu aigri, méchant, taciturne, voire hautain. Même Irène avait remarqué que je ne souriais presque plus, que je m'emportais pour des futilités, que j'appréciais de moins en moins les sorties en ville et les salles de cinéma. Elle ne savait toujours pas où j'étais passé durant ces trois satanées semaines et ne chercha pas à le savoir. J'étais de retour, bien que changé, le reste lui importait peu. En vérité, je me posais un tas de questions. La nuit, je me réveillais la tête dans un étau. Je sortais dans la cour traquer une bouffée d'air pur. Irène me rejoignait, enveloppée dans un drap. Elle marchait à côté de moi en silence. Je ne savais pas quoi lui dire.

Cramponnée à ses collines enguirlandées de jardins et de palais, Alger s'offrait une cure de soleil en ce matin de mars 1935. Je découvrais la ville pour la première fois de ma vie. Elle était belle, avec son front de mer aux immeubles cossus qui semblait sourire à la Méditerranée. À Oran, on parlait surtout des Algérois réputés pour leur chiqué excessif. Nous ne les aimions pas. Quand ils arrivaient chez nous, ils empruntaient des airs suffisants pour se démarquer, fiers de leur accent aigu, convaincus d'appartenir à une classe supérieure. Ils avaient un sens de la repartie très développé qui déclenchait souvent des querelles dans nos rues, les Oranais n'ayant à opposer au flegme réducteur de leurs rivaux que l'habileté de leurs poings. Pourtant, à Médine Jdida et dans les quartiers araberbères, on ne pouvait dissocier Alger de la politique. On parlait d'oulémas, d'associations musulmanes, c'est-à-dire de nos concitoyens qui vivaient à Alger dans les faubourgs identiques aux nôtres mais qui refusaient de n'être qu'un cheptel domestiqué en créant des mouvements idéologiques qui se réclamaient d'un passé glorieux et qui revendiquaient des droits auxquels je ne comprenais pas grand-chose. Et nos gens à nous, quand ils venaient à Oran, contrairement aux chrétiens, ils étaient entourés de tous les égards. Nos soirées se prolongeaient dans des conciliabules soutenus et, au matin, dans nos cafés, on se mettait à converser à voix basse en surveillant la rue du coin de l'œil. La police redoublait ses effectifs suite à des délations et des têtes intrigantes se mettaient à bigarrer la foule dans les souks. Honnêtement, je ne m'intéressais pas à ces remous qui se déclaraient de temps à autre dans nos cités. Pour moi, il s'agissait d'un mystère aussi impénétrable que les voies du Seigneur. Les clameurs me rendaient sourd jusqu'à l'appel même du muezzin.

Penché par-dessus la vitre du compartiment, je contemplais la ville flamboyante de lumière, ses bâtiments blancs, ses voitures qui se pourchassaient le long des boulevards, ses cohortes de badauds qui donnaient l'impression de se reproduire à une vitesse ahurissante. Frédéric se tenait debout à côté de moi. Il me racontait les sites, les quartiers, les lieux saints de la capitale : le jardin d'Essai, un des endroits les plus fantastiques du monde, Notre-Dame-d'Afrique dominant la baie, la Casbah recroquevillée sur ses patios séculaires, Bab el-Oued où les petites gens voyaient les choses en grand, le square Port-Saïd infesté de poseurs et de poètes, serré de près par le Cercle militaire et le grand théâtre.

— C'est une ville mythique, me dit Frédéric. Aucun étranger de passage ne la quitte sans en emporter quelque chose dans sa valise. Quand on passe par Alger, on traverse le miroir. On arrive avec une âme et l'on s'en va avec une autre, toute neuve, sublime. Alger vous change une personne d'un claquement de doigts. C'est à Alger que les frères Goncourt, qui pensaient être nés exclusivement pour la toile, ont définitivement tourné le dos à la peinture pour se consacrer corps et âme à la littérature. C'est à Alger, chez un petit barbier de la Casbah, le 28 avril 1882, que Karl Marx, ce légendaire barbu, s'est rasé la barbe pour se reconnaître dans la glace…

— Autant lui parler des cinq ans de captivité de Cervantès et des frasques orgiaques de Guy de Maupassant, tant qu'on y est, maugréa Francis en veillant à rester le plus loin possible de ma rallonge. Si ça se trouve, il ne sait même pas qui est l'actuel président de la République.

— Fiche-lui la paix, grommela DeStefano.

Un comité de journalistes nous intercepta à notre descente du train, ce qui occasionna sur-le-champ un attroupement sur le quai qu'une poignée de policiers tenta vainement de contenir. Des flashes crépitaient de tous les côtés. Frédéric se prêta au jeu des questions-réponses. Les photographes se bousculaient pour m'avoir dans leur collimateur. Ils me criaient de me retourner, de fixer l'objectif, de poser contre le wagon derrière moi. Je ne les écoutais pas.

— Vous espérez tenir combien de rounds, Turambo ? me lança un freluquet retranché derrière son calepin.

— Est-ce vrai que vous avez laissé un testament avant de venir à Alger ?

— Qu'avez-vous dans vos gants cette fois, monsieur Turambo ?

— Ses poings, rien que ses poings, s'énerva DeStefano.

— Ce n'est pas ce qu'on raconte à Bône.

— Les Bônois sont des mauvais perdants. Les gants de mon boxeur ont été expertisés. D'ailleurs, nous en avons fait cadeau au maire.

L'agressivité des journalistes et leurs allusions déplacées nous exaspérèrent. Nous nous hâtâmes de sortir de la gare et de nous engouffrer dans les voitures qui nous attendaient sur le trottoir d'en face. Le Duc nous avait réservé des chambres à l'hôtel Saint-Georges. Là encore, des photographes et des journalistes nous guettaient, parmi lesquels des Britanniques au français nasillard et des Américains flanqués d'interprètes. Un groom me conduisit dans ma chambre, s'assura que je ne me manquais de rien et patienta dans le vestibule en quête de quelque chose. Je le congédiai ; il se retira à reculons, une moue désappointée à la place du sourire qui, deux minutes plus tôt, s'étendait d'une oreille à l'autre. Nous déjeunâmes dans le restaurant de l'hôtel. L'après-midi, un groupe d'Araberbères se présenta à la réception. Il demanda à me rencontrer. C'était un comité restreint chargé par un mouvement musulman de m'inviter au match de football qui opposait le Mouloudia d'Alger à l'équipe chrétienne de Ruisseau. Frédéric déclina avec fermeté l'invitation, arguant que mon combat était pour le lendemain, que les rues n'étaient pas sûres et que j'avais besoin de calme et de repos. Je le priai sèchement de s'occuper de ses oignons. Depuis mon retour de Marseille, le courant ne passait plus entre mon staff et moi. Je n'en faisais qu'à ma tête pour afficher clairement mon insubordination caractérielle. Redoutant que les choses s'enfiellent, Frédéric se plia à ma volonté non sans m'adjoindre Tobias. Dans le stade archicomble, des notables musulmans vinrent me féliciter pour mon parcours et m'assurer de leur bénédiction. Le Mouloudia battit l'équipe adverse sur le score sans appel de six buts à un. Le comité me proposa une visite guidée de la Casbah. Tobias refusa catégoriquement ; j'ignore si c'était à cause de sa jambe de bois ou bien parce qu'il avait reçu des instructions strictes.

Quelques minutes avant le dîner, la réception de l'hôtel m'informa qu'une personne désirait me parler. Je me changeai et descendis dans le hall où un monsieur habillé en effendi – costume de la ville avec gilet et fez rabattu sur la tempe –, s'impatientait dans un canapé. Il se leva pour me serrer la main. Il était grand de taille, le nez massif dans une figure taillée au burin. Son regard perçant trahissait une autorité dissimulée, une détermination à toute épreuve.

— Je m'appelle Ferhat Abbas.

Il marqua un silence puis, constatant que son nom ne me disait rien, il poursuivit :

— Je suis militant de la Cause de notre peuple... Tu sais, au moins, ce qu'est l'Amicale des étudiants musulmans ?

— L'Amicale quoi ?

L'homme déglutit, étonné par mon ignorance.

— Tu ne connais pas l'Amicale des étudiants musulmans ?

— Non.

— Mais, mon frère, sur quelle planète vis-tu ?

— Je n'ai pas été à l'école, monsieur.

— Il ne s'agit pas d'école, il s'agit de notre nation. Il faut de temps en temps prêter l'oreille à ce qui se murmure dans les alcôves et derrière les barreaux... Je suis pharmacien de profession, mais j'écris des articles dans la presse et j'organise des débats politiques et des congrès clandestins. Je viens à peine d'arriver de Sétif, expressément pour te rencontrer, et je suis contraint de rentrer cette nuit même, c'est-à-dire juste après notre entretien, dans les Aurès.

— Tu n'assisteras pas au match ?

— Je n'ai pas intérêt à traîner dans les parages.

Il déplia un journal sur la table, tapota du doigt la photo d'un athlète en train de courir sur la piste d'un stade surpeuplé.

— Il s'appelle Ahmed Bouguerra el-Ouafi. Tu as entendu parler de lui ?

— Non.

— C'est notre champion olympique, notre première et unique médaille d'or, décrochée haut la main aux Jeux d'Amsterdam en 1928. Beaucoup de nos compatriotes ne le connaissent pas. Parce qu'on ne parle pas de lui dans les journaux ni à la radio. Mais nous allons remédier à cette injustice et veiller à vanter ses mérites partout dans nos villes et jusque dans nos douars reculés. Le sport est un argument politique extraordinaire. Aucune nation ne peut accéder pleinement à son statut sans idoles. Nous avons besoin de nos champions. Ils sont aussi indispensables que l'air et l'eau. C'est la raison pour laquelle je suis venu te voir, mon cher frère. Demain, tu *dois* gagner. Demain, nous voulons avoir notre champion d'Afrique du Nord pour prouver au monde que nous existons…

Il ramassa brusquement le journal, le glissa dans la poche intérieure de sa veste. Deux individus à la démarche louche venaient d'entrer dans le hall et se dirigeaient sur la réception.

— Je dois filer, me chuchota le militant. N'oublie pas, mon frère, ton combat est le nôtre ; ta victoire, nous la revendiquons déjà. Demain, tous les musulmans de notre pays auront l'oreille collée à la radio. Ne nous déçois pas.

Il contourna une colonnade en s'épongeant dans un mouchoir pour cacher son visage et se dépêcha de filer par une porte de service.

Une forêt de têtes spectrales baragouinait dans la salle immense. Toute la crème de la ville s'était déplacée pour le match. Pas une chaise de libre, pas une allée dégagée. Il faisait une chaleur d'enfer malgré la lumière tamisée qui zébrait les encoignures d'ombres filandreuses. Les gens s'éventaient avec n'importe quoi pour se rafraîchir.

Le Duc, entouré d'une délégation de dignitaires oranais, se prélassait aux premières loges. Des célébrités et autorités locales se trémoussaient à proximité du ring. Des dames étaient là, coquettes et altières. Je ne me souvenais pas d'avoir vu des femmes conviées à un combat de boxe à Oran ou ailleurs – était-ce pour cette longueur d'avance que les Algérois s'arrogeaient le droit de nous prendre de haut ?

Je regardais les centaines de personnes qui s'agitaient sur leurs sièges, rappelant des vautours à l'heure de la curée. Au milieu du cafouillis humain, je me sentais aussi seul qu'un mouton sacrificiel. Une peur insondable fouaillait dans mes tripes. Ce n'était pas à cause de Pascal Bonnot, ce n'était pas non plus à cause des milliers de musulmans que j'imaginais rivés à leurs radios. Mon angoisse était étrangère aux enjeux de la soirée ; elle était faite d'interrogations lancinantes que je n'arrivais pas à décoder. J'aurais voulu que les minutes s'arrêtent car elles m'épuisaient déjà ; j'aurais souhaité que le match ait eu lieu la veille, ou la semaine passée, ou bien l'année dernière tant la latence dispersait mes pensées. Mes bras s'étaient engourdis. Une tenaille compressait mes tempes, criblait de crampes l'arrière de mon crâne. Je transpirais à grosses gouttes alors que le combat n'avait pas encore commencé.

Un projecteur se déporta sur la tribune, arrêta son halo sur un grand gaillard sanglé dans un trois-pièces droit sorti de chez le couturier, une longue écharpe rouge autour du cou. La foule reconnut aussitôt le personnage qu'elle ovationna avec ferveur. C'était Georges Carpentier en chair et en os, centurion victorieux de retour de la guerre, acclamé par le peuple et loué par les dieux. Le champion du monde leva les bras pour remercier le public, le halo du projecteur nimbant son aura…

Ce fut un combat à mort. Pascal Bonnot n'était pas venu défendre son titre mais dissuader les prétendants de le convoiter. Champion d'Afrique du Nord trois années d'affilée, il étalait ses adversaires les uns après les autres dans l'intention manifeste de ne plus les revoir sur un ring. Ce n'était pas par hasard si on le surnommait « le char d'assaut ». Pascal Bonnot ne boxait pas, il démolissait. Il n'avait pas la technique ni l'élégance de Marcel Cargo, cependant il était aussi redoutable que la foudre et aussi expéditif qu'un obusier. La majorité des légendes qui avaient croisé son chemin avaient sombré dans la déchéance. Pipo, Sidibba le Marocain, Bernard-Bernard, enfin ces rois du ring qui embrasaient les foules et faisaient frémir la poitrine des starlettes avaient subi Bonnot comme un coup du sort. Plus jamais le jour ne se lèverait pour eux. Bonnot frappait pour sarcler définitivement son parcours. Sa réputation terrassait ses rivaux avant ses coups. Ses combats n'excédaient guère le cinquième round, ce qui laissait supposer qu'il pourrait avoir un problème d'endurance. C'était la seule faille probable dans son dispositif, d'où l'entraînement intensif auquel mes préparateurs marseillais m'avaient soumis. Ils tablaient sur ma capacité à appliquer à mon adversaire l'épreuve de l'usure. Bonnot misait sur sa brutalité pour liquider ses adversaires dès les premiers rounds. Il y mettait toutes ses forces, sans réserve aucune. Ma chance résiderait peut-être dans l'exploitation de cette incurie. *Fais-le douter,* me rappelait sans cesse DeStefano. *Si tu tiens au-delà le sixième round, il va s'énerver et se mettre à se poser des questions. Chaque coup que tu lui porteras le déstabilisera...*

Bonnot fondit sur moi comme un rapace sur sa proie. Il cognait fort. Un vrai forgeron. Ses intentions étaient nettes. Il visait les épaules pour ramollir ma garde. À ce rythme, il était certain de me cueillir dès le troisième round. Sa tactique ne m'échappa pas. Je décrochais vite, tournais autour de lui, esquivais ses pièges sous le sifflement du public qui me reprochait d'éviter l'affrontement. Bonnot chargeait sans trêve. Il avait à peu près la même taille que moi. Son torse vigoureux contrastait violemment avec ses jambes maigres. Je trouvais sa silhouette grotesque. Il me toucha deux fois à la tête, sans grande efficacité. Au quatrième round, mon crochet du gauche l'envoya dans les cordes. Ce fut à cet instant précis que son regard s'assombrit. Je n'étais plus un vulgaire sac de frappe à ses yeux. Je le laissais venir, me recroquevillais dans un angle, bien retranché derrière mes gants. Bonnot déversait sur moi sa furie, galvanisé par la clameur assourdissante de la salle. Dès que son halètement s'enfiévrait, je le repoussais, le faisais courir, puis je retournais dans un angle et l'invitais à se dépenser. Le combat vira au massacre à partir du septième round. Bonnot commençait à s'épuiser, le doute s'installait dans son esprit. Il multiplia les assauts et les maladresses. Son irritation grandissante supplantait sa concentration, bâclait ses feintes. C'était le moment pour moi de lui imposer mon jeu. Pour la première fois, il recula. Mon uppercut le jeta deux fois de suite à terre. Dans la salle, les hurlements s'atténuèrent. On se mit à redouter l'improbable. Bonnot récupérait vite. À son tour, il m'envoya au tapis. Sa droite me plongea dans un monde sans écho. Sonné, je voyais vaguement l'arbitre en train de me compter. Lorsqu'il s'écarta, Bonnot était de nouveau sur moi. Ses coups résonnaient à travers mon être en déflagrations souterraines. Le plancher crissait sous mes pieds comme la trappe d'un gibet. Je regagnai mon coin en chavirant, trop remué pour saisir ce qu'ânonnait DeStefano. Salvo me faisait mal en me soignant. J'avais l'œil droit trouble, du sang sur la pommette, le protège-dents dans ma bouche me martyrisait. Le Duc s'approcha du ring, me cria quelque chose. Gino tenait sa tête à deux mains. Je ne devais pas payer de mine.

À peine relâché dans l'arène, Bonnot me poursuivit de ses coups, décidé à m'achever. Je mis un genou à terre, littéralement dépassé. L'arbitre me compta de nouveau. Il me semblait qu'il comptait trop vite. Je me relevai en m'accrochant aux cordes. La salle ondoyait autour de moi. Mes mollets flageolaient. J'étais dans le cirage. Bonnot m'accula quelque part. Mon corps évoqua un vieux bâti ébranlé par un séisme, je *croulais* de tous les côtés jusqu'au bout du round. L'éponge gorgée d'eau que Salvo me passa sur la figure me fit l'effet d'un chalumeau. La moindre contorsion m'électrocutait. Bonnot m'observait avec acuité, assis sur son brasier de tabouret, impatient de reprendre le combat. Ses bras frémissaient de rage. Durant tout le neuvième round, il me traqua sans me rattraper. Je fuyais pour reprendre mes sens, convaincu qu'un coup à la tête signerait la fin pour moi. Ma manœuvre déclencha des huées dans la salle. Je ne sais pas pourquoi Bonnot s'était tourné vers l'arbitre. Peut-être pour protester, agacé par mon refus d'en découdre. Il n'aurait pas dû me perdre de vue. Puisant au plus profond de ma réserve, je libérai mon crochet du gauche. La nuque de Bonnot se disloqua sous mon gant. Le champion d'Afrique du Nord pivota sur lui-même, bascula sur les cordes qui le projetèrent contre moi ; je lui décochai dans la foulée une série de gauche-droite, il chancela à reculons, tomba sur son postérieur, hébété. En cherchant à se relever, il perdit l'équilibre, s'étala sur le dos et s'agita mollement tel un insecte englué. Il fut sauvé par le gong.

Il est fichu, me cria DeStefano d'une voix méconnaissable de fébrilité, *il est dans les vapes. Termine-le tout de suite.* Le Duc exultait sur son siège. Gino avait cette fois les mains jointes dans une prière. La salle retenait son souffle. Bonnot n'était pas bien. Une heure plus tôt, un roi montait sur le ring érigé en trône. Quelques gongs plus tard, le souverain n'était plus qu'un supplicié hagard sur un échafaud. Je lisais la détresse dans son regard aux abois et j'avais presque du remords. Le dixième round fut horrible. Ensanglanté, les arcades ouvertes et les yeux tuméfiés, Bonnot subissait les foudres du ciel. Désormais, c'était lui qui se recroquevillait dans un angle et attendait de voir passer l'orage. Il s'écroula au bout d'une série de gauche-droite, le souffle coupé. L'arbitre le compta. Bonnot hochait la tête, décidé à aller au bout de ses limites. Je le travaillai aux flancs, méthodiquement. Son corps se cabrait sous mes uppercuts, se soulevait, se tordait de souffrance. Au moment où je le croyais sur le point de rendre les armes, sa droite m'ébranla de fond en comble. Le plancher craqua sous mon poids. Nous étions à bout de forces, lui cramponné à ses lauriers, moi à mes chances de l'en déposséder. La salle comprenait que l'un de nous deux allait y passer. L'ombre de la mort planait sur le ring, cependant aucun manager ne voulait jeter l'éponge, certain que la victoire se jouait à pile ou face. On voyait bien que ça allait très mal se terminer, mais on était dans une sorte d'euphorie vampirisante, hypnotisés par les revirements de situation qui s'enchaînaient à un rythme inouï. Bonnot refusait de céder un pouce de son règne. Je refusais de lâcher le morceau. Nous n'étions plus que l'expression de notre entêtement jusqu'au-boutiste. Je ne sentais plus les coups. Je tombais, me relevais, ballotté d'un vertige à l'autre, animé par une seule étincelle : la conscience du danger mortel. C'était comme si je voulais ne rien rater de ma fin. Des instantanés de ma vie déferlaient à une vitesse hallucinante dans ma tête. J'étais certain d'avoir atteint le dernier virage, un point de non-retour au-delà duquel il n'y aurait qu'un vide astral. Bonnot devait vivre le même calvaire et voir les choses de la même façon que moi ; il chavirait dans son brouillard, s'écroulait, se redressait, étranger à ses ripostes, pitoyable marionnette titubant au bout de ses ficelles. Exténué, mais vaillant jusqu'au ridicule. À chaque coup, son cou donnait l'impression d'exécuter un tour à trois cent soixante degrés. Je sentais ses vertèbres craquer sous mes gants. *Ne te relève pas*, le suppliai-je, épouvanté par sa ténacité suicidaire. Il refusait d'abdiquer, se relevait en grimaçant de douleur, dépossédé de ses marques, vidé de son énergie. Dans un ultime sursaut d'orgueil, il balança sa droite qui alla se fracasser le poignet contre du bois. Son bras blessé pendouilla subitement sur le flanc, vulnérable et inutile. Ce fut un moment tragique, insupportable. Le champion en titre était fini, livré pieds et poings liés au coup de grâce. Je m'attendais à ce qu'il déclare forfait, mais non, Bonnot menaça son manager de le dévorer tout cru s'il jetait l'éponge. Il regagna son tabouret, vacillant, le poignet brisé à hauteur du ventre pour montrer que son bras fonctionnait normalement.

Le douzième round offrit à la salle un spectacle hautement dérangeant. Les gens étaient mal à l'aise, tétanisés par la bravoure pathétique du champion qui tentait le tout pour le tout, ne comptant que sur son bras valide pour faire bonne figure. Il se savait vaincu, pourtant il ne renonçait pas. C'était de la pure folie. En le regardant foncer tête baissée et cogner à tort et à travers, déséquilibré par ses propres gaucheries, affolé par le sang qui l'aveuglait, errant au milieu du ring semblable à un spectre aux abois, les propos d'Irène recouvrèrent leur justesse dans mon esprit fragmenté. Bonnot me renvoyait mon image, le sort qui m'était prédestiné. Un jour, refusant de me défaire de mon titre, je me conduirais de la même façon ; je renoncerais à mon salut, à ma vie, à tout ce qui m'importait pour un hypothétique sursaut d'orgueil aussi vertigineux qu'un saut dans le vide. J'évoluerais dans un délire pernicieux qui me ferait croire dur comme fer que la mort serait moins cuisante que la défaite, et je me laisserais démonter morceau par morceau plutôt que de reconnaître la supériorité flagrante de mon adversaire. Nous n'étions pas des idoles puisque incapables de raison, nous étions des bêtes de combat grisées par les clameurs, deux énergumènes laminés qui se taillaient en pièces, deux forcenés ivres d'épuisement et de douleur dont les gémissements se perdaient dans le tumulte des centaines de voyeurs horrifiés et fascinés à la fois par l'insoutenable violence qui nous caractérisait…

Lorsque Bonnot s'affala enfin pour ne plus se relever, ce fut un soulagement général.

Le cauchemar était fini.

En un tournemain, le ring fut pris d'assaut. DeStefano et Salvo m'exhibaient en trophée. Gino pleurait de bonheur. Même Francis dansait. Le Duc grimpa sur sa chaise pour que tout le monde le voie, les bras écartés pour recevoir la manne céleste.

Éberlué, à deux doigts de tomber dans les pommes, je m'abandonnais à la liesse de mes supporters, les yeux fixés sur Bonnot qu'on n'arrivait pas à ranimer.

7.

Les séquelles de mon combat contre Bonnot se manifestèrent dès mon retour à Oran. Je me mis à vomir du sang. Des migraines me persécutaient, ne s'atténuant que pour revenir de plus belle, aussi féroces qu'une rage de dents. Par moments, le sol se dérobait sous mes pieds, des fourmis criblaient mes cuisses et mes bras, ma respiration se déréglait.

On m'évacua vers une clinique gérée par un médecin ami des Bollocq. Les radios n'étaient pas alarmantes, j'avais deux côtes fêlées, et c'est tout. Trois jours durant, on m'administra un tas de médicaments sans venir à bout de mes douleurs. Il m'arrivait de voir trouble et de rendre sur-le-champ ce que j'avalais. La glace me renvoyait un pauvre diable éprouvé au visage cabossé, aux arcades ouvertes, aux lèvres turgescentes et aux pommettes bariolées de bleus. Lorsqu'on me retirait les pansements, on m'arrachait la peau avec.

Gino venait de temps à autre me tenir compagnie. Je le détestais presque à cause de sa beauté intacte. Il avait l'air inexpugnable dans son costume tiré à quatre épingles.

Les nouvelles en provenance d'Alger n'étaient pas bonnes. L'ex-champion d'Afrique du Nord ne se réveillait toujours pas. On se faisait du souci pour sa vie. Les plus optimistes ne l'imaginaient guère remonter sur le ring.

J'avais du chagrin pour Bonnot. Il avait gagné mon respect. Il s'était battu comme un lion.

Le maire offrit une réception grandiose pour célébrer ma victoire. Je séchais l'événement. Je ne tenais pas à livrer mes blessures à la curiosité des gens.

Irène me demanda où j'étais passé. Je lui répondis que j'avais attendu que ma figure retrouve un semblant de relief pour qu'elle puisse me reconnaître. Alarcon était souffrant. Alité dans sa chambre désordonnée, le teint olivâtre et les draps maculés de grosses suées, il trouva la force de me serrer contre lui.

— Jérôme le laitier m'a raconté, me dit-il. Il paraît que ce fut un match du tonnerre. Tout le village l'a suivi à la radio en se rongeant les doigts. Je suis fier de toi.

Irène se retira pour nous laisser seuls, sans doute horripilée par les propos de son père.

— Assieds-toi à côté de moi, m'invita le vétéran. Je veux sentir ton odeur de guerrier. Tu te rends compte ? Tu es le nouveau champion d'Afrique du Nord. Je donnerais n'importe quoi pour être à ta place. Je présume que tu ne réalises pas encore ton sacre. C'est fantastique… Et Bonnot ? On dit qu'il est entre la vie et la mort.

— Qui ne l'est pas, monsieur Ventabren, qui ne l'est pas…

Je sortis dans la cour de la ferme. Irène était arc-boutée contre la margelle du puits ; elle scrutait le fond du gouffre comme on lit dans un miroir funeste.

— Tu te rends compte de ce que tu as fait ? me fit-elle. Tu as massacré un homme que tu ne connaissais ni d'Ève ni d'Adam. T'arrive-t-il de penser à sa famille, à ses enfants s'il est marié ?

Je ne me sentais pas en mesure de lui tenir tête.

Filippi me trouva prostré au pied d'un arbre. Irène était partie sur sa jument, m'abandonnant à mes interrogations. Depuis ma sortie de clinique, les mêmes questions me taraudaient sans répit. Il y avait un choix à faire et je n'étais pas d'aplomb.

— On te cherche partout, me cria Filippi en se garant à ma hauteur.

— Je me cherche, moi aussi, et je n'arrive pas à me mettre le grappin dessus.

— Le Duc veut te voir.

— Pas aujourd'hui. J'ai besoin qu'on me laisse tranquille.

Il rentra bredouille.

Le lendemain, à l'écurie, je surpris tout le monde en annonçant ma décision d'arrêter la boxe. Une bombe n'aurait pas choqué la rue Wagram avec une telle violence. DeStefano faillit s'étrangler en déglutissant. Francis, Tobias, Salvo se regardèrent, ébranlés de la tête aux pieds. Frédéric, qui sortait du bureau, manqua de tomber à la renverse. Gino, lui, n'avait plus une seule goutte de sang sur la figure.

— C'est quoi encore cette histoire ? s'insurgea Francis.

— Elle ne te concerne pas. Je tourne la page. La boxe et moi, c'est fini.

Le silence qui s'ensuivit écrasa la salle sous un éboulis de stupéfaction. Personne ne s'attendait à ma défection. N'étais-je pas le centre du monde désormais ? Mon nom n'était-il pas sur toutes les lèvres ? Pendant de longues minutes, on demeura crucifiés dans une hébétude consternée.

— Est-ce qu'on t'a fait quelque chose de mal ? s'enquit Frédéric d'une voix atone.

— Non.

— Alors, pourquoi nous châties-tu ?

— Il ne s'agit pas de sanction, mais de ma vie.

— Tu es le nouveau champion d'Afrique du Nord, Turambo. Mesures-tu le bonheur de ton peuple ? On ne parle que de toi dans les rues, les cafés, les maisons, les fabriques et les prisons. Tu n'as pas le droit de t'arrêter en si bon chemin. Tu n'appartiens plus à toi-même, tu es une formidable épopée pour les autres.

— N'essaye pas de m'embobiner, Frédéric. J'ai mis de la cire dans mes oreilles.

Gino courut s'appuyer contre le mur. Plié en deux, il vomit dans un râle atroce.

Les autres restaient sans voix.

Frédéric se tamponna les tempes avec un mouchoir. Il était aussi blanc que le col de sa chemise.

— Ne précipitons pas les choses, bredouilla-t-il. Tu as travaillé dur, ces derniers mois. Un congé mérité te retapera. C'est normal, la pression que tu as subie a exacerbé tes nerfs.

— Pourquoi tu ne vas pas le dire au Duc ? fulmina Francis, la bouche écumante de bave. Pourquoi tu viens nous faire chier avec tes sautes d'humeur ? C'est M. Bollocq qui casque pour toi, pas nous. Va lui dire ça en face si tes couilles sont en bronze.

— Ta gueule ! lui hurla DeStefano sur le point de lui sauter dessus.

— C'est à lui de fermer sa gueule, protesta Francis. Il se croit tout permis ou quoi ? Monsieur se voit déjà arrivé. Il prend de la hauteur et snobe son monde. On est où, là ? Dans un moulin ? On entre et on sort à sa guise ? Il n'est pas seul au monde. Il y a des gens autour de lui, des gens qui dépendent de lui. Il ne peut pas se permettre de tirer sa révérence comme bon lui semble. On est quoi, à ses yeux ? Des quilles à culbuter ? On a des familles, des gosses à nourrir. Ce fumier est en train de nous priver d'air. C'est du chantage. Il veut nous rabaisser, nous obliger à lui baiser ses sales pattes de va-nu-pieds. Il a toujours été ainsi, ingrat et borné. Je mettrais ma main au feu qu'il le fait exprès.

— Fiche le camp d'ici avant que je t'arrache les yeux, le menaça DeStefano. Allez, dégage…

Francis rajusta sa veste et marcha furieusement vers la rue. Arrivé sur le seuil de l'écurie, il se tourna vers moi.

— Je savais depuis le début que tu n'es qu'un fieffé salopard, qu'un jour où l'autre tu allais cracher dans la soupe. Les Arabes, c'est connu, tu leurs tends la main, ils te tirent vers le bas. L'autre problème, lorsqu'ils arrivent à la source, ils ne se désaltèrent pas, ils pissent dedans. C'est pourquoi ils infectent ce qu'ils touchent et portent la poisse à ceux qui les approchent.

Il expédia un jet de salive dans ma direction avant de disparaître.

Frédéric jugea prématuré d'informer le Duc de ma décision. Il misa sur le temps. Deux jours plus tard, il nous convia chez lui, dans sa villa près de Choupot. Le repas fut servi dans le jardin, à l'ombre d'un palmier ébouriffé. Toute l'équipe était au rendez-vous, sauf Francis. DeStefano arborait une mine d'enterrement. Salvo et Tobias ne se chamaillaient plus ; ils évoquaient deux orphelins désorientés. Gino avait maigri en un clin d'œil. Anxieux, il se rendait aux cabinets tous les quarts d'heure.

Quand la servante vint débarrasser, on s'aperçut que personne n'avait touché à son assiette.

Frédéric allumait cigarette sur cigarette. Sa main tremblotait.

— Tout homme a besoin de sa part d'enfance, dit-il enfin. C'est dans l'équilibre des choses. Ça n'a pas été ton cas, Turambo. La faim et le dénuement t'ont confisqué ton enfance. Ça a laissé un blanc dans ta vie. Et la première femme que tu as rencontrée l'a investi. Ce que tu crois être l'amour n'est qu'un retour à l'enfance, et les enfants n'aiment pas avec raison, ils aiment par instinct.

— Qui t'a parlé de femme ?

— Ça crève les yeux.

— Vous m'espionnez ?

— Nous veillons sur toi.

— Tu te trompes de cheval, mon garçon, intervint DeStefano. Tu ne gagneras pas à ce jeu. Il faut que tu écartes ce mirage de ton chemin si tu ne tiens pas à perdre pied. Tu as une carrière à bâtir, des rings à conquérir. Les coups seuls sont capables de t'éveiller à ta réalité. Le jour où tu lèveras les bras par-dessus ta tête pour enfaîter les clameurs qui te glorifient, ce jour-là le monde entier se jettera à tes pieds, et alors tu pourras choisir la femme qui te tapera dans l'œil sans rien devoir à personne.

— C'est toi qui me parles ainsi, DeStefano ?

— Oui, c'est moi, c'est bien moi qui te parle ainsi. Tu vivrais comment sans tes gants ? De petits boulots à deux sous comme avant ?

— J'ai gagné suffisamment d'argent pour repartir de zéro.

— On ne gagne jamais assez d'argent pour ses vieux jours, Turambo.

— Je me débrouillerai. Je retournerai à la terre. Je suis paysan.

DeStefano hocha la tête, affligé.

— J'ai une femme et des gosses, figure-toi. Le soir quand je rentre chez moi, je les trouve en train de m'attendre. Leur premier regard se pose d'abord sur ce que je tiens dans les bras. Si j'apporte à manger, ils se détendent et me débarrassent avant que j'aie refermé la porte derrière moi. Si mes mains sont vides, je leur deviens invisible. Je ne veux pas que tu endures la même chose, Turambo. L'amour est fait de rêve et de générosité, il ne sait pas se débrouiller avec la mouscaille. Tu es un champion. Ton destin est au bout de ton poing. Ramasse-toi un pactole, et après fais de ta vie ce que tu veux. Pour le moment, tu crapahutes encore au bas de l'échelle. Ne perds pas ton énergie ailleurs que sur un ring.

Je refusai d'en entendre plus. Je n'étais pas armé pour défendre ma décision. Je me savais vulnérable parce que je fonctionnais à l'affectif. Le doute était toujours là. Je me demandais si je ne faisais pas fausse route, en même temps je me blindais contre ce qui pourrait me troubler davantage. Pour moi, Irène valait les risques que je serais appelé à prendre. J'avais hâte de la revoir, de puiser mon assurance dans sa façon de voir les choses.

Je n'accompagnai pas Gino au boulevard Mascara. Sa peine me fragiliserait ; je ne tenais pas à me faire violence outre mesure.

À la ferme, l'état d'Alarcon empirait. Mais Irène était là, et sa proximité me barricadait contre les agressions du doute.

Un dimanche, tandis que je m'apprêtais à entrer dans un jardin public pour voir clair dans mes idées, Mouss me retint par le poignet. De toute évidence, il n'était pas dans les parages par hasard. Peut-être m'avait-il suivi depuis la rue du Général-Cérez.

— Tu promets de garder tes poings dans tes poches si je te faisais une confidence ? me dit-il.

— Pourquoi veux-tu que je garde mes poings dans mes poches ?

— Parce que je suis poids lourd, et ça me déplairait de te désosser comme une vieille carcasse.

— Tu penses que je ne suis pas de taille ?

— Tu n'as pas la moindre chance.

— Dans ce cas, restons-en là.

Il se mit en travers de mon chemin.

— C'est pour ton bien, Turambo, je t'assure.

— C'est toi qu'on a chargé de me faire la leçon ?

— Quel mal y a-t-il à ça ?

Je lis dans ses yeux, malgré son air affecté de videur de tripot, qu'il était sincère.

— Qu'est-ce que vous avez tous à être aux petits soins pour moi ?

— Nous sommes une famille, frérot. Les temps sont durs, et nous nous serrons les coudes.

— D'accord. Crache le morceau et finissons-en. J'ai besoin d'aller prendre l'air.

— Allons plutôt dans le jardin. C'est plus romantique, il paraît.

Mouss me prenait de haut, la voix grasse et traînante comme s'il cherchait à m'ensommeiller. Je suppose que sa force phénoménale lui rendait les gens microscopiques. Les journalistes le détestaient à cause de son arrogance. Lui s'en fichait. Tant qu'il cognait juste, le reste lui passait par-dessus la tête. Il était réglo, on lui reconnaissait au moins ça, pas le genre à batifoler dans les embrouilles ou à maquiller les matches – ce qui était monnaie courante dans le milieu. Je crois qu'il avait de l'admiration pour moi, ou bien du respect. Il ne venait pas me féliciter après les combats, mais il m'observait de loin, se démarquait pour que je puisse le voir m'adresser un signe complice et disparaissait dans la cohue en roulant des mécaniques. J'avoue que je ne l'aimais pas beaucoup. Il en faisait des tonnes souvent à partir d'une futilité pour attirer l'attention sur lui. Son narcissisme m'agaçait. Nous venions d'un même purgatoire, du fin fond de la tourbe, sauf que nous ne gravissions pas les marches pour les mêmes raisons. Mouss, sur un ring, c'était un concasseur. Il frappait pour tuer. Ses gants étaient confectionnés dans de la chair. Il ne se battait pas pour faire carrière ou fortune, il se battait pour se prouver qu'il n'était pas mort avec les siens, pour prendre sa revanche sur les coups qu'il avait reçus sans être autorisé à les rendre. Il avait perdu sa famille très jeune. Son père, esclave, avait succombé sous le fouet de son séide, et sa mère s'était jetée du haut d'une falaise… Quand le gong retentissait, pour Mouss, c'était le réveil aux disparus et aux absents, le réveil des vieux démons. Il ne voyait en son adversaire qu'un antidote ; en le dérouillant, il se guérissait de lui-même.

Ce n'était pas mon cas.

Pour moi, la boxe n'était ni une cure ni une rédemption, c'était juste un gagne-pain.

Nous marchâmes jusqu'à la courette dallée quadrillée de bancs en fer forgé, optâmes pour un saule pleureur voûté sur une fontaine. Mouss étira son cou à droite et à gauche. Après m'avoir bien fixé, il repoussa sa casquette à damier sur le front et posa ses grosses poignes d'ours sur mes épaules.

Il me dit :

— DeStefano te veut du bien. C'est quelqu'un qui sait de quoi il parle. Si je ne l'avais pas écouté à mes débuts, je ne porterais pas ces fringues de nabab et je ne dormirais pas dans un vrai plumard…

Il se dandina, renifla fortement, regarda à droite et à gauche à la manière des poseurs avant de poursuivre :

— J'aurais pu prendre femme et me caser… Trop peu pour moi, frérot. Avant, je n'étais qu'un nègre bon à décharger les tombereaux. La boxe a fait de moi un seigneur. La couleur de ma peau, qui la voit ? Mes gants sont désormais ma carte de visite et ils forcent toutes les portes. Je pèse cent vingt kilos, pourtant je me sens aussi léger qu'une plume. Je m'octroie autant de femmes que de privilèges sans que personne le conteste. Et tu sais pourquoi ? Pour une seule et unique raison : je suis vivant, et j'en profite un max… Faut pas confondre les genres, mon gars. Faire l'amour est une chose. L'amour tout court en est une autre, une étroitesse d'esprit. On ne ramène pas le monde à une femme aussi fantastique soit-elle, voyons… Se contenter d'une reine quand on peut s'offrir un harem, plus bête que ça tu meurs. On ne peut pas se mettre la corde au cou sans se condamner ou à la laisse ou à la potence.

— C'est ça, ta confidence ?

— J'y arrive. J'suis poids lourd, tu saisis ? J'avance lentement… Moi, j'suis d'accord avec DeStefano. C'est plus qu'un sage, DeStefano, c'est un saint. Quand il te prie de jeter l'éponge, tu jettes l'éponge et tu ne cherches pas à comprendre.

— Prends un raccourci, s'il te plaît, j'ai la tête qui enfle.

Mouss retira ses mains de mes épaules, croisa les bras sur sa poitrine. Un sourire énigmatique frissonnait sur ses lèvres.

— Irène n'est pas une fille convenable. Elle se joue de tes candeurs de puceau.

— Non, sans blague. Et tu la connais d'où, Irène, tiens ? Ce sont tes ancêtres qui t'en ont touché deux mots pendant que tu étais en transe ? lui dis-je pour le blesser.

Il ne fit pas cas de ma provocation.

Il se contenta de se dandiner sur place avant de revenir à la charge :

— Elle a toujours la tache en forme de fraise sur sa fesse droite ?

Mon poing partit de lui-même.

Le poids lourd vacilla, mais ne tomba pas.

Il maugréa, en se massant la mâchoire avec désinvolture :

— Tu as promis de garder tes poings dans tes poches, Turambo. C'est pas bien de ne pas tenir parole… Désolé si tu prends les choses sous cet angle. Je ne voulais ni t'offenser ni te manipuler. Je croyais que tu avais le droit de savoir, et moi le devoir de te dire la vérité. Pour ma part, mission accomplie. Tu fais ce que tu veux, maintenant. Ce n'est plus mon problème.

Il me salua en portant un doigt à sa tempe, rabattit sa casquette sur les sourcils et partit rejoindre la rumeur des rues.

La nuit était tombée lorsque j'arrivai à la ferme. Une petite pluie crachouillait sur la campagne emmitouflée de brume. De gros nuages se bousculaient dans le ciel bas tandis qu'un froid inhabituel pour la saison aiguisait ses javelines. Une petite voiture barbouillée se morfondait devant la maison, la portière béante. Les Ventabren avaient de la visite. Un jeune médecin vêtu de noir auscultait Alarcon. Ce dernier, blême sur son lit, transpirait à grosses gouttes, terrassé par la fièvre, les yeux cernés, la bouche fendillée et sèche. Irène se triturait les mains, debout dans un angle de la pièce, accablée d'inquiétude.

Le médecin rangea son attirail dans une sacoche, embarrassé.

— Je lui ai administré un calmant, dit-il. Normalement, sa température va baisser. Il ne s'agit ni d'un refroidissement ni d'une indigestion, et je n'ai pas d'explications quant aux vomissements. C'est peut-être un microbe, peut-être pas. Si son état ne s'améliore pas, conduisez-le à l'hôpital.

Irène raccompagna le médecin jusqu'à sa voiture. Je restai au chevet du vétéran, troublé et inutile, le crâne continuellement lardé par les révélations de Mouss. Durant le trajet Oran-la ferme, la voix du poids lourd comprimait mes tempes à les fracturer. Je ne voyais ni la route qui serpentait devant moi, ni la buée sur mon pare-brise. Écartelé entre le chagrin et la peur d'affronter Irène, je faillis à deux reprises louper le virage et finir dans le fossé.

Qu'étais-je venu chercher à la ferme ?

J'étais malheureux, enseveli sous un amas de désespoir, dégoûté de tout.

Irène revint, fantomatique. Était-ce son père ou l'obscurité dans mon regard qui la tarabustait ? Elle s'assit sur un tabouret près du lit du patient, trempa un mouchoir dans une casserole remplie d'eau à côté d'elle et entreprit d'humecter le visage de son père. À croire qu'elle devinait ce qui me rendait sombre et triste, que quelqu'un lui avait rapporté ce qui s'était passé entre Mouss et moi.

Alarcon grommela quelque chose dans son sommeil. Irène tendit l'oreille sans parvenir à en saisir le sens. Je ne bronchai pas, coincé dans un moule en verre qui m'interdisait le moindre mouvement. Mon sang battait à mes tempes à intervalles réguliers, rappelant un robinet qui fuit.

— J'ignore ce qu'il a, dit-elle enfin. Ça l'a pris subitement.

Je ne sus pourquoi le fait de l'entendre me soulagea de la moitié de mes hantises.

Elle se releva, passa à côté de moi, la tête ailleurs. Je la suivis dans la cuisine où la vaisselle du repas de midi attendait d'être nettoyée. Certains plats n'avaient pas été entamés, laissant penser que les choses s'étaient dégradées sans préavis.

— Il m'a fichu une frousse bleue, avoua-t-elle. J'ai cru qu'il allait rendre l'âme. J'ai couru jusqu'au village chercher le toubib.

Elle saisit une assiette, déversa la nourriture dans un carton.

— Si tu étais venu plus tôt, je ne serais pas dans cet état. J'étais perdue, ne savais où donner de la tête. La panique totale…

— Mouss m'a parlé de la tache que tu as au bas du dos.

Cela m'avait échappé. J'aurais donné n'importe quoi pour rattraper mes mots, les ravaler. Ce n'était pas le moment, me tançai-je en mon for intérieur. Trop tard ! Le poids qui pesait sur ma poitrine avait giclé à l'air libre, évacuant l'ensemble de mes colères et l'ensemble de mes angoisses. Je me sentis aussi vidé qu'un possédé expurgé de son démon, délivré mais en danger, pareil à un oiseau sorti de sa cage et exposé aux périls d'un monde inconnu.

Irène suspendit ses gestes. Elle demeura quelques instants interdite par-dessus l'évier, l'assiette entre les mains. Ses épaules s'affaissèrent soudain, ensuite sa nuque. Elle laissa couler le plat dans l'eau de la cuvette, respira encore et encore avant de se retourner lentement, écarlate, les yeux miroitants de larmes.

— Où veux-tu en venir ? fit-elle d'une voix caverneuse.

— C'est vrai qu'il le sait ?

Elle reprit très vite ses couleurs et son regard s'assombrit.

— Il n'était pas aveugle, si ma mémoire est bonne.

— Il dit…

— Tais-toi, m'interrompit-elle.

Elle s'essuya les mains sur son tablier, s'appuya contre l'évier derrière elle. Lorsqu'elle parvint à contrôler sa respiration, elle croisa les bras sur sa poitrine et me toisa avec un dédain que je ne lui connaissais pas.

— Tu me fréquentes depuis combien de temps, Amayas ?

— Depuis presque un an.

— Tu crois que je suis née ce jour-là ?

— Je ne te suis pas.

Elle s'appuya davantage sur l'évier, de plus en plus maîtresse de sa colère.

— Je n'étais pas vierge lorsque tu m'as prise dans le buisson, rappelle-toi. Ça n'avait pas l'air de te tracasser. Pis, tu as décidé de m'aimer quand même. Et de fonder une famille avec moi.

— Oui, mais…

— Mais quoi ? hurla-t-elle. Il n'y a pas de mais qui tienne. Est-ce que j'ai fureté dans ton passé, moi ?

Ses lèvres tremblaient, et ses yeux me tenaient en joue,

immobiles, semblables au double canon d'un fusil. Elle attendait un mot de ma part pour enchaîner. Je ne sus quel reproche hasarder.

— Dans la vie, fit-elle d'un ton curieusement calme, on n'efface pas tout et on recommence. C'est plus compliqué que ça. J'ai connu quelques aventures avant toi. Je suis de chair et de sang. J'ai un cœur qui bat là-dedans, et un corps qui réclame sa part d'émotion. Mais pas une fois je n'ai trompé mon époux avant le divorce. Et pas une fois je n'ai posé mon regard sur un autre homme depuis que tu m'as prise dans tes bras... Il faut savoir faire la part des choses.

Elle vint se planter devant moi, si proche que son souffle me brûla le visage.

— Je ne suis pas de ton milieu, jeune homme. Ni de ta race. Ni de ta culture. Et le monde ne se réduit pas à ta tribu. Dans ton monde à toi, la femme est le bien de son époux. Ce dernier lui fait croire qu'il est son destin, son salut, son maître absolu, qu'elle n'est qu'une côte issue de son squelette, et elle le croit. Dans mon monde à moi, les femmes ne sont pas l'excroissance des hommes, et la virginité n'est pas forcément un gage de bonne conduite. On se marie quand on s'aime, ce qui appartient aux jours d'avant ne compte pas. Dans mon monde à moi, on ne répudie pas son épouse, on divorce, et chacun poursuit son chemin de son côté. Nos femmes ont le droit de vivre leur vie. Il n'y a pas de honte à ça. Tant qu'on ne fait de mal à personne, on n'a pas à se justifier. Et le crime d'honneur, chez nous, est un crime tout court, aucune loi ne lui trouve de circonstances atténuantes, encore moins de légitimité. Si tu penses sérieusement que je me devais de t'attendre sagement emmurée dans ma chambre au risque de n'entendre arriver chez moi ni prince charmant ni huissier, c'est que tu es encore plus con que ton peuple.

Sur ce, elle arracha son tablier, me l'envoya à la figure et quitta la pièce en claquant la porte derrière elle.

J'avais sursauté au fracas de la porte. Un frisson m'avait parcouru de la tête aux pieds, identique à celui que provoquait en moi une bonne droite sur la mâchoire. La cuisine me parut aussi froide et enténébrée qu'une cave. Je me laissai choir sur une chaise et me pris la figure à deux mains avec l'intime conviction que je venais de commettre la pire maladresse de mon existence.

Les cris d'Alarcon m'arrachèrent aux troubles qui me malmenaient. J'accourus, à moitié aveugle dans la lumière anémique du quinquet. Irène tentait de contenir l'agitation des bras de son père qu'une crise déchaînait. Le pauvre vétéran suffoquait, les commissures de la bouche ruisselant de sécrétions blanchâtres. La partie supérieure de son corps vibrait de convulsions saccadées. J'écartai Irène, ceinturai le malade pour le sortir du lit, le mis sur mon dos. Sa salive s'égouttait sur ma nuque. Irène courut m'ouvrir la portière arrière de ma voiture, m'aida à installer son père sur la banquette et monta à côté de lui. Je mis le moteur en marche et démarrai avant d'allumer les phares.

Nous étions seuls dans un couloir lugubre dont la peinture délavée s'écaillait sur les murs, Irène accroupie sous une fenêtre, les mains jointes autour de la bouche, le regard rivé sur le carrelage, moi arpentant l'allée d'un bout à l'autre. De temps en temps une infirmière surgissait d'une chambre ou d'un placard et s'éclipsait avant de nous laisser le temps de la rattraper. Des cris de patients nous parvenaient par intermittence, chargés d'effroi, ensuite le silence réinvestissait l'hôpital, dérangeant comme un mauvais présage.

J'avais du mal à lever les yeux sur Irène. Je m'en voulais de n'avoir pas respecté son émoi, de n'avoir pas attendu le moment opportun pour crever l'abcès. J'avais de la peine pour elle et pour moi. Pourtant, en la voyant recroquevillée sur son chagrin, là, au milieu de ce couloir fouetté de courants d'air, en cette nuit tellement noire qu'on l'aurait supposée réfractaire aux prières et aux miracles, j'étais certain que mon amour pour elle était indemne, que le malentendu n'avait fait que consolider mes sentiments pour elle. Je l'aimais, il n'y avait pas l'ombre d'un doute, je l'aimais de toutes mes forces, à tort ou à raison, qu'importe ! Mon cœur ne battait que pour elle et aucun lendemain, aucun horizon n'aurait d'éclat ou de sens si Irène ne l'incarnait pas. Au diable le tonnerre si l'orage ne faisait que passer, au diable l'injure si le baiser était capable de guérir les lèvres de leur morsure. Pour moi, une vie recommençait de plus belle dès lors qu'une page était tournée. Irène était le chapitre que je m'étais choisi pour être moi, rien que moi, un être ordinaire que l'amour glorifierait plus que n'importe quel sacre. Je n'avais pas besoin de lire dans les signes de mes mains, je n'avais besoin de rien d'autre ; c'était elle, Irène, que je voulais plus que tout au monde.

Un médecin se manifesta enfin au bout de deux heures.

— Je suis le docteur Jacquemin.

— Comment va-t-il ? le pressa Irène.

— Pour l'instant, il dort. Rentrez chez vous, ça ne sert à rien d'attendre ici.

— Est-ce que c'est grave ?

— C'est trop tôt pour avancer un diagnostic. À mon avis, il pourrait s'agir d'une grosse crise d'angoisse. Ça se déclare violemment parfois chez certains paralytiques, mais c'est plus spectaculaire que dangereux. Rassurez-vous, il est entre de bonnes mains. Je me charge personnellement de lui. Revenez demain, si vous souhaitez plus d'indications.

Il nous adressa un sourire encourageant et s'excusa de devoir nous laisser.

Le retour à la ferme s'effectua dans un malaise intenable. Irène avait choisi de s'installer sur la banquette arrière, signe qu'elle était encore fâchée contre moi. J'avais du mal à conduire en regardant en même temps la route et dans le rétroviseur. Irène fixait la nuit, opiniâtrement tournée vers la vitre. Son profil se découpait dans la pénombre, tranchant de bouderie, mais beau, finement ciselé dans une majesté épurée. Elle était plus ravissante maintenant que la colère s'était diluée dans la méditation.

Une fois à la ferme, elle descendit de la voiture sans m'accorder un regard. Je l'attrapai par le poignet au moment où elle s'apprêtait à monter dans sa chambre.

— S'il te plaît, gémit-elle, je veux aller me coucher.

Je l'attirai vers moi ; elle résista, tenta de s'arracher ; je la forçai à se tourner vers moi, elle me repoussa sans succès, se contorsionna, me mordit la main ; je ne la lâchai pas, l'écrasai contre moi ; elle émit des petits cris de rage, chercha à me griffer au visage, tambourina de ses poings sur ma poitrine, longtemps, continua de se débattre dans une lutte silencieuse mais intense, ensuite, épuisée, elle s'abandonna à ses sanglots. Je lui relevai le menton. Son visage inondé de larmes scintillait autant que ses yeux. Je l'embrassai sur la bouche. Elle se détourna. Je l'embrassai de nouveau, en la forçant ; ses dents se refermèrent sur mes lèvres, je sentis le sang suinter sur ma langue. Soudain, ses bras s'enroulèrent autour de mon cou et elle se mit à m'embrasser avec une fougue quasi sauvage. Délivrés de nos peines, nous nous livrâmes corps et âme aux joies de nos retrouvailles. Nous étions de nouveau ensemble, faits l'un pour l'autre, rendus l'un à l'autre. Nous nous couchâmes à même le sol et fîmes l'amour comme jamais.

Vers midi, nous avions déjeuné succinctement dans la cuisine, Irène et moi. Réconciliés. Les regards que nous échangions n'avaient nul besoin d'interprète. Les mots deviendraient dérisoires, voire incongrus s'ils venaient à trahir ce que notre silence excellait à couver. Il est des moments de grâce où ne rien dire permettait d'accéder pleinement à la quintessence des sens. Le cœur alors confie au regard ses plus intimes secrets. Devant l'évidence, il n'y a plus grand-chose à ajouter, sinon tout s'écroule. Nous étions sereins parce que nous savions que notre histoire pouvait enfin naître aux jours heureux.

Irène voulut m'accompagner à l'hôpital. Je lui dis que j'avais des choses urgentes à régler en ville, lui promis de revenir la chercher plus tard.

8.

Le Duc écarta les bras grands comme une baie. Il était en chemise derrière son bureau, les épaules velues tombant sur la poitrine. En me voyant pousser la porte, il avait bondi sur son trône et couru presque pour me serrer contre lui. Je ne répondis pas à son étreinte. Il recula pour me contempler ; son ardeur s'atténua aussitôt.

— Qu'est-ce qu'il y a ? T'en fais une tête.

— On ne t'a rien dit ?

— À propos de quoi ?

— De ma décision.

— Laquelle ?

Je lâchai, à bout portant :

— J'arrête la boxe.

Il se figea un instant, estomaqué, puis il rejeta la tête en arrière dans un rire homérique.

— Ah ! là, tu m'as bien eu… Sacré plaisantin, vraiment, tu m'as fait marcher.

— Je suis sérieux, monsieur Bollocq.

La froideur de mon ton éteignit tout à fait son enthousiasme. Son visage se crispa si fort que les rides sur son front menacèrent de lui fissurer la peau.

— Qu'est-ce que c'est encore que cette histoire ? Les coups que tu as reçus t'ont rendu barjot ou quoi ?

— Peut-être…

Le Duc balaya d'un geste les dossiers qui s'entassaient

sur son bureau, donna un coup de pied dans une chaise, se prit la tête à deux mains pour se calmer. Pendant plusieurs secondes, il resta ainsi, me tournant le dos, à tenter de mettre de l'ordre dans son esprit. Lorsqu'il me fit face, sa figure congestionnée n'avait rien d'humain. Il frémissait de tout son corps, les narines dilatées, les yeux exorbités. Il commença par poser son doigt sur ma poitrine, le retira, regarda autour de lui, le souffle débridé.

— Je rêve, grommela-t-il. Ce n'est pas possible.

Soudain, il me saisit par la gorge, mais il était trop court sur pattes pour s'y accrocher. Il retourna derrière son bureau, considéra le platane dans la cour.

— Ginooo ! hurla-t-il.

Une secrétaire effarouchée rappliqua. Il l'envoya chercher Gino au deuxième étage. Gino arriva à toute vitesse. Je l'entendis gravir les marches quatre par quatre. Il fut surpris de me trouver là, mais le Duc ne lui permit pas de reprendre ses sens.

— Tu peux m'expliquer quelle mouche a piqué ton copain ?

Gino déglutit.

— Est-ce que tu es au courant de sa décision ?

— Oui, monsieur.

— Depuis quand ?

— Je suis désolé.

— Pourquoi tu ne m'as rien dit ?

— Je pensais pouvoir le raisonner.

— Apparemment, tu n'as pas été convaincant.

— Pour être franc, nous n'avons pas eu l'occasion d'en discuter à tête reposée.

— C'est ta tête qui est en jeu, mon gars, rugit le Duc en fonçant sur Gino. Si ton crétin de faux frère ne me présente pas ses excuses sur-le-champ, je ne donnerai pas cher de ta peau.

— Il s'agit d'un regrettable malentendu, monsieur. Tout va rentrer dans l'ordre, je vous le promets.

— Ma décision est prise, fis-je, inébranlable. Ni Gino ni personne ne me fera changer d'avis.

Le Duc fondit de nouveau sur moi, la bouche effervescente.

— Je crois que tu ne mesures pas le risque que tu es train de courir, p'tit con. Je ne suis pas un boxeur et je n'applique aucune règle lorsque je croise le fer avec un adversaire. Est-ce que tu me suis ? J'ignore si tu as une cervelle ou du cambouis dans ton crâne, mais à ta place je ferais très attention, très-très attention. (Constatant que sa menace ne m'intimidait pas, il emprunta un ton moins abrupt.) Est-ce que je peux savoir ce qui cloche entre nous ? Nous avons toujours été à tes côtés. Alors, pourquoi cette volte-face ? Si c'est une question d'argent, parlons-en carte sur table. Tout est négociable, champion.

— Je suis navré, monsieur Bollocq. Ce n'est pas une question d'argent et je n'ai pas de grief contre qui que ce soit. Vous avez été formidables. Je ne vous ai pas déçus. On est quittes.

— Pas si vite, tête de nœud. Je cherche à lancer ta carrière par-delà les frontières, et toi, tu me la restitues comme le chien qui court rapporter la branche que son maître a jetée au loin.

— Je ne suis pas un chien.

— Ça reste à prouver… Ce qui est irréfutable, le maître ici, c'est moi. Ce que tu possèdes, tu me le dois. J'ai consacré des fortunes pour hisser un *yaouled* sans avenir et sans instruction au sommet des podiums. Je te l'avais dit, il y a longtemps. Tu n'es qu'un investissement, une affaire qui m'a coûté beaucoup de fric, des négociations monstres, des alliances avec des personnes dont la seule vue me faisait gerber. Pour toi, j'ai été contraint de graisser les pattes, de soudoyer des journalistes, de pardonner à des traîtres et de faire la paix avec des minus. Et tu viens aujourd'hui, comme ça, sans gêne aucune, déclarer forfait, et tu penses que tu es dans ton droit ?

Il s'adressa à Gino :

— Prends ton indigène et casse-toi. Lorsque tu reviendras me voir, je veux que vous me fassiez des excuses tous les deux, à genoux et en larmes. Sinon, c'est moi qui viendrai vous chercher et je vous ferai regretter le jour où vos chemins se sont croisés… Maintenant, caltez !

Gino m'emmena directement dans son bureau. Il était dans une panique indescriptible.

— Mais qu'est-ce qui t'arrive, bon sang ? Dans quel bourbier es-tu en train de nous traîner tous ? Le Duc ne te laissera pas partir comme ça. Nous sommes tous les deux en danger. Pour l'amour du ciel, retournons le voir et présentons-lui nos excuses.

— Je ne lui dois plus rien.

— Détrompe-toi, tu lui dois plus que tu ne peux imaginer. Tu n'étais qu'un chat de gouttière et il a fait de toi un tigre. Sans lui, tu serais encore à laper dans les rigoles. Je suis mieux placé pour reconnaître qui a tort et qui mérite du respect… Ton problème, tu n'as pas plus de cervelle qu'une tête d'épingle. Tu ignores ce qui est bon pour toi, et ce que tu dois fuir comme la peste. Tu veux un conseil en or massif ? Renonce à cette femme. Elle te bouffe la tête. Si elle tenait à toi, elle ne se mettrait pas en travers de ton chemin, elle t'encouragerait à aller de l'avant, à gagner titre sur titre, à décrocher la lune. Je t'en supplie, au nom de notre amitié fraternelle, de nos petits rêves de gamins pauvres, de ce que nous avons subi et de ce que nous avons bâti de nos mains à partir de rien, je t'en conjure, je baise tes doigts et tes orteils, reviens-moi, reviens-nous, et débarrasse-toi de cette garce qui cherche à te replonger dans le caniveau d'où tu peines à sortir.

— Tu te rends compte de ce que tu exiges de moi,

Gino ? Je tiens à cette femme. Il ne se passe pas une minute sans que je pense à elle, et tu me sommes de l'oublier. Gino, mon très cher Gino, ne vois-tu pas que je suis heureux pour la première fois de ma vie ? J'aime Irène, est-ce que tu comprends ? Je-l'ai-me. Mes jours n'ont de sens que parce que Irène les réinvente du bout de ses doigts pour moi.

Il me gifla.

— Égoïste, tu n'es qu'un égoïste stupide et obtus. Après tout le mal que je me suis donné pour toi, tu me largues.

— Ne t'avise plus de porter la main sur moi, Gino. Jamais.

— Alors retire ton pied de ma nuque. Tu me marches dessus comme sur un paillasson. Comment oses-tu foutre en l'air ce que nous avons élevé pour toi ?

— Je suis navré, sincèrement. Mon chagrin est grand, je t'assure. J'ai beaucoup d'affection pour DeStefano, Tobias, Salvo. Tu es toujours un frère pour moi. Mais je suis fatigué de prendre des coups. J'ai besoin de descendre de mon nuage, de marcher parmi les gens, de vivre normalement.

— Tu as promis à ma mère sur son lit de mort. Tu as juré de ne laisser aucun serpent se glisser entre nous.

— Irène n'est pas un serpent, Gino.

— C'en est un, Turambo, sauf que tu ne t'en rends pas compte. Tu es sous son hypnose comme une souris des champs.

— Ça te passera, Gino. Ton amitié m'est très chère. Préservons-la.

— Notre amitié, tu es en train de la balancer par-dessus bord. Tu n'as pas plus de considération que de pitié pour moi. Je suis à deux doigts de succomber à une crise cardiaque et ça ne te fait ni chaud ni froid. Si c'est ça, ton amitié, tu peux te la garder. Jamais je ne t'aurais foutu dans la merde, moi. Tu ne peux pas imaginer combien tu me déçois. Tu te conduis en hypocrite, en égoïste, en saligaud lâche et répugnant. Un fumier, voilà ce que tu es, un fumier dégueulasse et un ingrat.

Ses propos me firent mal.

Gino avait de la lave dans les yeux, du venin dans la bouche. Ses narines tressautaient de ressentiment, ses lèvres me maudissaient. Il suffoquait tel un asthmatique, l'haleine surchauffée par le magma qui sourdait en lui, effrayant de fiel, les traits déformés.

— Mais, attention, haleta-t-il en agitant son doigt devant ma figure. Tu n'es pas le maître du jeu, Turambo. Ne nous enterre pas trop vite. J'ai trop donné de ma personne pour toi et je ne te laisserai pas gâcher mon avenir.

— Tu vois ? *Ton* avenir. Si le tien t'importe, pourquoi veux-tu que je renonce au mien ?

— L'un n'empêche pas l'autre. La boxe n'est pas incompatible avec le mariage. Épouse ta garce, si tu y tiens, mais, bon Dieu ! ne nous sacrifie pas pour ses beaux yeux.

— Il n'y a pas que ça, Gino. J'en ai marre de lécher mes plaies tandis que vous passez la langue sur vos doigts pour compter vos liasses.

— Tu gagnes de l'argent, toi aussi.

— Au détriment de mon estime. Je ne veux plus me donner en spectacle.

— Je t'en supplie, Turambo, essaye de réfléchir deux secondes…

— Je ne fais que ça depuis des mois et des mois. Ma décision est prise et elle n'est pas *négociable*.

— Vraiment ?

— Absolument.

Il dodelina de la tête, effondré, se reprit, leva sur moi des yeux rouge sang. Ses pommettes tremblaient de tics. Sa bouche se déporta sur le côté quand il tonna :

— Je te préviens, je ne me laisserai pas faire.

Une mue s'opérait devant moi. Une époque magnifique d'innocence et de complicité désintéressée tombait le masque, faisait peau neuve, rebutante et obscène. Gino avortait d'un personnage dont je ne soupçonnais guère le côté obscur. On aurait juré qu'il sortait du mur derrière lui, ou d'un tombeau, la figure pierreuse, le regard plein de poussière. Les ténèbres l'entoilaient, pis il les incarnait. Gino avait le visage tragique de quelqu'un qui a le couteau sous la gorge et qui serait prêt à le retourner contre son meilleur ami pour sauver sa tête. Je ne le reconnaissais plus. Il pourrait tout aussi bien penser la même chose de moi sauf que je n'exigeais rien de lui. Le sacrifice qu'il attendait de moi nous écartelait. Nous n'étions plus dans le même camp.

— Tu me menaces, Gino ?

— *Absolument.*

— Eh bien, je n'en ai rien à cirer, de tes menaces. Le Duc peut te virer, te lyncher, te conserver dans du formol, je m'en moque.

— C'est toi, la risée, mon gars. Réveille-toi. Ton égérie n'est qu'une dévergondée qui couche avec le premier venu. Elle t'éjectera de son lit dès qu'elle se lassera de toi. Mouss ne t'a pas raconté ?

— C'est donc toi qui me l'as envoyé ?

— J'allais me gêner. Je pensais que tu avais de l'amour-propre, le sens de l'honneur à l'instar des hommes de ta communauté. Je m'aperçois que tu n'es qu'un niais qu'une allumeuse fait flamber à sa guise. Elle t'échangerait contre quelques fafiots sans même se donner la peine de les compter. Je vais te prouver que cette chienne en chaleur s'achète comme toutes les putains.

— Tiens-toi le plus loin possible d'elle, Gino.

— De quoi as-tu peur ? Que j'aie raison ?

Je le repoussai et dévalai l'escalier.

Il me poursuivit en criant :

— Je ne te laisserai pas saboter mes projets, Turambo, tu entends ? Hé ! Turambo, Turambo…

Après avoir roulé au hasard des boulevards, je me rendis dans un café maure du côté de Sidi Blel. La ruelle était trop étroite pour un véhicule. Je rangeai ma voiture près d'un square et rejoignis à pied l'estaminet. Quelques clients enturbannés papotaient çà et là autour d'une théière. Un chanteur aveugle jouait du luth sur une estrade rudimentaire. Je commandai du café à la cannelle et des beignets tunisiens. J'avais le sentiment de renaître à un monde neuf, laissant loin derrière ce qui motivait les autres plus que moi. Les amarres qui m'enchaînaient aux promesses folles et aux contrats ne m'empêcheraient plus d'aller à l'air libre. J'avais toujours redouté d'affronter le Duc ; son statut, son autorité naturelle, ses colères sismiques m'intimidaient. Je ne m'imaginais pas lui tenir tête, encore moins lui faire part ouvertement de ma décision. Pourtant, en sortant de son bureau, je n'avais plus de chape de plomb sur les épaules ; ses menaces n'avaient pas fonctionné avec moi. J'étais débarrassé de cette peur inhérente à ma condition d'« indigène » forgé dans l'épreuve de force et la culpabilité chimérique. Je crois que j'avais siffloté dans la rue, ou peut-être avais-je ri de ce rire nerveux qui soulage d'une terreur qui, au final, s'avère aussi grossière qu'infondée. C'était un drôle de sentiment, si léger qu'il me semblait que je flottais. Je m'étais souvenu du grand-père de Sid Roho. D'après mon ami d'enfance, son aïeul aurait vécu seigneur jusque dans le dénuement. Spolié de ses terres, il s'était retiré dans la montagne pour n'avoir à servir personne. Il passa sa vie à dormir, à rêvasser, à braconner et à faire des enfants. Il aurait dit : « Il n'y a qu'un seul choix qui compte : celui de faire ce qui nous tient à cœur. Tous les autres ne sont que défections. »

Je venais de faire mon choix. Podium ou échafaud

m'importait peu, j'étais au-dessus des doutes. Paradoxalement, ma sérénité prenait la forme d'une grosse fatigue ; j'éprouvai un besoin énorme de me coucher quelque part, n'importe où, et dormir. Je bus café sur café, enfournai beignet sur beignet sans m'en rendre compte.

En demandant l'addition, le cafetier m'informa que quelqu'un l'avait réglée à ma place. Il refusa de me dire qui. Chez nous, malgré la misère, ce genre de prévenance était courant ; il ne fallait surtout pas insister sur l'identité du bienfaiteur.

Je sortis dans le pertuis, remerciai à tout hasard les gens attablés sur le trottoir. Mon cœur battait calmement. J'étais bien.

Des vieillards jouaient aux dominos sur le pas d'un patio. Je m'arrêtai pour échanger avec eux des politesses. Dans le square, une bande de mouflets s'amusaient sur le capot de ma voiture ; à ma vue, ils se dispersèrent en piaillant pour revenir me courser. Les plus agiles couraient à hauteur de ma portière, la bouche démesurément ouverte sur des rires triomphants. J'accélérai en leur adressant un signe d'adieu.

Le soir frappait aux portes de la ville. Ma mère bavardait avec la voisine kabyle dans la courette, un quinquet sur le rebord du puits. Pour ne pas les déranger, je bifurquai droit sur notre appartement. Mon père soliloquait dans sa chambre, les mains tremblotantes. Je lui baisai le front et pris place sur un coussin en face de lui. Il me considéra en penchant le cou sur le côté, un vague sourire en travers de la figure. Depuis quelques semaines, il parlait seul et donnait l'impression de pénétrer dans un monde fait d'ombres et d'échos.

Ma mère me secoua. Je me réveillai en sursaut. Je m'étais assoupi. Me souvenant d'Alarcon, je sautai dans la voiture et filai à toute vitesse à l'hôpital. Le docteur Jacquemin me reçut avec beaucoup d'égards. Il m'avoua qu'il m'avait reconnu, la veille, mais vu les circonstances, il n'avait pas osé me déclarer l'admiration qu'il avait pour le boxeur que j'étais. Il me conduisit dans la chambre d'Alarcon. Ce dernier avait bonne mine. Le docteur m'expliqua que le vétéran ne souffrait d'aucune pathologie sérieuse, que son malaise était dû à une crise d'angoisse passagère qu'engendrent parfois la paralysie et l'inconfort physique et mental du handicapé.

— Vous pouvez l'emmener chez lui maintenant, mais par simple précaution, il serait plus indiqué qu'il reste ici encore cette nuit. Après un bon sommeil réparateur, il pourra rentrer à la maison en chantant.

— Je préfère attendre jusqu'à demain matin, acquiesça Alarcon. Je n'aime pas voyager la nuit, surtout pas avec la pluie.

Le docteur se retira.

Alarcon me montra du menton une assiette sur la table de chevet.

— La bouffe est infecte, ici. Ça t'ennuierait de m'apporter un bol de potage de chez le marchand de soupe du coin.

— À cette heure-ci, il aura plié bagage.

— Tu ne peux pas imaginer combien j'ai envie d'une *chorba* bien épicée, avec du vermicelle et une pincée de cumin, une belle *chorba* brûlante et parfumée.

Je retournai chez ma mère. Elle dormait à poings fermés, mais quand je lui dis que c'était pour un malade, elle se leva et prépara elle-même la *chorba* qu'Alarcon ingurgita plus tard en gloussant de délectation.

— Il faut que j'aille rassurer Irène, lui dis-je.

— Bah ! On va lui faire la surprise tous les deux, demain. Reste auprès de moi. Je suis tellement content d'être en vie. J'ai bien cru que j'allais passer l'arme à gauche. Et puis j'ai besoin de causer.

Je m'assis sur une chaise métallique près du lit et me

fis tout ouïe, certain que j'en avais pour la nuit. Alarcon parlait encore lorsque je m'assoupis.

Le matin, vers 10 heures, des brancardiers transportèrent Alarcon jusqu'à ma voiture. Le vétéran choisit de s'installer sur le siège de devant, pour voir du pays. Il m'avoua qu'il n'avait pas mis les pieds à Oran depuis des lustres. Mais la ville faisait grise mine sous les rafales du vent chargé d'ondées. Les trottoirs étaient dépeuplés, les magasins offraient des devantures maussades, les enseignes sur le fronton des tripots rendaient un grincement sinistre et frustrant.

Par mauvais temps, Oran est un sortilège bâclé.

J'achetai du pain frais dans une boulangerie, des côtelettes d'agneau et un chapelet de merguez chez un boucher casher, quelques provisions aussi, et nous mîmes le cap sur Lourmel. Les arbres se contorsionnaient sur le bas-côté de la route pendant qu'une coulée de brume déferlait de la montagne droit sur le coquet village de Misserghine. Alarcon contemplait les collines, les vergers, un sourire songeur sur la figure. Dans le ciel, les nuages cafardeux qui pressaient Oran commençaient à s'effilocher. Par endroits, de larges brèches laissaient entrevoir la lumière du jour. Plus on s'éloignait du littoral, moins les ruisseaux débordaient sur la chaussée. Il continuait de bruiner, mais les ruades du vent s'effrangeaient à travers les orangeraies et les vignobles. Alarcon se mit à fredonner un air martial, son poing battant la mesure contre le tableau de bord. Je l'écoutais, perdu dans mes pensées. J'avais hâte d'annoncer à Irène ma rupture définitive avec le Duc.

La paillote de Larbi le marchand de fruits claquait sous le courant d'air, les tentures rabattues. Sur la piste qui menait à la ferme, au milieu des nids-de-poule, des traces de roues récentes. Ma voiture patinait en zigzags dans les ornières.

La présence de deux camionnettes dans la cour des Ventabren m'intrigua. À notre vue, une poignée d'hommes munis de bâtons et de perches se regroupa près de la maison, encadrée par trois agents de l'ordre en uniforme. Dans ma gorge soudain aride, ma pomme d'Adam s'affola.

L'un des policiers agita son képi pour me demander de me diriger vers lui. C'était un petit personnage rabougri avec un dé de moustache sous le nez pointu et de grandes oreilles décollées. Il paraissait éreinté.

— Dieu soit loué, vous êtes vivant, monsieur Ventabren, s'écria-t-il en reconnaissant mon passager. Ça fait des heures que mes hommes et des volontaires ratissent les environs pour vous retrouver. Nous avons cru qu'on vous avait enlevé et jeté votre corps dans le maquis.

Alarcon ne saisit pas ce que radotait l'agent, mais la présence d'inconnus sur ses terres ne lui disait rien qui vaille.

— Comment voulez-vous que j'aille dans le maquis sur une chaise roulante ? Qu'est-ce qui se passe ? Pourquoi vous êtes chez moi ?

— Un grand malheur est arrivé, monsieur Ventabren. Un malheur terrible, terrible…

Je m'éjectai hors de la voiture et courus vers la maison pour freiner net dans le vestibule. La table du salon avait été déplacée, les chaises étaient renversées, certaines cassées, un tableau s'était disloqué au sol. J'appelai Irène ; dans la salle de bains, autour de la cuve remplie d'eau, des flaques savonneuses finissaient de noircir sur le carrelage. Des traces de lutte témoignaient d'une violence extrême, mais pas de sang. *Irène ! Irène !* Mes cris retentissaient en moi, plus forts que des coups de massue. Dans la cuisine, une berthe baignait dans son lait renversé. Je montai à l'étage, redescendis ; Irène ne répondait pas, ne se montrait pas.

Un policier m'attrapa par le bras.

— Elle n'est pas ici. On a transporté son corps au village.

Que racontait-il ?

— Quelqu'un l'a assassinée. Jérôme le laitier l'a trouvée sans vie dans le salon, ce matin.

Une surdité subite me frappa de plein fouet. Je voyais les lèvres du policier remuer sans qu'aucun son me parvienne. Ma tête se mit à tourner, l'air à me manquer. Je m'appuyai contre le mur pour ne pas m'écrouler, mais mes jambes cédèrent sous le poids du choc. Je tombai sur mon séant, abasourdi, en me répétant : *Je vais me réveiller, je vais me réveiller...*

Un agent me remplaça au volant de ma voiture. J'étais incapable de mettre en marche le moteur, incapable de conduire. Mes jambes s'étaient bloquées aux articulations.

Au village, les policiers nous conduisirent dans un dispensaire où reposait la dépouille d'Irène. Je ne percevais ni les bruits ni les mouvements, tout me paraissait flou, confus, surréaliste.

Le brigadier ne m'autorisa pas à accompagner Alarcon jusqu'au corps de sa fille ; il m'ordonna de rester dans la voiture et chargea un subordonné de me surveiller.

Un attroupement s'était formé à l'entrée du dispensaire. Il s'agitait au ralenti, silencieux, hagard. Soutenu par des policiers, Alarcon se laissait traîner vers son chagrin. À son retour, il était pâle, brisé, mais il se voulait digne.

Il n'avait pas dit un mot depuis la ferme.

Le brigadier nous emmena au poste, me somma d'occuper un banc dans une pièce exiguë sous la garde rapprochée de quatre agents, entra avec Alarcon dans un bureau en laissant la porte ouverte. Leurs voix hachées m'atteignaient par moments :

— Ça ne peut pas être lui, soupirait Alarcon. Il a passé la nuit à mon chevet à l'hôpital. Le docteur et les infirmières peuvent en témoigner.

— Vous êtes certain, monsieur Ventabren ?

— Je vous dis que ce n'est pas lui.

— Jérôme le laitier a vu une voiture noire quitter la ferme au moment où il arrivait ce matin pour sa livraison. Il était 9 heures précises. Jérôme est formel : le corps de votre fille était encore chaud quand il l'a touché…

Une voiture noire !

Cette révélation me dégrisa d'un coup. Dans ma tête, une déflagration : *Il a osé !…* Pour moi, il n'y avait pas l'ombre d'un doute. Je sus immédiatement qui m'avait ravi la personne qui comptait le plus au monde pour moi.

La nausée souleva mes entrailles sans rien évacuer. J'avais l'impression de partir en mille morceaux.

Je reconduisis Alarcon chez lui. Une rigidité atroce s'était emparé de ma chair, mes gestes étaient ceux d'un automate. Je ne pensais à rien. J'errais dans un brouillard, guidé par mon instinct. Alarcon tenait bon. Il respirait par la bouche, le regard fixe, la figure impénétrable. Mais à peine installé sur sa chaise roulante à la maison, toute la contenance qu'il s'était donnée jusque-là, toute la dignité quasi martiale qu'il avait affichée au village s'effondra, et il éclata en sanglots, plié en deux sur ses membres inférieurs.

La nuit tomba. Dans la lumière chancelante du quinquet, les ombres avaient la configuration du malheur. Dehors, la pluie reprenait de plus belle. J'entendais le vent se lamenter dans les échancrures de la colline. J'étais froid, verrouillé dans un état second. Je crois que je ne réalisais pas encore l'ampleur des dégâts qui se préparaient à chambouler le restant de mes jours. Une voix sépulcrale tournait en boucle dans mon esprit : *Il a osé ! Il a osé !*

Nous étions trop abîmés mentalement pour songer à manger. J'aidai Alarcon à se mettre au lit, le veillai jusqu'à ce qu'il s'endormît. Dans la cuisine, je trouvai un couteau de chasse, l'empochai. Le miroir accroché au mur me renvoya l'effigie d'un spectre. Je ne ressemblais à rien. Automate mû par une force surnaturelle, je grimpai dans ma voiture et fonçai sur Oran.

Le boulevard Mascara était désert, la mercerie close. La fenêtre de la chambre de Gino était allumée. Je gravis quatre à quatre les marches de l'escalier… *Gino !* Ce n'était pas un cri, c'était plus qu'un hurlement, un geyser de haine et de rage qui fit trembler les murs. Gino n'était pas dans sa chambre. Son lit était défait, mais tiède. Le gramophone que je lui avais offert était en marche ; un disque tournait sur le tambour dans un crissement. Son zézaiement monocorde me vrillait les tempes. Sur une table basse, un cendrier débordait de mégots fripés à côté d'une assiettée de charcuterie à moitié entamée et d'un verre souillé. Une bouteille de vin s'était écrasée par terre, projetant ses tessons dans toutes les directions. Une forte odeur d'alcool viciait la pièce. Sur une chaise, près du lit, pendaient un pantalon et une chemise. Un pardessus traînait sur l'édredon, au milieu d'une paire de chaussures. Je balayais d'un geste hargneux le gramophone qui se fracassa au sol ; le pavillon rebondit contre le mur, exécuta un tour sur lui-même avant de s'immobiliser. Gino ne devait pas être loin. Il devait se cacher quelque part. Je le cherchai dans les cabinets, sur la terrasse, dans les autres chambres ; il était sûrement allé se procurer de quoi se soûler, espérant ainsi noyer son cas de conscience. Cette probabilité tisonna ma haine. Tout mon être en trembla. Je pris place sur une marche au milieu de l'escalier plongé dans le noir et j'attendis, le feu au ventre, couteau au poing.

Le tonnerre éructait, hydre en transe, déversant sur la ville une pluie diluvienne. Le mugissement du vent remplissait la nuit d'une fureur apocalyptique. Luttant contre la rage qui me consumait, je refusais de penser à quelque chose, de me demander ce que je fichais là. Je n'étais que le prolongement de la lame soudée à ma main.

Et arriva Gino. Ivre mort. Un litron sous le bras. Dans son pyjama trempé jusqu'à la trame. Les pantoufles gorgées d'eau. L'éclair éparpilla son ombre misérable sur les murs. Je ne lui laissai pas le temps de placer un mot. Je ne voulais rien entendre, rien pardonner. Il se serait jeté à mes pieds, m'aurait supplié en larmes, m'aurait juré que c'était un accident, que ce n'était pas sa faute, que le Duc l'avait obligé ; il m'aurait rappelé nos plus beaux souvenirs, le serment fait à sa mère, cela n'aurait pas changé grand-chose. Gino accusa un soubresaut lorsque le couteau s'enfonça dans son flanc. Je sentis son sang chaud sur mon poignet. Son haleine avinée m'enivra presque.

Il s'agrippa au col de mon manteau, émit un gargouillis, fléchit doucement.

Un nouvel éclair nous illumina.

— C'est moi, Gino, me fit-il en me reconnaissant dans le noir…

— Peut-être, lui rétorquai-je, mais pas celui que j'ai connu.

Son étreinte ramollit. Il glissa lentement le long de mon corps, se coucha à mes pieds. Je l'enjambai et sortis dans la rue. La pluie se jeta sur moi comme un envoûtement.

J'étais allé à Saint-Eugène guetter le Duc. J'espérais qu'il revienne d'une fête ou d'une réunion nocturne. Sa villa s'embusquait derrière ses jardins, les fenêtres éteintes. Un domestique encapuchonné montait la garde près de la grille, un gros chien au bout de la laisse. Des heures passèrent. Transi dans ma voiture, je surveillais les alentours. Pas un noctambule, pas une voiture. Les trombes d'eau que les rafales de vent renforçaient brouillaient la visibilité.

Je retournai à la ferme. Sous une pluie battante. Halluciné par les éclairs.

Alarcon dormait.

Grelottant de froid, je m'enveloppai dans une couverture et me couchai sur le banc matelassé dans le salon sans me déchausser.

Un cliquetis me réveilla. Le jour s'était levé. Une femme s'activait dans la cuisine. Elle me dit qu'elle était l'épouse d'un voisin, que ce dernier l'avait envoyée chez Alarcon voir comment l'aider à tenir le coup. Elle nous préparait à manger. Vers une heure, son mari et d'autres riverains vinrent réconforter le père endeuillé. Alarcon n'eut pas la force de les rejoindre. Il préféra rester dans son lit et composer seul avec son chagrin. Les voisins étaient des paysans mal fagotés aux mains rêches et aux frusques chiffonnées, le visage rugueux et bistre, des gens *simples* qui avaient pour leurs terres *le même regard que pour leurs femmes et pour le clinquant illusoire le même mépris*. Ils ne connaissaient pas grand-chose à la boxe ni aux choses de la ville. Ils me demandèrent qui j'étais, je leur répondis : « Le fiancé d'Irène ».

Tard dans l'après-midi, une voiture de police débarqua. Un agent nous signala que le brigadier voulait voir M. Ventabren et que c'était urgent. « Il y aurait du nouveau, paraît-il. » Il ne nous en dit pas plus, lui-même ignorant de quoi il s'agissait.

Au poste de Lourmel, le brigadier nous introduisit, Alarcon et moi, dans une cellule barreaudée. Un homme débraillé était là, entassé derrière une table de réfectoire, la figure flasque, le cou rentré dans les épaules. C'était Jérôme le laitier, engoncé dans un paletot crotté aux coudes élimés. Il sanglotait en se mouchant sur le revers de sa main, les poignets ferrés, la figure aussi ratatinée qu'un un coing blet.

— L'incohérence de son témoignage nous a mis la puce à l'oreille, nous déclara le brigadier. Il n'arrêtait pas de se contredire et de revenir sur ses déclarations. Puis il a craqué.

Un terrible silence satura sur le poste.

Nous étions, Alarcon et moi, pétrifiés de stupéfaction.

Le vieux boxeur émergea le premier de sa douche froide. Il dut puiser au plus profond de ses entrailles un semblant de souffle. Sa voix se couvrit de trémolos lorsqu'il bredouilla :

— Pourquoi tu as fait ça, Jérôme ?

— Ce n'est pas moi, monsieur Ventabren, dit le laitier en s'agenouillant devant le vétéran pour l'implorer. C'est le diable. Il m'a possédé. Il n'y avait personne à la maison. Je suis entré pour la livraison. J'ai posé la berthe sur la table dans la cuisine, comme d'habitude. J'allais partir quand j'ai vu Irène qui se lavait. J'ai pas fait exprès. La porte de la salle de bains était entrouverte, je le jure, c'est pas moi qui l'ai poussée. J'ai dit Jérôme rentre chez toi, c'est pas bien ce que tu fais. Mais, c'était pas moi. Moi, je serais rentré chez moi, tu penses bien, Alarcon. Tu me connais. J'suis p't-être pas un ange, mais j'ai de la pudeur, et des principes. Dans ma tête, je me disais qu'est-ce qu'il t'arrive, Jérôme ? Tu deviens fou ou quoi ? Va-t'en, regarde pas et fiche le camp fissa, sauf que le diable n'entend pas ce genre de choses, il se pose pas de questions, le diable.

— Tu l'as violée, puis tu l'as étranglée, lui cria le brigadier.

— C'était le diable, pas moi. Sinon, comment expliquer que, dès que j'ai recouvré mes esprits, je me sois livré.

— Tu ne t'es pas livré, tu as avoué. Nuance, espèce de dégueulasse…

J'ignore si c'était mon cri ou le tonnerre qui avait ébranlé de fond en comble le poste, si je m'étais jeté sur le laitier ou si je m'étais imaginé en train de le déchiqueter de mes doigts. J'ignore si les policiers m'avaient arraché à lui à coups de matraque ou bien si je m'étais blessé en tombant. Je me souviens seulement du blanc qui s'en était suivi. Rien devant, rien derrière, ni à droite ni à gauche. Le ciel, tout le ciel m'était tombé sur la tête avec ses milliards d'étoiles, ses millions de prières et ses armées de démons. Je me maudissais comme jamais damné ne l'a été. J'avais tué Gino pour rien, et tué le monde entier avec lui. Je ne m'entendais plus respirer. Mon souffle me reniait. J'avais vieilli de plusieurs millénaires. J'étais une momie défaite de ses bandages pourris, j'étais Caïn sorti des cendres de l'enfer, son meurtre plus stupide que le destin des hommes. *Qu'est-ce que tu as fait ?* vitupérait une voix tourbillonnante en mon for intérieur. *Tu vas vivre comment, maintenant ? De quoi ? Pour qui ? Ton sommeil sera fait d'abîmes, tes jours de bûchers. Tu peux prier jusqu'à extinction de ta voix, déclamer les incantations de tous les conjurateurs de la terre, te barder de talismans ou te diluer dans une volute d'encens ; tu peux lire les saints versets de gauche à droite et de droite à gauche, te coiffer d'épines et marcher sur l'eau, tu ne changeras pas d'un iota le sort qui t'attend.*

Je ne me rappelle pas si j'avais pris congé de Ventabren ou si les flics m'avaient jeté dehors. Il me semblait que j'avais traversé le temps d'une seule enjambée, mes propres cris derrière moi telle une foule hostile. J'avais roulé, roulé sans savoir où je me dirigeais. Je m'étais arrêté sous un arbre pour pleurer. Pas un sanglot. Pas un hoquet. Le soir tombait, je ne voyais que ma nuit à moi, cette ténèbre laiteuse et froide qui s'ancrait dans mon être comme une mort lente. Je ne sais pas comment je m'étais retrouvé chez Camélia. J'avais bu comme un trou, moi qui jamais n'avais porté un verre de vin à mes lèvres. Aïda était embêtée. Elle était prévue pour quelqu'un. En attendant, elle m'avait plongé dans une baignoire et m'avait frictionné le corps comme si elle cherchait à m'effacer. Encamisolé dans une serviette-éponge, je m'étais chevillé au fauteuil et j'avais continué de boire. Des ombres se mouvaient au ralenti autour de moi. J'entendais des voix sans les décrypter. C'était la matrone qui demandait à Aïda de se débarrasser de moi. Mon esprit était ailleurs, il était resté au poste de Lourmel, penché sur le laitier en larmes. J'aurais dû lui régler son compte à ce vicelard de malheur, me jeter sur lui et ne le lâcher qu'après l'avoir broyé. Je m'en voulais d'avoir subi ses aveux sans broncher, lui qui avait précipité ma vie au fond des abysses. Aïda alla me chercher d'autres bouteilles de vin. Une mer n'aurait pas suffi à éteindre le brasier qui me dévorait. Plus je buvais, moins je sombrais ; je surnageais par-dessus une houle de vapeurs et de vertiges, le cœur dans une serre de rapace et les yeux pareils à des toupies. Je claquais des dents dans ma serviette, incapable de faire un geste sans renverser quelque chose. Aïda m'ignorait. Assise sur une bergère à oreillettes face à sa coiffeuse, elle se faisait belle pour la soirée. Je voyais en son dos un rempart qui m'excluait du monde des vivants. « Il faut que tu rentres chez toi, maintenant, me dit-elle, l'heure venue. Mon client attend dans le reposoir. » « Qu'il aille au diable ! m'entendis-je râler. Son argent n'est pas meilleur que le mien. » Elle protesta. Je la menaçai de fiche en l'air toute la maison close. La matrone ne voulait ni grabuge ni scandale chez elle. Elle me proposa une chambre. Je refusai de quitter mon fauteuil. Aïda dut recevoir son client dans une autre pièce. J'attendis qu'elle revienne. Les murs se mirent à ondoyer autour de moi. Je m'assoupis, ou peut-être m'étais-je évanoui. À mon réveil, l'aube transpirait sur les jalousies. Aïda n'était pas dans son lit. Je me levai et sortis l'appeler dans le couloir. *Aïda ! Aïda !…* Mes cris se voulaient détonations. Je suffoquais de colère, ivre à me prendre pour une tempête. N'obtenant pas de réponse, je me mis à marteler les portes, d'un bout à l'autre du couloir, puis à les défoncer à coups de pied. Des prostituées sortirent dans le couloir, épouvantées, certaines complètement nues ; des clients se montrèrent çà et là, eux aussi mal réveillés et furieux. L'un d'eux chercha à me neutraliser. D'autres lui prêtèrent main-forte. Je cognais à bras raccourcis pour les repousser en continuant d'appeler Aïda. Des bras me ceinturaient, des doigts m'attrapaient par la gorge, des poings s'abattaient sur moi. Je cognais, cognais dans une tornade de jurons, déchaîné, fou à lier… Quelque chose se fracassa sur mon crâne. J'eus juste le temps de voir Aïda m'accompagner dans ma chute, l'anse d'une cruche à la main.

En revenant à moi, je m'aperçus que j'étais ligoté au pied de l'escalier, avec du sang sur le corps et un œil poché. Les prostituées et leurs clients formaient un cercle autour de moi dans un silence tombal. Des policiers en uniforme m'encadraient, la matraque prête à sévir. Deux brancardiers étalaient un corps inerte sur une civière. Dans l'échauffourée, j'avais tué un homme.

Je ne me souvenais de rien.

Je ne connaissais pas ma victime. L'avais-je frappée au mauvais endroit, balancée par accident par-dessus l'escalier ? Avait-elle glissé sur une marche au cours de la mêlée ? Quelle importance ? L'inconnu gisait là, les yeux vitreux, un filament de sang sur le menton.

Lorsqu'un malheur survient, il ne laisse aucune chance au recours.

Il était écrit quelque part que cela devait finir ainsi.

Coincé entre deux policiers sur la banquette arrière de la voiture, je me sentais glisser dans un monde parallèle d'où l'on ne reviendrait pas. Les menottes m'écorchaient les poignets. L'odeur rance des deux policiers m'asphyxiait – peut-être était-ce ma propre odeur. Quelle importance ? Je venais de tuer un homme, et cela m'avait dégrisé.

Sais-tu qui tu as assassiné ? Un héros de la nation, l'un des officiers le plus médaillés de la Grande Guerre. Tu es bon pour la bascule à Charlot, mon gars...

Mon corps tressautait.

— C'est ça, rigole, me dit un policier en m'assenant un coup de coude dans le flanc. On verra bien si tu vas rire longtemps lorsque que ta tête roulera dans le panier du bourreau.

Je ne riais pas, je sanglotais.

Le jour se levait. Éclatant de blancheur. Un ciel limpide déroulait le tapis au soleil naissant. Les lève-tôt se dépêchaient dans les rues, soûls de sommeil. Un boutiquier hissa le rideau de fer de son échoppe dans un fracas qui ébranla le silence matinal. Il ajusta son sarrau avant d'accrocher sa barre à un crochet. Un gardien de la paix siffla contre un charretier dont le canasson refusait de dégager la voie. Un groupe de nonnes traversa la chaussée d'un pas leste. Pour eux tous, ce sera une journée comme les autres. Pour moi, plus rien ne sera comme avant. La vie reprenait son cours, souveraine de banalité. La mienne m'échappait dans une volute de fumée. J'ai pensé à ma mère. Qu'était-elle en train de faire à l'heure qu'il est ? Je l'ai imaginée assise sur une natte à regarder mon père sombrer dans la folie. Mon père ! Parviendrait-il à semer ses fantômes un jour ? Le bruit des mitrailles et des bombes finirait-il par s'apaiser pour lui permettre d'écouter le cours furtif du temps qui s'enfuit ? Devant moi, la nuque flasque et plissée du conducteur rappelait un accordéon crevé. On aurait dit que le poids de ses pensées oppressait son cou. La voiture de police contourna un marché, passa devant le cinéma *Douniazed* ; un film burlesque tenait l'affiche. Un vendeur de *torraïcos* alignait ses cornets sur son étal de fortune. Bientôt, des galopins viendront rôder autour de son petit chariot, guettant une faille dans son dispositif pour le ruiner. Le conducteur klaxonna pour se frayer un passage au milieu des badauds ; geste inutile car la voie était libre. Par-delà le pare-brise, je voyais la prison qui m'attendait de pied ferme, percevais le relent des pénombres humides où les cris n'auraient pas d'échos, où le remords serait plus qu'un camarade de chambrée ou un animal de compagnie, mon frère siamois.

J'ai pensé à Edmond Bourg, l'auteur du *Miraculé*, à la sauvagerie avec laquelle il avait massacré sa femme et son amant, au couperet qui s'était enrayé le jour de son exécution, au paroissien révéré que l'assassin était devenu... Aurais-je droit au miracle, moi aussi ? Je voudrais tant renaître aux lendemains lavé de mes péchés. Je ne serais probablement pas paroissien ni imam, mais plus jamais je ne lèverais la main sur mon prochain. Je ferais très attention à mes amis, et je ne répondrais pas aux provocations de mes ennemis. Je vivrais sans colère, le cœur sur la main et la source dans le poing, et je saurais trouver la paix partout où je m'aventurerais. D'Irène, je garderais un tendre souvenir, de Gino un fervent repentir ; je promets d'assumer épreuves sur épreuves sans me plaindre si tel est le tribut à verser pour mériter de survivre aux êtres qui me sont chers et que je n'ai pas su garder.

Dieu tout-puissant, Toi que l'on dit clément et miséricordieux, fasse que le couperet s'enraye. Je ne voudrais pas mourir écervelé comme j'ai vécu.

La voiture fit le tour de la place d'Armes, et moi mes adieux à tout ce qui m'avait importé. Les deux lions en faction à l'entrée de l'hôtel de ville me parurent plus grands que d'habitude ; roides dans leur costume de bronze, ils prenaient leur monde de haut. Et ils avaient raison. Il n'y a que les êtres en chair qui finissent par pourrir au soleil.

Aujourd'hui encore, branché à des machines dans ma chambre d'hôpital, tandis que l'érosion des ans ralentit mon pouls, je regarde le crépuscule confisquer les dernières lueurs du jour et je me souviens. Je ne sais rien faire d'autre que me souvenir. J'ai le sentiment que l'on ne s'éteint tout à fait qu'après avoir consumé l'ensemble des souvenirs, que la mort est l'achèvement de tous les oublis.

Déjà, il m'arrive de confondre les noms et les visages. Cependant, d'autres instantanés demeurent, aussi vivaces que les écorchures.

Chaque homme garde en lui l'empreinte indélébile d'une faute qui l'aura marqué plus que les autres. Il en a besoin. C'est sa façon d'équilibrer son être, de mettre un peu d'eau dans son Graal sans quoi il se prendrait pour une déité et aucune louange n'assouvirait sa morgue. Les fauves aussi se souviennent de leur première proie. C'est par elle qu'ils réalisent leur instinct de survie. Mais contrairement aux fauves, c'est par leur premier méfait que les hommes accèdent à leur inconsistance. Pour se donner du cran, ils se chercheront des excuses ou des circonstances atténuantes et persisteront à vouloir se donner raison.

Les hommes sont ainsi faits ; si Dieu les a créés à Son image, Il n'a pas précisé laquelle.

Sur ma table de chevet repose le livre d'Edmond Bourg.

Je l'ai trouvé dans un marché aux puces, parmi des vieilleries et des babioles hors d'usage. Depuis, il est devenu un peu mon livre de prières. Ce texte m'a éveillé à beaucoup de zones d'ombre, les a éclairées d'une lumière sainte, mais il n'a pas réussi à me faire tenir les promesses que je m'étais faites en ce matin blanc pendant que la voiture de police m'emmenait en prison. Je ne suis devenu ni imam ni juste. J'ai continué de vivre sans vraiment être utile aux autres. Un peu comme mon père au retour de la guerre. Peut-être que *Le Miraculé* n'était pas écrit pour moi. Par j'ignore quel besoin morbide, j'y avais traqué un message, un signe, une voie. À force de disséquer les phrases, d'halluciner entre les lignes, j'ai fini par revenir au strict récit d'un homme qui fut assassin puis paroissien et que je n'ai pas réussi à « cadrer ». À Diar Rahma où des vieillards évincés par leurs rejetons ou bien tombés au rebut guettaient la fin de leur dérive, la lecture m'aidait à avaler mes médicaments et ma soupe fadasse sans rechigner. Avec le temps, les prophéties fatiguent, et on n'a plus envie de se compliquer l'existence. Ah ! Le temps, ce fugueur indolent qui nous suit à la trace comme un chien errant et qui, lorsqu'on croit l'avoir apprivoisé, nous fausse compagnie en nous dépossédant de nos marques. Le pardon, le remords, le péché ne tiennent plus devant une dent qui tombe, et la foi rejoint la main qui tremble dans son incertitude. La faute n'est pas qu'un tort, elle est la preuve que le mal est en nous, qu'il est organique, aussi nécessaire que l'angoisse et la fièvre puisque nos soucis naissent de ce qui nous fait défaut, et nos joies ne s'évaluent qu'en fonction de nos peines.

J'ai refermé le livre sans pour autant m'en défaire et j'ai attendu de disparaître à mon tour, à l'instar de Sid Roho et de tous ceux que j'avais perdus de vue.

Des miracles, j'en ai connu deux.

D'abord, la lettre de Gino que je reçus en prison

quelques semaines avant mon procès. En reconnaissant son écriture sur l'enveloppe, je me sentis défaillir. Je m'étais pincé pour être sûr que je ne divaguais pas. Les nuits d'après, je ne parvenais pas à fermer l'œil dans le siège des fantômes… Gino ne m'avait pas écrit de l'au-delà. Il avait survécu au coup de couteau que je lui avais porté. Je serrais contre moi la lettre comme s'il s'agissait d'un talisman. Bien sûr, je ne l'avais pas ouverte. J'étais analphabète et je ne tenais pas à ce que quelqu'un la lise pour moi. Plus tard, beaucoup plus tard, j'ai appris à lire au bagne. Lorsque je suis parvenu à déchiffrer le sens des phrases sans trop trébucher sur les mots, j'ai ressorti la lettre et, bien qu'elle fût brève, j'ai mis une éternité à la parcourir : Gino me pardonnait ; il s'excusait de s'être opposé à Irène et se tenait pour responsable du gâchis qui s'en était suivi. Il était venu plusieurs fois me rendre visite en prison. Je n'avais pas osé le rejoindre au parloir. Je craignais de le décevoir, redoutant de n'avoir à offrir à son sourire qu'une mine repentante et à ses paroles un silence désemparé. Mais sa lettre ne m'a plus quitté. Je l'ai enveloppée dans un morceau de plastique et cousue dans la doublure de ma veste de forçat. Aujourd'hui, elle repose au milieu de mon livre de chevet, *Le Miraculé*.

Ensuite, le jour de mon exécution, mon cœur a lâché. On n'a pas réussi à me ranimer. L'imam aurait dit que l'on n'exécutait pas un mort. Le directeur ne savait pas s'il fallait ou non décapiter un damné plongé dans le coma… J'ai rouvert les yeux à l'hôpital militaire, après des semaines de trou noir. Ma crise cardiaque avait provoqué des dégâts considérables. Pendant des mois, je n'étais qu'un légume que l'on sortait à l'air frais. J'avais perdu l'usage de mes membres inférieurs et de mon bras gauche dont le crochet soulevait des montagnes ; la moitié de mon visage ne fonctionnait plus ; je faisais sous moi à longueur de journée – un fracas, un cri, et mon ventre évacuait tout, n'importe où. J'ai passé plus d'une année à l'hôpital, sur une chaise roulante. En état de choc. Verrouillé dans ma stupeur. On me nourrissait à la petite cuillère, on me lavait au jet d'eau, parfois on me camisolait et on m'isolait à cause de mes accès d'épouvante. La nuit, lorsque l'infirmière rabattait la fenêtre à guillotine, je portais ma main valide à mon cou et hurlais jusqu'à ce que l'on vienne me piquer. Je me souviens vaguement de ces mois « parallèles », mais j'en garde encore une odeur bizarre qui me colle aux narines comme une haleine fauve ; par moments des images cauchemardesques traversent mon esprit et je me surprends à trembler de la tête aux pieds. Une photo de l'époque m'immortalise dans ma déchéance : on voit un pantin désarticulé sur un grabat, la bouche salivante, les traits fondus, le regard de biais, une expression idiote sur la figure. On a testé sur moi des protocoles révolutionnaires et des philtres de savants givrés ; je n'émergeais d'un délire que pour replonger dans un autre. Un médecin m'a déclaré fou, impropre à l'exécution. C'est peut-être ce qui m'a sauvé – selon certaines sources, le Duc n'aurait pas été étranger à ce sauvetage…

Je n'ai pas été gracié. J'ai été condamné à casser la pierre le restant de mon existence. À peine sur mes jambes, on m'a renvoyé au bagne. Les gardiens étaient persuadés que je simulais. Ils me tendaient des pièges pour dévoiler mon jeu, me harcelaient sans répit, chargeaient des taulards de me rendre la vie impossible et, quand ma crise se déclarait, ils m'expédiaient au mitard.

Les mois, les années ont fini par me rendre à la marche inexorable du martyre. J'étais redevenu un bagnard à part entière. Une bête immonde dans un zoo d'horreur. Je me surprenais à épargner les blattes après m'être habitué à les écrabouiller sous ma chaussure ; elles avaient un mérite que je n'avais pas : elles pouvaient aller où elles voulaient sans demander de permission. Les rats me paraissaient moins répugnants que le sourire des prévôts. Lorsqu'un oiseau venait se poser dans la cour, je l'enviais de toutes mes forces, et j'étais jaloux du grain de sable qui réintégrait la tempête *pour voir du pays* tandis que je restais coincé dans ma cage à pourrir comme une charogne. La nuit, quand un pauvre bougre braillait dans son sommeil, on le plaignait parce qu'à son réveil il serait encore plus malheureux. Les jours, en cet exil mal famé, portaient le deuil des providences ; aucune lumière ne nous parvenait. Au bagne, on n'avait pas plus d'estime pour soi que de pitié pour le supplicié que l'on traîne vers l'échafaud.

J'ai rackétté les lopettes, tabassé les fanfarons, fait allégeance aux caïds et cédé ma ration à plus fort que moi.

Il n'y avait pas de place pour le bon Dieu au bagne. Chaque sursis se négociait au barème de la survie. Un regard déplacé, un mot de trop, un gémissement plus haut que les autres, et c'était la mise en bière d'office, sans distinction de couleur ou de religion. Il fallait se camper sur le qui-vive, la moindre étourderie se payait cash. J'ai appris à ruser, à trahir, à frapper dans le dos, à ne pas me détourner quand on violait un camarade de cellule et à regarder ailleurs lorsqu'on le saignait à blanc. Je n'étais pas fier de moi et cela n'avait pas d'importance. Je me disais que mon tour surviendrait ; par voie de conséquence, je n'avais pas à m'attendrir sur le sort des premiers servis. Il m'est arrivé de dormir debout pour faire croire aux esprits frappeurs que je les attendais de pied ferme, et quand ils venaient me secouer de la pointe de leurs brodequins, je faisais le mort.

Le bagne, c'était le cauchemar en boucle. L'enfer du ciel tremblait devant l'enfer des hommes et les diables cornus léchaient les bottes aux matons car, nulle part sur terre, ni sur les champs de bataille ni dans les arènes, la vie et la mort ne connaissent un mépris aussi grand que celui dans lequel elles fusionnent à l'abri des remparts pénitentiaires.

Je fus libéré en 1962, lorsque les prisons furent saturées de détenus politiques. J'avais cinquante-deux ans.

À ma sortie du bagne, je n'ai pas reconnu mes villes ni mes villages ; aucun visage ne m'a paru familier. Alarcon Ventabren avait rendu l'âme, sa ferme était tombée en ruine, le chemin qui y menait avait disparu sous les herbes folles. Du Duc, il ne restait qu'une fable décousue que les jeunes truands corsaient pour se donner du cran. Oran ne ressemblait à aucun de mes souvenirs. La rue du Général-Cérez m'avait oublié. Les anciens portaient leur main en visière pour me dévisager. *C'est moi, Turambo,* leur disais-je en boxant dans le vide. Ils s'écartaient sur mon chemin en se demandant si j'avais toute ma tête.

Des inconnus occupaient la maison de mes parents. Ils m'informèrent qu'après la mort de mon père, ma mère avait suivi Mekki qui avait choisi de s'installer du côté de Ghardaïa où vivait sa belle-famille. Mes recherches m'ont conduit dans un cimetière sommaire. Sur une tombe, un nom à moitié effacé par les vents de sable : *Khammar Taos, décédée le 13 avril 1949*. À en juger par l'affaissement de la fosse et par l'arbuste qui y avait poussé, rachitique et hideux, personne n'était venu se recueillir à cet endroit depuis des lustres.

J'ai cherché mon oncle sans retrouver sa trace.

C'était comme si la terre l'avait englouti.

Retour à Oran. Au boulevard Mascara, la mercerie avait troqué ses articles de couture contre des postes de télévision et de TSF. Sur son fronton, une enseigne se réclamait de *Radiola.* À l'étage, une famille arabe habitait l'appartement des Ramoun. Gino avait quitté le pays sans laisser d'adresse. Durant ma détention, il avait épousé Louise, la fille du Duc, et géré une importante entreprise d'outillage domestique avant qu'un attentat la réduise en poussière.

Je n'ai plus eu de ses nouvelles. Moi-même je n'avais pas de point de chute où l'on puisse me joindre. J'ai erré au gré des saisons tel un spectre déboussolé, flétri et effaré, incapable de me situer par rapport aux êtres et aux choses. Il y avait de la furie dans la pénombre, et le soleil éclatant ne parvenait pas à supplanter les brasiers de mon pays en guerre. Usé jusqu'aux fibres sensibles, je m'en voulais de me substituer à mes malheurs. Le monde qui m'accueillit en vrac m'était totalement étranger.

L'histoire d'une nation née aux forceps était en train de s'écrire, mettant la mienne entre parenthèses. Une histoire où les miracles ne me concernaient plus.

J'avais laissé ma vie derrière moi, là-bas au biribi ; je renaissais à quelque chose qui m'indifférait, à un âge trop avancé pour repartir de zéro. Manquant de repères et de convictions, je n'étais pas en mesure de *tout* recommencer. Je n'en avais plus la force. Je n'avais survécu que pour apprendre, à mes dépens, qu'une existence gâchée ne se rectifie pas.

Je n'ai pas retrouvé l'amour, non plus. L'avais-je cherché ? Je n'en suis pas sûr. Ce n'était pas un homme qui avait quitté le bagne après un quart de siècle de déni de soi, mais un revenant ; mon cœur ne battait que pour cadencer ses frayeurs. Au début, rendu au monde des vivants, l'odeur des bois me rappelait le parfum d'Irène. Je serrais un tronc d'arbre contre moi et je me taisais. Au monde des vivants, les morts n'ont droit qu'aux prières et au silence. Je n'ai pas osé rêver d'une autre femme après Irène. De son côté, pas une femme ne s'est attardée sur un bagnard hagard qui sentait le drame à des lieues à la ronde. Ma figure racontait l'expiation, mes mots ne rassuraient personne ; je ne portais dans mon regard que la noirceur des basses-fosses et je ne savais plus sourire sans donner l'impression de vouloir mordre… *Oui, mon frère, toi qui n'accordes plus de crédit à la rédemption, qui contestes l'évidence et maudis le génie, qui chahutes les vertueux et loues les imposteurs, toi qui défigures la beauté pour que l'horreur exulte, qui ramènes ton bonheur à un vulgaire besoin de nuire et qui craches sur les lumières pour que le monde retourne à l'obscurité, oui, toi, mon jumeau enténébré, sais-tu pourquoi nous n'incarnons plus que nos vieux démons ? C'est parce que les anges sont morts de nos blessures.*

J'ai cherché du travail pour ne pas crever de faim ; j'ai été chiffonnier, veilleur de nuit, gardien de biens vacants, exorciste sans ouailles et sans magie ; j'ai chapardé des fruits sur les marchés et des poulets dans les fermes isolées, j'ai quémandé la charité et les restes de noceurs, échappant aux traquenards des jours comme je pouvais. Mes poings qui jadis détrônaient les champions ne me servaient plus à grand-chose ; je m'étais mutilé de trois doigts pour attendrir mes geôliers – au bagne, on croyait à n'importe quelle sottise susceptible de nous rendre notre liberté. Quelle liberté ? Je l'avais réclamée à cor et à cri ; une fois lâché dans la nature, je ne sus quoi en faire. J'ai traîné de ville en douar, dormi sous les ponts. Étrangement, ma cellule me manquait, mes bagnards me paraissaient plus chers que ma famille perdue. Le pays avait changé. Mon époque était révolue.

J'ai été arrêté sur des terrains militaires et soumis à des interrogatoires musclés, interné dans un asile pour vagabondage avant de connaître la clochardisation. Ivrogne dépenaillé, j'ai tangué dans les faubourgs interlopes en gueulant à tue-tête, la bave sur le menton et les yeux révulsés, et j'ai fui à l'aveuglette devant des gamins qui me lapidaient comme on caillasse un vieux chien teigneux.

J'ai appris à vivre sans les gens que j'aimais, traînant de terrains vagues en places d'Armes pendant des décennies, et quand mes jambes ne purent plus me porter, quand mes yeux se mirent à confondre les silhouettes et les couleurs, quand le moindre petit refroidissement transformait mes étés en hiver, j'ai renoncé à mon balluchon et aux horizons et, entouré de mes absents, je me suis laissé ballotter de mouroir en mouroir telle une épave malmenée par les vents contraires. À l'usure, mes absents sont partis les uns après les autres. Il ne me restait que quelques vagues souvenirs pour tromper mes solitudes.

Dans ma chambre d'hôpital, la nuit se prépare à euthanasier ma mémoire. Il fait noir et l'infirmière oublie d'actionner le commutateur ; je ne peux pas me lever pour allumer à cause des tuyaux qui me retiennent captif d'un appareillage de soins palliatifs. À côté de moi, un patient décharné tripote son lecteur. C'est un rituel, chez lui. À la même heure, tous les jours depuis son admission, il écoute chanter Lounis Aït Menguellet dont il connaît par cœur le répertoire. La voix chaude du chantre kabyle me renvoie loin dans le passé lorsque Gino et moi fréquentions les cafés-concerts des quartiers populaires.

Je ne suis plus retourné dans les rues de ma jeunesse, je n'ai plus approché un stade, je ne me suis reconnu dans aucune fête et aucune victoire n'a fait frémir mon âme. Quelquefois, en passant devant une affiche, je restais songeur sans savoir pourquoi, comme si je n'arrivais pas à remettre un visage, puis je poursuivais mon chemin qui ne menait jamais au même endroit ; le monde m'était peuplé d'inconnus.

J'étais face à un miroir et je ne me voyais pas dedans.

En regardant de près nos vies, on s'aperçoit que nous ne sommes pas les héros de nos histoires personnelles. On a beau s'attendrir sur son sort ou jouir d'une notoriété qui souvent prête du talent à ceux qui ne savent pas le rendre, il y aura toujours quelqu'un de plus lésé ou de plus verni que soi. Ah ! si seulement on pouvait *tout* relativiser – la préciosité, l'honneur, la susceptibilité, la foi et l'abjuration, la menterie au même titre que la véracité –, on aurait sans doute trouvé la satiété jusque dans la frugalité et mesuré très tôt combien l'humilité nous préserve de la démence – il n'est pire folie que de se croire le nombril du monde. Pourtant, chaque fléchissement nous prouve que l'on est bien peu de chose, mais qui l'admettrait ? On prend le rêve pour un défi alors qu'il n'est qu'une chimère sinon comment expliquer qu'à la mort comme à la naissance on soit pauvres et nus ? La logique voudrait que ne compte que ce qui reste, or nous sommes appelés à disparaître un jour, et quelle trace nous survivra dans la poussière des âges ? L'image que nous donnons de nous-mêmes ne fait pas de nous des artistes authentiques mais d'authentiques faussaires. Nous croyons savoir où nous allons, ce que nous voulons, ce qui est bon pour nous et ce qui ne l'est pas et nous nous arrangeons pour faire en sorte que ce qui ne va pas ne dépende pas de nous. Nos maigres excuses nous deviennent des arguments irréfutables pour se voiler la face et nous érigeons nos hypothétiques certitudes en vérités absolues pour continuer de spéculer bien que nous ayons tout faux. Mais n'est-ce pas de cette façon que nous marchons sur nos propres corps afin de cohabiter avec ce qui nous dépasse ? Au bout du compte, qu'avons-nous pourchassé notre existence entière sans le rattraper, sinon nous-mêmes ?

Mais c'est fini, maintenant.

Mon histoire s'achève dans cette chambre obscure que la voix d'Aït Menguellet sauve de l'enfer. Sans un ami à mon chevet, sans une femme à mes côtés – peut-être est-ce mieux ainsi. De cette façon, je suis sûr de ne rien laisser derrière moi.

À quatre-vingt-treize ans, que peut-on attendre de l'orage ou de la décrue ? Je n'attends rien, ni rédemption, ni rémission, ni nouvelles, ni retrouvailles. J'ai bu le calice jusqu'à la lie, subi l'offense jusqu'à l'agonie ; j'estime m'être pleinement acquitté de ce qui m'était échu. Mon souffle s'est épuisé, mes veines ne saignent plus, désormais la douleur ne me fait plus souffrir…

Que l'on ne me parle pas de miracle ; qu'est-ce qu'un miracle dans une chambre d'hôpital qu'on oublie d'éclairer ?

J'ai tiré un trait sur mes joies, fait la paix avec mes peines ; je suis fin prêt. Lorsque le souvenir plombe le présent en se substituant au jour qui naît à notre fenêtre chaque matin, cela voudrait dire que l'Horloge s'est fixée sur un destin. On apprend alors à fermer les yeux sur les rares réflexes qui nous restent pour être seul avec soi-même, c'est-à-dire avec quelqu'un qui nous devient insaisissable au fur et à mesure que l'on s'habitue à ses silences, puis à ses distances jusqu'à ce que le Grand sommeil nous soustraie aux désordres de toute chose.